Franz Bäumchen
Deutsche Wirtschafts

Franz Bäumchen

# Deutsche Wirtschaftssprache für Ausländer

Max Hueber Verlag

**3. Auflage**

| 3. | Die letzten Ziffern |
| 1982 | bezeichnen Zahl und Jahr des Druckes. |

Alle Drucke dieser Auflage können nebeneinander benutzt werden.
© 1973 Max Hueber Verlag München
Umschlaggestaltung: Erentraut Waldau
Gesamtherstellung: G. J. Manz AG, Dillingen · Printed in Germany
ISBN 3–19–00.1114–1

# Vorwort

Dieses Sprachlehrbuch ist für ausländische Berufstätige im Lebensbereich der Wirtschaft gedacht, die bereits die deutsche Sprache des Geschäftslebens etwa entsprechend dem abgeschlossenen Niveau von „Der Kaufmann" (Hueber-Nr. 1113) beherrschen.

Die Verwendung des Fachwortschatzes ist auf die hauptsächlichen Gebiete und Zweige des Wirtschaftslebens so ausgeweitet, daß mit dem Abschluß des Lehrbuches die reibungslose Lektüre von deutschen Wirtschaftszeitungen, das Verständnis von schwierigen deutschen Geschäftsbriefen und deren Beantwortung gesichert ist.

Die Methode ist gleichlaufend konzentrisch und progressiv. Das will in diesem Fall sagen, daß je 4 Abschnitte z. B. 1A bis einschließlich 4C eine methodische Einheit mit sprachlicher und sachlicher Progression bilden. Die einzelnen Themen werden in den folgenden 4 Abschnitten (5A–8C) in konzentrischer Ausweitung wiederaufgenommen, desgleichen in den nächsten (9A–12C) und übernächsten (13A–16C), um ihren Abschluß in den letzten drei Abschnitten zu finden.

Die Darstellung der Grammatik ist größtenteils mit freundlicher Genehmigung der Verfasser der „Grammatik der deutschen Sprache" von Schulz-Griesbach übernommen worden.

Das Wörterverzeichnis nach Abschnitten ist so angelegt, daß die Verben mit Grundformen und Satzbeispielen als erste Wortgruppe besonders hervorgehoben, anschließend die Nomen mit ihren Grundformen und als letzte die übrigen Wortarten angeführt werden.

Für die Wortbedeutung im Kontext sollte das Wörterverzeichnis des jeweiligen fremdsprachigen Beiheftes herangezogen werden. In diesem Beiheft (für französisch: Complément à l'usage des étudiants français, Hueber-Nr. 3.1114) werden neben zahlreichen Übersetzungs- und Kontrastübungen fremdsprachige Texte zu den jeweiligen Unterabschnitten B (z. B. 1B, 2B usw.) vorgelegt.

Franz Bäumchen

# Inhaltsverzeichnis

# Kapitel 1
## Abschnitt A

**Urbedürfnisse des Menschen**

Eine Großstadt mit einer Million Einwohner benötigt im Jahr:

| | | | | | | | | |
|---|---|---|---|---|---|---|---|---|
| | | | | | | | | 200 000 t |
| | | | | | | | | |
| | | | | | | | | 100 000 t |
| | | Obst | | | | | | 50 000 t |
| | | und | | | | | | 25 000 t |
| Milch | Brot | Gemüse | Fleisch | Zucker | Eier | Käse | Butter | |

Jeden Tag rollen viele Güterzüge in die Städte, um deren Bevölkerung die
nötigen Nahrungsmittel zu bringen. Eine Großstadt mit einer Million Ein-
wohner braucht Tag für Tag Berge von Brot, Fleisch, Eiern, Zucker, Butter,
Obst, Gemüse, Käse, Salz und riesige Mengen von Milch, Wasser usw. Die
Menschen benötigen diese Nahrungsmittel, um sich zu ernähren, d. h. um am
Leben zu bleiben. Deshalb ist die tägliche Nahrung das erste der elementaren
Bedürfnisse.

In den meisten Regionen der Erde muß der Mensch seinen Körper gegen Kälte
oder Hitze, gegen Regen oder Schnee schützen. Darum bekleidet er sich und baut
Häuser. Auf diese Weise hat er ständigen Schutz vor der ungünstigen Witterung
und wird vom Klima unabhängiger. Er trägt Kleider und Schuhe (= Kleidung)
und wohnt in Räumen, die seine Wohnung bilden. Auch die Kleidung und die
Wohnung sind unentbehrlich zum Leben. Deshalb nennen wir *Nahrung, Kleidung und Wohnung elementare Bedürfnisse.*

Übung 1: Beachten Sie!

Viele Güterzüge rollen in die Städte.

................................ fahren .........................

.......... Lastzüge .........................................

.......... (Fern-)Laster .............................

Die Menschen benötigen diese Nahrungsmittel, um sich zu ernähren.

......................... ernähren sich mit diesen Nahrungsmitteln.

Ohne Nahrung kann man nicht am Leben bleiben

............................................... leben.

Der Mensch bekleidet sich.

.................. zieht Kleider und Schuhe an.

.................. trägt ..............................

Er hat Schutz vor der ungünstigen Witterung.

.......... schützt sich .................................

Er ist .............................................. geschützt.

---

Das Verb im Satz (Wiederholung)

1. „nehmen"

| Position II | Position Ende |
|---|---|
| a) Ich *nehme* ein Fleischgericht. | |
| b) Er *nahm* ein Fleischgericht. | |
| c) Du *wirst* ein Fleischgericht | *nehmen.* |
| d) Sie *hat* ein Fleischgericht | *genommen.* |

2. „vor/bereiten, sich vor/bereiten"

| Position II | Position Ende |
|---|---|
| a) Diese Aufgabe *bereite* ich gründlich | *vor.* |
| b) Er *hat* diese Angelegenheit nachlässig | *vorbereitet.* |
| c) Wir *bereiten* uns auf die Prüfung | *vor.* |
| d) Sie *werden* sich auf diesen Tag | *vorbereiten.* |

3. Modalverben

| Position II | Position Ende |
|---|---|
| a) Ich *kann* mittags nicht nach Hause | *gehen.* |
| b) Sie *mußte* zu Hause | *bleiben.* |
| c) Wir *werden* morgen ins Kino | *gehen dürfen.* |
| d) Ihr *habt* gestern viel | *arbeiten müssen.* |

4. Nebensätze (= Gliedsätze)

| | Position Ende |
|---|---|
| a) Ich weiß, daß er mittags nicht nach Hause | *geht.* |
| b) Du hast gehört, daß ich gestern nicht im Büro | *gewesen bin.* |
| c) Vergiß nicht, daß wir heute ins Kino | *gehen.* |
| d) Nun wußte ich, daß er | *gegangen war.* |

e) Er weiß, daß er vormittags nicht nach Hause *gehen kann.*
f) Sie schrieb uns, daß sie nach Köln *gehen mußte.*

5. „brauchen" (= benötigen)

a) Er *braucht* (= benötigt) jeden Tag (viel, wenig) Brot.
b) Wir *benötigen* diese Ware nicht.
c) Du *brauchst* für den Sommer einen neuen Anzug.

6. „nicht (nur) brauchen" (= nicht [nur] müssen)

a) Du *brauchst nicht zu* kommen, wenn du keine Lust hast.
b) Er *braucht* sich *keine* Sorgen *zu* machen.
c) Wenn Sie etwas wünschen, *brauchen* Sie *nur* den Kellner *zu* rufen.

---

Übung 2: Beschreiben Sie in je drei Sätzen, was Sie zum Frühstück, zu Mittag und zu Abend essen!

Übung 3: Beschreiben Sie in je drei Sätzen Ihre Kleidung im Sommer und im Winter!

Übung 4: Beschreiben Sie in fünf Sätzen die Räume einer großen Wohnung!

---

Nahrungsmittel – Lebensmittel – Nahrung
sich ernähren – essen – trinken
Kleider – Schuhe – Kleidung – Bekleidung
sich bekleiden – tragen – anziehen
wohnen – Wohnung – Haus

---

## Abschnitt B

### Der Mensch und seine Tätigkeit im Laufe der Jahrhunderte

Vor vielen Jahrtausenden ernährten sich die Menschen hauptsächlich von wilden Tieren, von Fischen und von den Früchten des Waldes. Deshalb beschäftigten sie sich meist mit der Jagd, dem Fischfang und Sammeln von Früchten. Es dauerte sehr lange, bis die Jäger und Fischer Tiere ihrer Umgebung züchten konnten.

11

Sie mußten das Land bebauen, um Futter für ihr Vieh und Getreide für sich zu haben. Mit der Milch und dem Fleisch ihrer Haustiere ernährten sie sich und bekleideten sich mit ihren Häuten und Fellen.

Jahrhundertelang waren Ackerbau und Viehzucht die einzige Grundlage für den Menschen. In manchen Regionen der Erde begann man schon im Altertum sich zu spezialisieren. Wer eine bestimmte Tätigkeit, z. B. die Herstellung der für die Landwirtschaft notwendigen Werkzeuge, besser ausüben konnte als der andere, beschäftigte sich ausschließlich damit. So entstand allmählich eine Gruppe von Handwerkern, die ihre Erzeugnisse gegen Nahrungsmittel tauschten.

Im Altertum und im Mittelalter gab es eine große Anzahl von Handwerkern in den Städten. Das Handwerk ist bis in die Neuzeit unentbehrlich geblieben, auch wenn in einigen Ländern die Industrie das Handwerk verdrängt hat.

Beantworten Sie die folgenden Fragen:

1. Womit ernährten sich die Menschen vor vielen Jahrtausenden?
2. Welche waren die ersten Tätigkeiten des Menschen?
3. Welche Tätigkeiten haben sich aus diesen entwickelt?
4. Worin besteht die Tätigkeit in der Landwirtschaft?
5. Welche Nahrungsmittel erzeugt die Landwirtschaft?
6. Was stellen die Handwerker her?
7. Welche Länder haben heute nur noch wenig Handwerker? Warum?

---

Jagd – Fischfang
Tiere jagen – Fische fangen – Früchte sammeln
Tiere züchten – Land bebauen
Jäger – Fischer – Bauer (Landwirt)
Ackerbau – Viehzucht – Landwirtschaft
Altertum – Mittelalter – Neuzeit
Handwerker – Werkzeuge
Handwerk – Industrie

---

## Abschnitt C

### Der Geschäftsbrief

Der Kaufmann erhält und schreibt häufig Briefe, er wird sehr oft angerufen, und er führt viele Telefongespräche (Orts- und Ferngespräche). Kaufleute

tauschen häufig Informationen aus. Die Briefe des Kaufmanns sind Geschäftsbriefe, die er seinen Geschäftspartnern schreibt oder von diesen erhält.
Der Geschäftsbrief unterscheidet sich von einem privaten Brief in einigen Punkten. Er soll kurz und klar sein, eine Information übermitteln, d. h. der Absender schreibt dem Empfänger, was er ihm geschäftlich mitzuteilen hat. So muß z. B. der Kaufmann für sein Geschäft ständig neue Waren einkaufen. Er kauft diese Waren bei Kaufleuten, die ihn beliefern können. Er ist also Kunde bei seinen Lieferern (= Lieferanten). Immer, wenn er Waren benötigt, sucht er sich unter seinen Lieferanten diejenigen aus, bei denen er sich mit den besten Waren zu den günstigsten Preisen eindecken kann. Zu diesem Zweck fragt der Kunde bei seinen bisherigen oder neuen Lieferern an. Er schreibt einen Geschäftsbrief, den man *Anfrage* nennt. Auf die Anfrage des Kunden antwortet der Lieferer mit seinem *Angebot*. Darin bietet der Lieferer die gewünschte Ware an. Er gibt die Güte, den Preis, die Liefer- und Zahlungsbedingungen an. Das bedeutet, daß der Kunde, wenn er die gewünschte Ware kaufen will, den Preis dafür und die Bedingungen zur Lieferung und zur Bezahlung annehmen soll. Ist der Kunde damit einverstanden, dann wird ihm der Lieferer verkaufen, d. h. er wird *ihn beliefern*.
Der Kunde muß nicht ausdrücklich erklären, daß er mit den Bedingungen des Lieferers einverstanden ist: Es genügt, wenn er bestellt und sich auf die Bedingungen des Angebots bezieht. Dieser Geschäftsbrief ist die *Bestellung*. Durch das Angebot des Lieferers und die Bestellung des Kunden ist ein Vertrag geschlossen worden (= zustande gekommen), den wir *Kaufvertrag* nennen.
Auf Grund dieses Vertrages ist der Lieferer zur Lieferung der angebotenen Waren unter den angegebenen Bedingungen verpflichtet. Ebenso muß der Käufer (= Kunde) die bestellte Ware abnehmen und bezahlen.
Der Lieferer erfüllt den geschlossenen Kaufvertrag, indem er die bestellte Ware zum vereinbarten Zeitpunkt liefert: dazu schreibt er einen *Lieferschein* und eine *Rechnung* (oft beides zusammen).
Der Käufer bezahlt den Gesamtpreis der Waren (= den Rechnungsbetrag). Wir sagen, er gleicht die Rechnung aus. Das ist der *Zahlungsausgleich*, der meistens mit einem *Verrechnungsscheck* und einer kurzen Benachrichtigung an den Lieferer erledigt wird.
„Anfrage", „Angebot" und „Bestellung", „Lieferung" und „Zahlungsausgleich" sind zusammen ein *Geschäftsvorgang*. Bei jedem Geschäftsvorgang muß es einen Lieferer und einen Käufer geben. Der Lieferer beliefert seine Kunden (= verkauft seinen Kunden), während der Käufer von dem Lieferer seine Waren bezieht (= von dem Lieferer kauft = beim Lieferer einkauft).

Beantworten Sie die folgenden Fragen:

1. Wie nennt man den Brief des Kaufmanns?

2. Wie werden Nachrichten ausgetauscht?
3. Wodurch unterscheidet sich der Geschäftsbrief von einem privaten Brief?
4. Wo kauft der Kaufmann die Waren ein, die er für sein Geschäft benötigt?
5. Was macht der Kaufmann, bevor er neue Waren einkauft?
6. Bei welchem Lieferer wird der Kaufmann am liebsten einkaufen?
7. Wie heißt der Geschäftsbrief, den der Kaufmann vor dem Einkauf der Waren schreibt?
8. Was ist das Angebot?
9. Wie nennt man den Kaufmann, der das Angebot schreibt?
10. Was führt der Kaufmann in seinem Angebot an?
11. Wann beliefert der Lieferer seine Kunden?
12. Wodurch erklärt der Kunde, daß er mit den Bedingungen seines Lieferers einverstanden ist?
13. In welchem Geschäftsbrief bezieht sich der Kunde auf das Angebot des Lieferers?
14. Wie kommt der Kaufvertrag zustande?
15. Wozu ist der Lieferer aufgrund des Kaufvertrages verpflichtet?
16. Wozu verpflichtet der Kaufvertrag den Käufer?
17. Wie erfüllt der Lieferer den Kaufvertrag?
18. Wie wird der Kaufvertrag vom Käufer erfüllt?
19. Worin besteht ein Geschäftsvorgang?
20. Von wem kauft der Kunde?
21. Wem verkauft der Lieferer?
22. Von wem bezieht der Käufer?
23. Wen beliefert der Lieferant?

---

Briefe – Geschäftsbriefe – private Briefe
Ortsgespräche – Ferngespräche
Briefe schreiben – Briefe bekommen – Gespräche führen
Geschäftspartner – Absender – Empfänger
Kaufmann – Kaufleute
Lieferer – Lieferant – Käufer – Kunde
benötigen – brauchen – sich eindecken – kaufen – beziehen
Anfrage – Angebot – Bestellung
anfragen – anbieten – bestellen
Lieferung – Rechnung – Zahlungsausgleich (= Rechnungsausgleich)
beliefern – liefern – übernehmen – bezahlen
Kaufvertrag – Geschäftsvorgang

# Kapitel 2

## Abschnitt A

**Urbedürfnisse des Menschen** (Fortsetzung)

Die Nahrung des Menschen ist je nach dem Klima verschieden: fettreich im kalten Klima oder reich an Zucker in den Tropen. Sie ist auch verschieden je nach der Lebensweise: ein Arbeiter wird nicht nur fettreiche, sondern auch eiweißreiche Nahrung zu sich nehmen müssen, um bei Kräften zu bleiben. Fettreiche Nahrungsmittel sind Butter, Olivenöl, Speck. Reich an Eiweiß sind Eier, Fisch, Fleisch, Hülsenfrüchte (Bohnen, Linsen und Erbsen). Zucker, Obst und Getreide enthalten reichlich Kohlehydrate.

Nicht nur die Nahrung des Menschen ist je nach Klima und der Lebensweise verschieden, sondern auch seine Bekleidung und seine Wohnung. Die tägliche Menge an Nahrung, die der Mensch benötigt, um leben und arbeiten zu können, ist sein täglicher *Bedarf* an Nahrung. Ebenso hat der Mensch einen bestimmten Bedarf an Kleidung, z. B. mindestens einen Anzug, ein Paar Schuhe oder einen Hut, zwei Hemden usw. Das ist sein *Mindestbedarf* an Kleidung. Der Mindestbedarf an Wohnung ist ein Wohnraum von einer bestimmten Größe. Wir wissen jedoch, daß der größte Teil der Menschheit den Mindestbedarf an Nahrung, Wohnung und Kleidung nicht decken kann.

**Übung 1:** Sagen Sie die folgenden Sätze anders:

1. Die Nahrung des Menschen ist je nach dem Klima verschieden.
2. Sie (= die Nahrung) ist auch verschieden nach der Lebensweise.
3. Er hat einen großen täglichen Bedarf an Nahrung.
4. Der Mindestbedarf an Kleidung und Wohnung kann vom größten Teil der Menschheit nicht gedeckt werden.

---

1. „Passiv" (Wiederholung)

| Position II | Position Ende |
|---|---|
| a) Diese Schuhe *werden* bei Regenwetter | *angezogen.* |
| b) Sein Mantel *kann* nicht mehr | *getragen werden.* |
| c) Deine Hosen *wurden* oft zur Arbeit | *getragen.* |

2. „Steigerung" (Wiederholung)

a) Wir ziehen immer gute Kleider an.

15

b) Du hattest früher einen schöneren Mantel.
c) Am Sonntag trägt sie immer ihr schönstes Kleid.

3. „Wortstellung" (Wiederholung)

a) Der Kaufmann bietet dem Kunden seine Waren zum Kauf an.

| der Kaufmann | bietet | dem Kunden | seine Waren | zum Kauf an. |
|---|---|---|---|---|
| Subjekt | 1. Prädikats-teil | Dativ-objekt | Akkusativ-objekt | Präpositional-objekt |

Er bietet sie (seine Waren) ihm (= dem Kunden) zum Kauf an.

| er | bietet | sie | ihm | zum Kauf an. |
|---|---|---|---|---|
| Subjekt | 1. Prädikats-teil | Akkusativ-objekt | Dativ-objekt | 2. Prädikats-teil |

---

Übung 2: Beschreiben Sie Vorbereitung und Verlauf einer Hochzeitsfeier:
Beschreiben Sie, wie die Leute angezogen waren und was es zum Essen und zum Trinken gab.

Übung 3: Wieviel ist der Mindestbedarf eines Menschen (in Gramm) an Kohlenhydraten, Fett und Eiweiß?
Geben Sie an, in welchen Nahrungsmitteln diese Menge zu finden ist.

Übung 4: Versuchen Sie zu erklären, was eine gesunde Lebensweise (welche und wieviel Nahrung, welche Bekleidung und was für eine Wohnung) ausmacht.

---

fettreich – eiweißreich – reich an Kohlehydraten
tägliche Menge – Bedarf – Mindestbedarf
Mindestbedarf an Nahrung, an Kleidung, an Wohnung

---

# Abschnitt B

### Wie ernähren wir uns heutzutage?

Wir leben und arbeiten heute anders als unsere Großväter und Väter. Die Automatisierung und die Motorisierung haben für die meisten die Arbeit leichter gemacht. Es gibt nur noch wenige Arbeiter, die, wie früher, Kisten oder schwere Säcke selbst zu tragen haben. Aus diesem Grund sollten wir heutzutage auch anders essen als unsere Vorfahren. Da es für die meisten Menschen in den Industriestaaten genug zu essen gibt, werden mehr Lebensmittel verzehrt als dem Körper gut tut. Deshalb versuchen viele Berufstätige, ihre Ernährung der Arbeit anzupassen. Sie beklagen sich nicht über zu wenig, sondern über zu viel Fett im Essen; Obst und Gemüse werden mehr verlangt. Außer frischem Gemüse oder Tiefkühlgemüse ist das Eiweiß wichtiger geworden. Jedoch ist Eiweiß in Form von Fisch oder Fleisch ziemlich teuer. Deshalb decken viele ihren Eiweißbedarf mit Milchprodukten.

Besonders groß ist jedoch die Versuchung zum guten und reichlichen Essen auf Reisen. Die großen Schiffahrtsgesellschaften bieten Speisen und Getränke in derselben Güte wie die besten Hotels und Restaurants auf dem Festland. Auch auf langen Fahrten mit der Eisenbahn werden in der Regel nicht mehr mitgebrachte Butterbrote und gekochte Eier als einziger Proviant verzehrt. Selbst mit wenig Geld kann man sich eine gute Mahlzeit im Speisewagen und gekühlte Getränke im Barwagen leisten. Fährt man mit 150 km/Std. auf der Autobahn, so ist es ratsam, alle 3 bis 4 Stunden eine kleine Pause einzulegen. Dazu bieten sich die Rasthöfe an, in denen man gut essen und trinken kann. Reist man mit dem Flugzeug, so wird man dabei von der Fluggesellschaft mit erstklassigen Speisen verwöhnt. Selbst die Bus-Reisenden werden von den Reisegesellschaften mit warmen und kalten Getränken und kleinen Imbissen versorgt.

Beantworten Sie die folgenden Fragen:

1. Warum leben wir heute leichter als unsere Vorfahren?
2. Wie soll man sich heutzutage ernähren?
3. Bei welcher Gelegenheit ist das Essen eine große Versuchung?
4. Warum bieten die Schiffahrtsgesellschaften erstklassige Mahlzeiten?
5. Was soll man tun, wenn man längere Zeit auf der Autobahn fährt?
6. Womit versorgen die Reisegesellschaften ihre Bus-Reisenden?

---

Vater – Großvater – Vorfahren

Automatisierung – Motorisierung

früher – heute – heutzutage

Eiweißbedarf – Fettbedarf

Speisen – Getränke

Gaststätte – Schiffahrt – Schiffsreise – Schiffahrtgesellschaft

Flugzeug – Flugreise – Fluggesellschaft

---

# Abschnitt C

## Der Geschäftsbrief: Anfrage und Angebot

Wir besuchen ein Einzelhandelsgeschäft. Die Kunden decken dort während der Geschäftszeit ihren Bedarf an Gütern ein. Nach Geschäftsschluß zählt der Geschäftsinhaber die Einnahmen zusammen, um zu wissen, wieviel der Tagesumsatz beträgt. Der Erlös eines Tages aus dem Warenverkauf ist der Tagesumsatz eines Geschäftes. Der Geschäftsinhaber wird außerdem Waren aus seinem Lager entnehmen und damit die Regale im Verkaufsraum auffüllen, um am nächsten Tag die Wünsche seiner Kundschaft befriedigen zu können. Zugleich kann er im Lager die Warenart und die Warenmenge feststellen, die er sich neu besorgen muß. Er muß seinen Warenbestand erneuern.

Wenn der Kaufmann seinen Lagerbestand erneuern will, wird er sich gewöhnlich an seine bisherigen Lieferer wenden; er kann aber auch bei neuen Lieferanten anfragen.

Der Einzelhändler richtet seine *Anfrage* meistens an Großhändler. Bei alten Lieferern wird er sich in seiner Anfrage auf den letzten Kauf beziehen. Er wird jetzt wissen wollen, ob die Qualität, der Preis, die Liefer- und Zahlungsbedingungen sich in der Zwischenzeit geändert haben. Bei einer neuen Geschäftsverbindung wird er angeben, woher er die Firma des Großhändlers kennt.

Selbstverständlich wird der Einzelhändler in beiden Fällen die Warenart, die ihn interessiert, und deren Menge angeben. Er wird um Kataloge und Preislisten bitten oder auch den Besuch eines Vertreters wünschen.

Der Empfänger dieser Anfrage – der Großhändler – wird seinem Kunden sehr höflich antworten. Er wird ihm aus seinem verfügbaren Warenbestand die angefragten Waren anbieten. Dieser Geschäftsbrief ist das *Angebot.*

Die angebotene Ware wird genau beschrieben. Wenn es als nützlich erscheint, werden auch Muster beigefügt. Der *Preis* wird für die handelsübliche Einheit angegeben, z. B. 30,50 DM je Meter. Ferner sollte der Lieferer angeben, ob die *Verpackungskosten* im Preis enthalten sind. Ansonsten muß der Käufer die Kosten der Verpackung tragen. Für die Lieferung muß angegeben werden, wer die Kosten der Warenlieferung zu tragen hat. Diese Kosten nennt man *Frachtkosten,* die z. B. mit dem Vermerk „frei Haus" geklärt werden. „Frei Haus" bedeutet, daß der Transport der Ware bis ins Haus des Käufers zu Lasten des Lieferers geht. Desgleichen muß für die Lieferung auch die *Lieferzeit* verbindlich angegeben sein, z. B. „innerhalb von 14 Tagen nach der Bestellung".

Verpackung, Fracht und Lieferzeit sind die *Lieferbedingungen* des Kaufmanns. Der Lieferer bestimmt ferner, wann die Rechnung für die gelieferten Waren zu bezahlen ist, z. B. „zahlbar innerhalb eines Monates ohne jeden Abzug". Dies nennt man die *Zahlungsbedingungen* des Lieferers.

Beantworten Sie die folgenden Fragen:

1. Was verstehen Sie unter dem Tagesumsatz eines Geschäftes?
2. Warum muß der Kaufmann seinen Warenbestand erneuern?
3. An wen richtet der Einzelhändler seine Anfrage?
4. Welche Angaben muß die Anfrage enthalten?
5. Wodurch wird die Anfrage beantwortet?
6. Welche Angaben muß das Angebot enthalten?
7. Was versteht man unter „Lieferbedingungen"?
8. Was versteht man unter „Frachtkosten"?
9. Was nennt man „Zahlungsbedingungen"?

---

Geschäftszeit – Geschäftsschluß
Einzelhandel – Großhandel
Einzelhändler – Großhändler
Umsatz     – Erlös
Warenart – Warenmenge – Warenbestand
Lager – Lagerbestand
bisherige Lieferer – alte Lieferer – neue Lieferer
sich an den Lieferer wenden – beim Lieferanten anfragen
Anfrage:   – die Anfrage an den Großhändler richten
         – sich auf den letzten Kauf beziehen
         – die Warenart und Menge angeben
         – die Qualität, der Preis, die Liefer- und Zahlungsbedingungen ändern sich (ändern sich nicht)
         – um Kataloge oder Preislisten bitten
         – den Besuch eines Vertreters wünschen
Angebot: – höflich antworten
         – aus dem verfügbaren Warenbestand anbieten
         – die angebotene Ware genau beschreiben
         – Muster beifügen
         – die handelsübliche Einheit angeben
         – die Verpackungskosten (nicht) angeben
         – angeben, wer die Kosten der Warenlieferung (= Frachtkosten) zu tragen hat
         – verbindliche Angabe der Lieferzeit
         – Angabe, wann die Rechnung für die gelieferten Waren zu bezahlen ist

# Kapitel 3

## Abschnitt A

**Die Güterarten**

Der Mensch muß die elementaren oder primären Bedürfnisse befriedigen, um am Leben zu bleiben. Wenn er seinen Mindestbedarf an Nahrung, Wohnung Kleidung gedeckt hat, so versucht er, besser und schöner zu leben. Er möchte mehr essen, sich besser kleiden und schöner wohnen. Er wünscht sich Bücher oder Schallplatten, er möchte ins Theater oder Kino gehen. Er sucht auch diese neuen Bedürfnisse zu befriedigen, obwohl diese zum Leben nicht unbedingt nötig sind: wir nennen sie deshalb *sekundäre oder Kulturbedürfnisse*.

Wahrscheinlich ist der Mensch nach der Deckung seiner Kulturbedürfnisse auch nicht zufrieden. Er ist eigentlich nie glücklich, er möchte immer mehr besitzen. Er möchte schöne Dinge um sich haben, wie wertvolle Bücher, die er kaum liest, oder prächtige Möbel und wertvolle Gemälde: Er möchte sehr gern im Luxus leben. Diese Bedürfnisse nennen wir *Luxusbedürfnisse*.

Einen Teil seiner Bedürfnisse kann der Mensch *mit Gütern* und *Dienstleistungen* zufriedenstellen (befriedigen). Ein Gut kann ein Gegenstand sein, wie z. B. der Tisch, an dem wir essen, oder die Stühle, auf denen wir sitzen. Diese Güter nennen wir *Sachgüter*. Andere Bedürfnisse können nur durch Arbeit, den Dienst anderer Menschen zufriedengestellt werden, wie z. B. Haarpflege, das Speisen im Restaurant, die Übernachtung in Hotels, Fahrten innerhalb der Stadt (Straßenbahn, Bus, U-Bahn), Fahrten von einem Ort zum anderen (Eisenbahn, Schiff, Flugzeug). Diese Leistungen bekommt er gegen Entgelt, er muß dafür einen bestimmten Betrag bezahlen. Solche Güter, die entgeltliche Leistungen anderer Menschen sind, nennen wir *Dienstleistungen*.

Auch für die Sachgüter muß der Mensch bezahlen, sie haben alle einen *Preis*. Sowohl Sachgüter als auch die Dienstleistungen verbraucht der Mensch, bzw. nimmt sie in Anspruch, um seine Bedürfnisse zu befriedigen. Das ist sein *Verbrauch* an Gütern. Sie haben nur den einen Zweck, die Wünsche des Menschen, des *Verbrauchers,* zu erfüllen. Der Verbraucher kann sich die gewünschten Güter nur beschaffen, wenn er über das nötige Geld verfügt. Dieses Geld bekommt er wieder für seine Arbeit, für seine Dienstleistungen, für seine Güter. Viele Güter werden vom Verbraucher verzehrt oder aufgebraucht, wie z. B. Nahrungs- und Genußmittel, Brennstoffe, Kosmetika. Wir bezeichnen sie deshalb als *Verbrauchsgüter* (= Konsumgüter). Andere Güter werden nicht unmittelbar verbraucht, sondern dienen zur Erzeugung neuer Güter. Das sind die *Investitionsgüter* (= *Kapitalgüter* = *Produktionsgüter*). Verbrauchsgüter, die nicht sofort

verzehrt werden, sondern länger gebraucht werden, wie z. B. die Wohnungs-
einrichtung, sind *Gebrauchsgüter*

Übung 1: Formulieren Sie die folgenden Sätze anders:

    1. Wenn der Mensch seinen Mindestbedarf gedeckt hat, versucht er, besser und schöner zu leben.
    2. Er sucht diese neuen Bedürfnisse zu befriedigen, obwohl dies zum Leben nicht unbedingt nötig ist.
    3. Er möchte sehr gern im Luxus leben, wenn er dazu genügend Mittel hat.
    4. Bestimmte Bedürfnisse kann man nur durch die Arbeit anderer Menschen befriedigen.
    5. Die Dienstleistungsgüter sind entgeltliche Leistungen anderer Menschen.
    6. Viele Güter haben nur einen Zweck, die Wünsche des Verbrauchers zu erfüllen.
    7. Die Investitionsgüter dienen zur Erzeugung neuer Güter.

---

1. „lassen" (Wiederholung)

    a) Er läßt sich ein Haus für seinen Lebensabend bauen.
    b) Lassen Sie mich dieses Angebot sehen!
    c) Lassen Sie mich diesen Vertrag unterschreiben.

2. „zu + Infinitiv als Objekt" (Wiederholung)

    a) Er sucht auch diese Bedürfnisse *zu befriedigen.*
    b) Er hat keine Zeit, sich etwas Nahrung *zu holen.*

3. „um (ohne) ... zu + Infinitiv" (Wiederholung)

    a) Wir brauchen diese Güter, *um* unsere Wünsche *zu befriedigen.*
    b) Es gibt nicht viele Menschen, die gut leben, *ohne zu arbeiten.*
    c) Manche Menschen führen über alles große Reden, *ohne* etwas richtig *zu verstehen.*

4. „Pronominaladverbien" (Wiederholung)

    a) Einen guten Kaufmann erkennen wir daran, daß er günstig einkauft.
    *Woran* erkennen wir einen guten Kaufmann? *Daran,* daß er günstig ein-
    kauft.

b) Wieviel er sich leisten kann, hängt von seinem Geldbeutel ab.
   *Wovon* hängt dies ab? von seinem Geldbeutel; oder: wovon hängt dies ab?
   *Davon.*
c) *Wofür* wird er zuerst sorgen müssen? Für seine primären Bedürfnisse; oder:
   *dafür.*
d) *Wozu* wird er mehr arbeiten müssen? Um sich mehr leisten zu können;
   oder: *dafür.*
e) *Woran* wird er denken müssen? An die Zukunft; oder: *daran.*
f) *Worin* können andere Menschen wohnen? In dem Haus, das er sich baut;
   oder: *darin.*
g) *Wofür* bezahlen sie ihm eine Miete? Für das Wohnen; oder: *dafür.*

---

Übung 2: Bilden Sie Fragen und antworten Sie mit Pronominaladverbien!

1. Jeden Tag fahren viele Lastzüge in die Städte, um der Bevölkerung Nahrungsmittel zu bringen.
2. Der Mensch muß seinen Körper vor der ungünstigen Witterung schützen.
3. Wir sind vom Klima unabhängig.
4. In den meisten Gegenden wohnt der Mensch in Häusern.
5. Er hat ständigen Schutz vor der ungünstigen Witterung.

primäre Bedürfnisse  – sekundäre Bedürfnisse
Kulturbedürfnisse    – Lebensbedürfnisse
Sachgüter            – Dienstleistungsgüter
Entgelt              – Preis
Verbrauch            – Verbraucher
Verbrauchsgüter – Gebrauchsgüter – Kapitalgüter
Konsumgüter – Investitionsgüter – Produktionsgüter

# Abschnitt B

### Im Kaufhaus

Wer in der Stadt wohnt und Artikel des täglichen Bedarfs kaufen will, geht ins Kaufhaus. Fast alle Kaufhäuser führen Textilwaren, Schuhe, Möbel, Elektroapparate. In bestimmten Abteilungen kann man sich Eßgeschirr und Besteck,

Öfen und Glaswaren, d. h. den gesamten Hausrat besorgen. Schmuckwaren und Fotoartikel, optische Geräte und Uhren, kosmetische Artikel und Reinigungsmittel stehen in großer Auswahl zur Verfügung. Wer für eine kurze Reise oder auch für den Urlaub seinen Bedarf decken will, findet ein großes Sortiment von Koffern aller Größen aus verschiedenem Material vor. Für Freunde des „Camping" ist sogar eine eigene große Abteilung eingerichtet, da diese Art der Freizeitgestaltung viele Urlauber begeistert.

Schreibwaren und Schreibmaschinen, Bücher und Lederwaren kann man ebenfalls hier einkaufen. Typische Erzeugnisse eines bestimmten Landes lenken während einiger Wochen durch geschickte Werbung die Aufmerksamkeit des Käufers auf sich. Dasselbe gilt für Sonderangebote oder für die beiden Schlußverkäufe (Sommer- und Winterschlußverkauf), bei denen die Waren zu sehr verringerten Preisen angeboten werden.

Das Untergeschoß eines solchen Kaufhauses nimmt häufig eine appetitlich eingerichtete Lebensmittelabteilung ein, in der der Kunde in Selbstbedienung Lebensmittel und Feinkost, Frischfleisch und Gemüse sich auswählen kann.

Ist man vom Einkauf müde geworden, so kann man im Café oder Restaurant des Kaufhauses sich erholen und ausruhen. Dieses ist häufig im Dachgeschoß untergebracht und bietet einen schönen Ausblick über die Stadt.

Nennt sich ein Geschäft „Supermarkt", so wird es in der Hauptsache Lebensmittel führen. Auch hier ist für die Selbstbedienung des Kunden gesorgt. Die Verkäuferinnen des Supermarktes, wie auch diejenigen der Kaufhäuser, drängen sich den Kunden nicht auf. Sie warten, bis sie gerufen werden, oder sie bieten ihre Hilfe an, wenn man sich nicht zurechtfindet. Alles in allem findet der Kunde in diesen Kaufhäusern zu mäßigen Preisen alle Dinge, die er normalerweise benötigt. Die Einzelhandelsgeschäfte stehen im harten Wettbewerb mit diesen Riesen, da letztere wegen des großen Umsatzes und des Einkaufes im großen – unter Ausschluß des Großhandels – zu günstigeren Preisen anbieten können. Aber nicht nur Sachgüter, auch Dienstleistungen bieten die Kaufhäuser an. So ist es für sie selbstverständlich, sperrige Waren frei Haus zuzustellen. Aber auch Versicherungen aller Art, besonders für Kraftfahrzeuge, werden abgeschlossen. Ebenso können Ferienreisen mit dem Flugzeug, per Bahn und per Schiff in manchen Kaufhäusern gebucht werden.

Beantworten Sie die folgenden Fragen:

1. Welche Geschäfte nennt man Kaufhäuser?
2. Welche Waren führen die Kaufhäuser?
3. Bei welcher Gelegenheit lenken die Kaufhäuser besonders die Aufmerksamkeit der Käufer auf ihr Angebot?
4. Warum kaufen viele Verbraucher gern in Kaufhäusern ein?
5. Wann kann man besonders günstig in Kaufhäusern einkaufen?

6. Was kann man in Kaufhäusern in Selbstbedienung sich besorgen?
7. In welchen Geschäften gibt es auch noch Selbstbedienung?
8. Wodurch unterscheidet sich ein Supermarkt von einem Kaufhaus?
9. Was ist die Aufgabe der Verkäuferinnen in Kaufhäusern und Supermärkten?
10. Wo kann man sich im Kaufhaus ausruhen und erholen?
11. Welche Geschäfte stehen in besonders hartem Wettbewerb mit den Kaufhäusern?
12. Weshalb können die Kaufhäuser zu derart niedrigen Preisen verkaufen?
13. Was bieten die Kaufhäuser außer Sachgütern noch an?

---

Kaufhaus        – Abteilung
Auswahl         – Sortiment
Sonderangebot   – Schlußverkauf
Supermarkt      – Lebensmittel
Verkäufer       – Verkäuferin
sich (nicht) aufdrängen – seine Hilfe anbieten
Versicherung abschließen – Ferienreise buchen

---

# Abschnitt C

### Der Geschäftsbrief: Bestellung und Lieferung

Der Käufer prüft das Angebot seines Lieferers, und wenn es seinen Wünschen entspricht, wird er es unverändert annehmen, d. h. er wird bestellen. Durch die *Bestellung* auf das Angebot des Lieferers hin entsteht ein *Kaufvertrag*
In seiner Bestellung bezieht sich der Käufer auf das Angebot und bestellt die gewünschte Ware. Er gibt die genaue Warenmenge an, er wird auch die Lieferzeit und den Lieferweg (z. B. mit seinem LKW) festlegen. Es ist üblich, auch die Art der Bezahlung anzukündigen, d. h. ob man die Zahlungsfrist voll in Anspruch nimmt, ob man das *Skonto* (z. B. 3%/0 Skonto innerhalb von 14 Tagen) ausnützen wird. Nicht wichtig ist es hingegen, ob man bar oder bargeldlos (d. h. mit Verrechnungsscheck) bezahlen wird.
Manchmal begleicht der Käufer den Rechnungsbetrag der Lieferung mit einem *Wechsel*. Mit dieser Art der Bezahlung muß aber der Lieferer schon vor der Bestellung einverstanden sein. Der Lieferer zieht dann eine *Tratte* (= er stellt einen Wechsel aus) auf seinen Kunden, der dieses Papier mit seiner Unterschrift annimmt (= akzeptiert) und dem Lieferer zurückschickt. Der angenommene Wechsel heißt nun *Akzept* und wird am Fälligkeitstag dem Käufer zur Einlösung vorgelegt.

Der Lieferer führt gewöhnlich mit der Sorgfalt des ordentlichen Kaufmanns den Auftrag seines Kunden aus. Bei bestimmten Aufträgen wird er seinem Kunden eine Bestätigung des Auftrags (= Auftragsbestätigung) zusenden.

Sobald die Ware lieferbereit ist, wird die Lieferfirma sie versandbereit machen und auf den vereinbarten Lieferweg bringen. Dabei geht eine *Lieferanzeige* (= *Lieferschein*) an den Kunden ab. Gleichzeitig wird auch die *Rechnung* (= Faktura) ausgeschrieben und dem Kunden zugesandt. Lieferschein und Rechnung können auf demselben Vordruck ausgeschrieben werden.

Wichtig ist im Lieferschein die Angabe der Versandart (z. B. 1 Kiste mit Zeichen AL 1 als Expreßgut) und das Beförderungsmittel (per Bahn, per LKW per Schiff, per Flugzeug).

In der Rechnung wird die Stückzahl oder Menge der gelieferten Ware mit dem entsprechenden Einzelpreis genannt und zusammen mit dem Gesamtbetrag der Rechnung dem Käufer mitgeteilt. Gewöhnlich wird auch auf die vereinbarte Zahlungsfrist hingewiesen.

Der Käufer wird meistens kurz vor Ablauf dieser Zahlungsfrist dem Lieferer einen Verrechnungsscheck in Höhe des Rechnungsbetrages mit einem kurzen Begleitschreiben zugehen lassen. Damit ist der gesamte Geschäftsvorgang abgewickelt und abgeschlossen.

Beantworten Sie die folgenden Fragen:

1. Wie entsteht ein Kaufvertrag?
2. Welche Angaben muß die Bestellung enthalten?
3. Wie kann der Kunde die Rechnung bezahlen?
4. Was ist ein Akzept?
5. Wann wird der Lieferer eine Auftragsbestätigung ausschreiben?
6. Welche Angaben enthält a) der Lieferschein, b) die Rechnung?
7. Welchen Geschäftsbrief schreibt der Kaufmann beim Zahlungsausgleich?

---

Angebot prüfen – Angebot unverändert annehmen – bestellen
Warenmenge angeben – Lieferzeit und Lieferweg festlegen
Zahlungsfrist voll in Anspruch nehmen – Skonto ausnützen
bar zahlen – bargeldlos bezahlen
Tratte ziehen – Tratte annehmen – Akzept – Wechsel
Sorgfalt des ordentlichen Kaufmanns – Auftragsbestätigung
vereinbarter Lieferweg – Lieferanzeige – Lieferschein – Rechnung
Versandart – Beförderungsmittel
Einzelpreis der gelieferten Waren – Gesamtbetrag der Rechnung

# Kapitel 4

## Abschnitt A

**Die Aufgabe der Wirtschaft und deren Hauptzweige**

Der Verbraucher deckt seinen Bedarf größtenteils im *Einzelhandel,* d. h. der Einzelhändler verkauft seine Waren unmittelbar dem Konsumenten. Der Einzelhandel wiederum bezieht seine Waren vom Großhändler, d. h. der *Großhandel* beliefert den Einzelhändler. Wer aber beliefert den Großhändler? Die Lieferer des Großhandels sind die Erzeuger oder Hersteller. Wir sprechen von *Erzeugern,* wenn sie die Güter, die sie aus der Natur gewinnen, für den Verbraucher umgestalten. *Hersteller* sind diejenigen, die in Fabriken mit Maschinen *(Industrie)* oder in Werkstätten mit Werkzeugen *(Handwerk)* die Güter für den Verbraucher fertigstellen. Güter werden deshalb erzeugt, weil nicht alles in genügenden Mengen vorhanden ist, d. h. weil sie knapp sind. Die landwirtschaftliche Erzeugung umfaßt Ackerbau und Viehzucht, Forstwirtschaft und Jagd, Gartenbau und Weinbau und die Veredelung der Erzeugnisse aus der *Landwirtschaft.* Viele Güter, die in der Landwirtschaft gewonnen werden, müssen zuerst angebaut (Viehzucht: gezüchtet) und anschließend veredelt werden: nur so können sie verbraucht werden. Wir haben also in der Landwirtschaft zuerst den Anbau (bei Tieren die Zucht) dann die Ernte und danach die Veredelung für den Verbraucher (z. B. in Mühlen, in Molkereien).

Im *Bergbau* sprechen wir hingegen vom Abbau. Die abgebauten Bodenschätze wie z. B. Kohle, Salze, Erze, werden nach ihrem Abbau zutage gefördert oder im Tagebau abgebaut, werden oft weiterverarbeitet und dienen dann zur Herstellung von Verbrauchsgütern.

Die Güter aus dem Bergbau und viele Güter aus der Landwirtschaft sind bei ihrer Gewinnung *Rohstoffe,* die zuerst weiterverarbeitet werden müssen. So wird z. B. die Tierhaut zu Leder weiterverarbeitet. Aber auch das Leder kann noch nicht vom Verbraucher verwendet werden: es muß zuerst zu Schuhen, Taschen usw. verarbeitet werden. Das Leder nennen wir deshalb ein *Halbfabrikat* (Halbfertigware), während die Schuhe als *Fertigfabrikat* (Fertigware) bezeichnet werden.

Die *Weiterverarbeitung* der Rohstoffe und der Halbfabrikate ist Aufgabe des Handwerks und der Industrie. Die Fertigfabrikate ( = fertige Güter) kommen dann vom Hersteller zum Großhändler und von diesem zum Einzelhändler. Sobald die Güter im Handel sind, nennen wir sie *Waren.*

Der Weg der Güter vom Rohstoff in der Landwirtschaft und im Bergbau bis zum Verbraucher ist sehr lang. Die Güter – ob Rohstoffe, Halbfabrikate oder Fertigwaren – müssen dorthin befördert werden, wo sie benötigt werden. Zuletzt gelangen sie als Waren in den Verbrauch. Die Beförderung der Güter besorgen Transportunternehmen, die für Landwirtschaft und Bergbau, für Handwerk und Industrie, für Handel und Verbrauch Dienste leisten. Vor allem sind diese Dienstleistungen für die *Verteilung* der Güter notwendig. Nur mittels des Transports können Erzeugnisse in den Groß- und Einzelhandel gelangen, um dem Verbraucher zur Verfügung zu stehen.

Die Erzeugung (= Herstellung), der Handel, die Dienstleistungen und der Verbrauch bilden zusammen die *Wirtschaft*. Die Wirtschaft wird durch die Nachfrage nach knappen Gütern in Bewegung gesetzt und in Bewegung gehalten. Die Wirtschaft arbeitet in Produktionseinheiten, die *Betriebe* genannt werden. Der Betrieb ist demnach eine technische und organisatorische Einheit. Nach außen tritt der Betrieb (oder mehrere Betriebe zusammen) in einer bestimmten Rechtsform als *Unternehmung* (= *Unternehmen*) auf, das eine kaufmännische und wirtschaftliche Einheit darstellt.

Es gibt demzufolge landwirtschaftliche Betriebe, Industrie- und Bergbaubetriebe, Handwerksbetriebe, Großhandels-, Einzelhandels- und Dienstleistungsbetriebe (wie z. B. die Post, die Verkehrsbetriebe).

Alle diejenigen, die in Industrie- und Handwerksbetrieben, in Handels- und Dienstleistungsbetrieben arbeiten, sind gewerblich tätig. Für ihre *gewerbliche Tätigkeit* erhalten sie ein Entgelt. Der Inhaber eines gewerblichen Betriebes bezeichnet sich als *Gewerbetreibender*. Man kann den Gewerbebetrieb auch als *Unternehmen* bezeichnen und den Gewerbetreibenden *Unternehmer* nennen.

Die Wirtschaft mit ihrem komplizierten Aufbau ist für unser Leben und für die Befriedigung unserer Bedürfnisse unentbehrlich. Sie soll dem Menschen, nach Erfüllung seiner Wünsche, ermöglichen, sich dem geistigen Leben zu widmen. Deshalb ist die Wirtschaft ein wichtiger Faktor der Kultur eines Volkes, wichtig vor allem deshalb, weil der Mensch durch das Ergebnis seiner Arbeit eine höhere Kulturstufe erreichen kann.

Übung 1: Formulieren Sie die folgenden Sätze um:

1. Der Verbraucher deckt seinen Bedarf im Einzelhandel.
2. Der Einzelhandel bezieht seine Waren vom Großhändler.
3. Wir sprechen von Erzeugern, wenn sie diese Güter, die sie aus der Natur gewinnen, für den Verbrauch umgestalten.
4. Die landwirtschaftliche Erzeugung umfaßt Ackerbau und Viehzucht.
5. Die abgebauten Bodenschätze werden ans Tageslicht gefördert.
6. Die Weiterverarbeitung der Rohstoffe und der Halbfabrikate ist die Aufgabe des Handwerks und der Industrie.
7. Sobald die Güter im Handel sind, nennen wir sie Waren.

8. Die Beförderung der Güter besorgt der Verkehr.
9. Die Dienstleistungen des Verkehrs sind für die Verteilung der Güter sehr wichtig.
10. Die Erzeugung (= Herstellung), der Handel, die Dienstleistungen und der Verbrauch bilden zusammen die Wirtschaft.
11. Die Wirtschaft arbeitet in organisierten Einheiten, die wir Betriebe nennen.
12. Alle diejenigen, die in industriellen und Handwerksbetrieben, in Handels- und Dienstleistungsbetrieben arbeiten, sind gewerblich tätig.
13. Der Inhaber eines gewerblichen Betriebes bezeichnet sich als Gewerbetreibender.

---

1. „kaufen bei + D, kaufen in + D" (Wiederholung)

a) Ich kaufe Brötchen beim Bäcker.
b) Du kaufst Brot im Bäckerladen.
c) Wir haben diesen Tisch im Kaufhaus gekauft.
d) Mein Bäcker verkauft mir nur frische Brötchen.
e) Im Bäckerladen wird Brot verkauft.
f) Tische kann man im Kaufhaus kaufen.

2. „bestellen bei + D" (Wiederholung)

a) Diesen Kuchen muß ich vorher beim Bäcker bestellen.
b) Er hat diesen schönen Tisch beim Tischler vorher bestellt.
c) Wir bestellen besondere Waren mit der Post.
d) Frischen Kuchen kann man jederzeit bestellen.

3. „hin-     her-     "
   hinein −   heraus     (Wiederholung)

$$\text{ich} \xleftrightarrow[\text{her}]{\text{hin}}$$

a) Wenn ich etwas kaufen will, gehe ich in das Geschäft hinein.
b) Wenn Du etwas gekauft hast, kommst du aus dem Laden heraus.
c) Wenn Sie den Kuchen fertig haben, bringen Sie ihn zu mir her.
d) Meinen Mantel bringe ich morgen dorthin.

---

Übung 2: Beantworten Sie die folgenden Fragen:

1. Bei wem kaufen die Verbraucher ein?
2. Wem verkauft der Einzelhandel?

3. Woher bezieht der Einzelhandel seine Waren?
4. Wer beliefert den Einzelhandel?
5. Wen beliefert der Großhandel?
6. Womit arbeitet man in Fabriken?
7. Weshalb werden Güter erzeugt?
8. Womit arbeitet der Handwerker?
9. Was verstehen Sie unter Ackerbau?
10. Was nennt man Viehzucht?
11. Was ist die Forstwirtschaft?
12. Was macht man im Gartenbau?
13. Was verstehen Sie unter Weinbau?
14. Welche wirtschaftlichen Erzeugnisse müssen veredelt werden?
15. Womit beschäftigt sich der Bergbau?
16. Wie gelangen die Bodenschätze aus der Tiefe nach oben?
17. Was verstehen Sie unter Rohstoffen?
18. Zählen Sie alle Ihnen bekannten Rohstoffe auf!
19. Was stellt man zuerst aus den Rohstoffen her?
20. Wer verarbeitet die Rohstoffe und Halbfabrikate?
21. Wann sind die Güter für den Verbrauch bereit?
22. Wie gelangen die Güter vom Hersteller zum Verbraucher?
23. Was nennt man Waren?
24. Was sind Dienstleistungen?
25. Was gehört zur Wirtschaft?
26. Wodurch wird die Wirtschaft in Bewegung gesetzt?
27. Was ist ein Betrieb?
28. Welche Art von Betrieben gibt es?
29. Welche Menschen sind gewerblich tätig?
30. Wodurch ist die gewerbliche Tätigkeit gekennzeichnet?
31. Wer ist ein Gewerbetreibender?
32. Wer ist Unternehmer?
33. Was ist ein Unternehmen?
34. Was ist eine Unternehmung?

Übung 3: Ergänzen Sie die Präpositionen und Artikel!

1. Die meisten Verbraucher kaufen . . . Einzelhandel ein.
2. Auf dem Lande kann man sich die Nahrungsmittel . . . Erzeuger besorgen.
3. Wir haben diesen Käse . . . Milchladen gekauft.
4. Sie will ihre Brille . . . besten Optiker kaufen.
5. Manche Geschäfte verkaufen . . . Verbraucher nur erstklassige Waren.

6. Der Einzelhändler deckt seinen Bedarf ... Großhändler (... Großhandel).

---

Erzeuger       – Hersteller
für den Verbrauch umgestalten – für den Verbrauch fertigstellen
Industrie       – Handwerk
Landwirtschaft – Bergbau
anbauen        – veredeln
abbauen        – fördern
Rohstoffe – Halbfabrikate – Fertigfabrikate – (Halbfertigware –
Fertigware)
Gewinnung – Weiterverarbeitung – Verbrauch
gewinnen – (weiter)verarbeiten – verbrauchen
Güter          – Waren
Verkehr        – Verteilung
befördern      – dem Verbraucher zur Verfügung stellen
Wirtschaft     – Betrieb
gewerblich tätig – gewerbliche Tätigkeit
Gewerbetreibender – Gewerbebetrieb – Gewerbe
Unternehmen – Unternehmer

---

# Abschnitt B

## Die Berechnung des Warenpreises

Jeden Tag beklagen wir uns über die hohen Preise der Waren, wir denken aber
selten daran, woraus sich ein Preis zusammensetzt. Weil wir nicht wissen, wie
ein Preis zustande kommt, erscheint er uns unverständlich.

Wir wissen natürlich, daß ein Einzelhandelsgeschäft aus dem erzielten Warenverkauf alle Unkosten decken muß, die durch den Geschäftsbetrieb entstehen:
Miete der Geschäftsräume, Beleuchtung, Heizung, Saubermachen, Löhne der Arbeiter und Gehälter der Angestellten usw.

Nicht so leicht verständlich ist die steuerliche Belastung der einzelnen Waren,
wie z. B. durch die sogenannte Mehrwertsteuer. Am wenigsten denken die Verbraucher daran, daß der Kaufmann, wie jeder Berufstätige, von seiner Arbeit
leben und seine Familie ernähren muß und für Zeiten eines schlechten *Geschäftsganges* vorsorgen soll.

Sicher sind die ständigen Klagen mancher Kaufleute, sie würden nur Verluste haben, nicht nur übertrieben, sondern auch fadenscheinig. Trotzdem hat jeder Kaufmann bei manchen Warenarten zeitweilig Verluste zu erleiden, die natürlich auf andere Warengruppen umgelegt werden müssen.

Wenn man sich die Mühe nimmt, die Zusammensetzung eines Warenpreises in allen Einzelheiten zu verstehen, dann kann man als Verbraucher sich ein besseres Bild davon machen, worauf die Verteuerung der Waren zurückzuführen ist und warum der Lebensunterhalt immer teurer wird.

Der Kaufmann muß zuerst den *Rechnungspreis* der Ware als Grundlage seiner Preisberechnung feststellen. Diesen ersieht er aus der Rechnung seines Lieferers. Auf dem Weg der Ware vom Lieferer zum Käufer entstehen vielerlei Kosten: die Verpackung, die Beförderung zum Bahnhof und vom Bahnhof, die Versicherungskosten der Ware (z. B. gegen Beschädigung, Diebstahl, Feuer usw.). Für Waren aus dem Ausland müssen Zölle entrichtet werden. Alle diese einzelnen Spesen bilden zusammen die *Bezugskosten*. Die Summe aus dem Rechnungspreis und den Bezugskosten ist der *Einkaufspreis* (= *Bezugspreis*) des Kaufmannes.

Des weiteren müssen alle Kosten, die er für die Führung des Geschäftes aufzuwenden hat, wie alle Raum- und Personalkosten, berechnet werden. Die Summe dieser *Geschäftskosten* (= *Betriebskosten* = *Handlungskosten* = *Gemeinkosten*) wird anteilig auf die einzelnen Waren umgelegt. Dazu nimmt er die Summe der Einkaufspreise sämtlicher bezogenen Waren (= als Summe der Bezugspreise) des letzten Jahres, z. B. 400 000 DM. Wenn die Summe aller Geschäftskosten im letzten Jahr 40 000 DM betrug, so betragen sie 10% der Summe des Einkaufspreises. Diese 10% werden dem Einkaufspreis zugeschlagen. Für manche Waren, besonders für weniger gängige, kann dieser Prozentsatz zu hoch sein. Deshalb ist es empfehlenswert, den Satz von 10% bei der betreffenden Warengruppe zu verringern. Dafür muß bei anderen Waren der Zuschlag um mehr als 10% erhöht werden. Einkaufspreis samt Geschäftskostenzuschlag ergeben den *Selbstkostenpreis* des Kaufmanns. Bei einem Verkauf der Ware zu diesem Preis kann er damit noch gar nichts verdienen, er hat nicht einmal den Lohn für seine Arbeit erhalten. Für seine Arbeit muß er dementsprechend eine bestimmte Summe ansetzen, die wir den *Unternehmerlohn* nennen. Das ins Geschäft investierte Geld muß auch verzinst werden: daraus entsteht ein zweiter Betrag, der *Kapitalzins*. Vorsorge für schlechte Zeiten trifft der Kaufmann, indem er einen Prozentsatz als *Risikozuschlag* (= Risikoprämie) auf den Preis schlägt. Die Summe aus Unternehmerlohn, Kapitalzins und Risikozuschlag ist der *Gewinnzuschlag*, der in Prozenten ausgedrückt auf den Selbstkostenpreis geschlagen wird.

Die Grundlage zur Berechnung der *Mehrwertsteuer* ergibt sich aus dem Unterschied zwischen Einkaufs- und Verkaufspreis: Dieser Unterschiedsbetrag wird mit 11% Mehrwertsteuer belastet.

Den Unterschied zwischen Einkaufspreis und Verkaufspreis, ausgedrückt in % des Verkaufspreises, nennen wir die *Handelsspanne* des Kaufmanns. Wenn der Einkaufspreis z. B. 20 DM ist, während der Verkaufspreis 30 DM beträgt, so sagen wir, daß der Kaufmann mit 33% Handelsspanne arbeitet.

Den Verkaufspreis ohne den Mehrwertsteuerzuschlag bezeichnen wir als *Nettoverkaufspreis*, während im *Bruttoverkaufspreis* auch die Mehrwertsteuer inbegriffen ist.

Auch wenn wir dies alles gut verstanden haben, erscheinen uns trotzdem die Preise nicht niedriger und das Leben nicht billiger.

Beantworten Sie die folgenden Fragen:

1. Worüber beklagen wir uns sehr oft?
2. Warum verstehen wir die Höhe der Preise nicht?
3. Welche Unkosten hat der Geschäftsinhaber durch den Betrieb seines Unternehmens?
4. Womit sind alle Waren belastet?
5. Wovon lebt der Gewerbetreibende?
6. Warum sind die Klagen der Kaufleute nicht immer berechtigt?
7. Welche sind die vier wichtigsten Faktoren eines Preises?
8. Was verstehen Sie unter Einkaufspreis?
9. Woraus bestehen die Geschäftskosten?
10. Was ist der Selbstkostenpreis?
11. Wer erhält den Unternehmerlohn?
12. Weshalb muß man den Kapitalzins beachten?
13. Wozu dient der Risikozuschlag?
14. Woraus besteht der Gewinnzuschlag?
15. Woraus besteht die Handelsspanne?
16. Wie hoch ist die Mehrwertsteuer und wie wird sie berechnet?

| | |
|---|---|
| Rechnungspreis | – Bezugskosten |
| Einkaufspreis | – Bezugspreis |
| Geschäftskosten | – Gemeinkosten |
| Betriebskosten | – Handlungskosten |
| Selbstkostenpreis | – Verkaufspreis |
| Nettoverkaufspreis | – Bruttoverkaufspreis |
| Unternehmerlohn | – Kapitalzins – Risikozuschlag |
| Unkosten decken | – Verluste erleiden |
| Kosten entstehen | – Zoll entrichten |
| Kosten aufwenden | – Kosten umlegen |
| den Zuschlag um $5\%$ erhöhen | – den Zuschlag um $10\%$ verringern |
| eine Summe ansetzen | – Geld verzinsen |

den Verkaufspreis mit der Mehrwertsteuer belasten – mit einer niedrigen Handelsspanne arbeiten

# Abschnitt C

### Der Geschäftsbrief: Format und Anordnung

Zu einem Geschäftsbrief gehört die Angabe des Datums, z. B. Düsseldorf, den 16. 5. 71. Zwischen dem Ort (Düsseldorf) und dem Tag (16. 5. 71) muß ein Komma stehen /3/. Zwischen den einzelnen Datumsangaben (– 16. 5. 71) muß nach dem Tag und Monat (kann auch ausgeschrieben werden, z. B. Mai) ein Punkt gesetzt werden. Für das Jahr genügt die Angabe der letzten zwei Zahlen (71).

Der Kaufmann hat meistens nicht viel Zeit, deshalb muß er sich in seinen Briefen kurz fassen. Dementsprechend sind die Höflichkeitsformeln im deutschen Geschäftsbrief sehr einfach: Man beginnt mit der Anrede „Sehr geehrter Herr Blume!" (oder „Sehr geehrte Herren!") oder „Geehrter Herr Blume!" /1/ und schließt den Brief – oberhalb der Unterschrift – mit „Hochachtungsvoll" /2/. Die konventionelle Anredeform (Sie, Ihr) muß man immer mit großen Anfangsbuchstaben schreiben.

Bei eingehenden Briefen sieht der Kaufmann zuerst nach, worum es sich handelt. Das erkennt er sofort aus dem *Betreff*, der in höchstens 3 Wörtern den Inhalt des Briefes (wie ein Titel) angibt, z. B. Bestellung von Badeanzügen (unter dem „Betreff") /4/. Oberhalb des Betreffs stehen verschiedene Zeichen aus dem Büro des Absenders, z. B. bei „unsere Zeichen" H/S/1, /5/. Diese Zeichen bedeuten den Angestellten (*H*uber), der das Schreiben erledigt, dann die Sekretärin

(*Sauter*), die den Brief schreibt, und die Numerierung des Briefes (1). Zugleich bezieht sich der Absender auf die Zeichen des Briefes, den er beantwortet (= Ihre Zeichen) /6/, z. B. K/R/1.

Neben „unser Zeichen" und „Ihr Zeichen" wird auch das Datum des letzten eigenen Briefes („unsere Nachricht vom . . .") /7/ und dasjenige des Briefes, den man beantwortet („Ihre Nachricht vom . . .") /8/, angeführt. Diese vier *Zeichen* – mit dem vollen Briefdatum rechts – stehen in einer Zeile: das ist die Bezugszeichenzeile oder der *Bezug*. Das Feld oberhalb der Bezugszeichenzeile ist links /9/ der Anschrift (= die Adresse) des Empfängers und rechts den Anmerkungen des Empfängers vorbehalten /10/. Diese Anmerkungen (= Notizen) sind für die Bearbeitung bestimmt. Der Kaufmann oder seine Mitarbeiter orientieren sich in ihrem Antwortbrief nach diesen Vermerken.

Die Anschrift des Empfängers muß vollständig sein, d. h. (= das heißt) den vollen Namen des Kaufmanns, die Straße mit Hausnummer (z. B. Kaufingerstraße 5) und die Postleitzahl (z. B. 8000) sowie den Ort (z. B. München) enthalten.

Über der Anschrift des Empfängers ist ein kleines Feld für die vollständige Postanschrift des Absenders /11/. Der ganze Rest des obersten Feldes ist dem Absender vorbehalten. Er kann hier nach Belieben Zeichnungen oder Fotos, Werbetexte, das Gründungsjahr, die Höhe des Kapitals usw. einfügen.

Die Schriftstücke, die dem Geschäftsbrief beigefügt werden, sollen links – auf derselben Höhe wie „Hochachtungsvoll" – angeführt werden, z. B. 3 Anlagen /13/.

Diese Anordnung eines Geschäftsbriefes wird von den deutschen Kaufleuten genau befolgt. Genauso ist das Format (Länge und Breite) einheitlich. Wir nennen dies einen in der Anordnung und im Format genormten Geschäftsbrief. Die Normung wird in der deutschen Industrie mit „D I N" bezeichnet. Unser genormter Geschäftsbrief wird im ganzen Format mit der Norm DIN A4 gekennzeichnet.

Zur Normung gehören auch die Geschäftsangaben:

1. Das Drahtwort (= Telegrammadresse), d. h. ein Wort für den Namen und ein Wort für den Ort. Diese Drahtanschrift wird gegen Gebühr bei der Post hinterlegt /14/;

2. die Fernsprechnummer (= Telefonnummer) /15/;

3. die Nummer des Fernschreibers (= Telex) /16/;

4. die Geschäftszeit, d. h. die Zeit, in der die Kunden das Geschäft besuchen können, z. B. von 10–12 Uhr und von 14–16 Uhr /17/;

5. Die Bankverbindung, d. h. die Bank, mit der der Kaufmann seinen Geldverkehr abwickelt /18/.

Für alle Geschäftsbriefe gilt folgende Regel:

1. Wenn die Firma des Empfängers nur einen Inhaber hat (= Einzelfirma), dann steht die Anrede (Sehr geehrte Frau Bauer!) im Singular.

Die Anrede steht im Plural (Sehr geehrte Herren!) bei Gesellschaftsfirmen.
2. Wenn die Absenderfirma eine Einzelfirma ist, dann schreibt sie in der „Ich"-Form (z. B. *ich* biete an).
Eine Handelsgesellschaft schreibt immer in der „Wir"-Form (z. B. *wir* bieten an).

Beantworten Sie die folgenden Fragen:

1. Welche Höflichkeitsformeln enthält der deutsche Geschäftsbrief?
2. Wie schreiben Sie das Datum und die vollständige Anschrift im deutschen Geschäftsbrief?
3. Wie und wohin schreiben Sie den Betreff?
4. Wohin schreiben Sie den Bezug?
5. Wohin schreiben Sie die Anschrift des Empfängers?
6. Welches ist das Feld des Empfängers?
7. Was ist eine Anlage zum Geschäftsbrief?
8. Wie nennt man die einheitliche Anordnung der Geschäftsbriefe?
9. Was sind Geschäftsangaben?

# HEINZ KÜPPERS

Badeanzüge
seit 1911

/12/

/11/      Schadowstraße 8
4000 Düsseldorf

/9/      Fa. Horst Blume     /10/   bis Ende Mai!
Kaufingerstraße 5
8000 München

| Ihr Zeichen | Ihre Nachricht vom | Unsere Nachricht vom | Unsere Zeichen | Ort, | Datum |
|---|---|---|---|---|---|
| /6/ | /8/ | /7/ | /5/ | /3/ | |
| K/R/1 | 12.5.73 | 8.5.73 | H/S/1 | Düsseldorf,16.5.73 | |

Betreff:

Bestellung von Badeanzügen /4/

Sehr geehrter Herr Blume! /1/

Auf Ihr obiges Schreiben teilen wir Ihnen mit, daß Sie die
bestellten Badeanzüge bis Monatsende erhalten werden.

Anlagen: 3 /13/         Hochachtungsvoll /2/

| /14/ | /15/ | /16/ | /17/ | /18/ |
|---|---|---|---|---|
| Drahtwort Badeküppers | Fernsprecher 235641 | Fernschreiber 618 | Geschäftszeit 10 h — 12 h 14 h — 16 h | Bankverbindung Dresdner Bank |

## Vordruck eines Geschäftsbriefes

| Ihr Zeichen | Ihre Nachricht vom | Unsere Nachricht vom | Unsere Zeichen | Ort, | Datum |
|---|---|---|---|---|---|
| | | | | | |

BETREFF

Drahtwort    Fernsprecher    Fernschreiber    Geschäftszeit    Bankverbindung

| | |
|---|---|
| Datumsangabe | – Ortsangabe |
| Höflichkeitsformel | – Anredeform |
| Anmerkung | – Vermerk |
| Postleitzahl | – Postanschrift |
| Schriftstück | – Anlage |
| Anordnung | – Format |
| Normung | – Norm |
| Geschäftsangabe | – Geschäftszeit |
| Fernsprecher | – Fernschreiber |
| Drahtanschrift | – Bankverbindung |
| den Monat ausschreiben | – einen Punkt setzen |
| den Brief kurz fassen | – nachsehen, worum es sich handelt |
| das Schreiben erledigen | – für die Vermerke vorbehalten |
| Werbetexte einfügen | – Anlagen beifügen |
| gegen Gebühren hinterlegen | – seinen Geldverkehr abwickeln |

# Kapitel 5
## Abschnitt A

### Die Bedarfsermittlung der Betriebe

Jeder Betrieb arbeitet für die Wirtschaft: der eine erzeugt Güter, der zweite sorgt für ihre Verteilung, während der dritte Dienste leistet.

Nehmen wir das Beispiel eines Milchladens. Der Geschäftsinhaber wird nur so viel Milch täglich bestellen, wie er erfahrungsgemäß am selben Tag verkaufen kann. Er kennt die Größe seines Kundenkreises, d. h. er weiß, wieviel er an einem Tag wahrscheinlich verkaufen wird. Er kennt also den täglichen Bedarf an Milch seiner Kunden, und daraus errechnet er den täglichen Milchbedarf für sein Geschäft. Diese Menge Milch läßt er sich von der Molkerei vor Geschäftsbeginn anliefern.

Die Molkerei kennt den täglichen Bedarf ihrer Abnehmer, der Milchgeschäfte, und wird ungefähr diese Menge von den Erzeugern (den Landwirten) ankaufen, um die tägliche Belieferung ihrer Kunden sicherzustellen. Die Erzeuger ihrerseits kennen die tägliche Menge an Milch, die sie der Molkerei verkaufen können, und werden ihre Milchwirtschaft danach einrichten.

Der Erzeuger wird demzufolge nur soviel Milch erzeugen wollen, wie er absetzen kann. Dasselbe gilt von der Molkerei, die die angelieferte Milch weiterverarbeitet. Ebenso wird der Einzelhändler bei der Molkerei dem Bedarf seiner Kunden entsprechend einkaufen.

Jeder dieser Betriebe plant seine Arbeit im voraus, jeder richtet sich nach dem Bedarf seiner Kunden. Es ist deshalb für jeden Betrieb sehr wichtig, seinen Bedarf möglichst richtig zu ermitteln.

Kleine Betriebe haben es leichter, sie können ihren Bedarf mit geringen Verlusten ermitteln. Sie orientieren sich dabei nach ihren täglichen Erfahrungen, die sich in den Jahren ihrer kaufmännischen Betätigung ansammeln und die ihnen genaue Entscheidungen ermöglichen.

Für die Großbetriebe wirkt sich eine falsche Bedarfsermittlung schlimmer aus: Wenn sie über weniger Waren verfügen, als ihre Kunden zu kaufen wünschen, so werden diese zur Konkurrenz gehen, wo sie sofort beliefert werden können. Hat der Großbetrieb jedoch zuviel Waren hergestellt oder eingekauft, so läuft er Gefahr, einen Teil davon nicht absetzen zu können. In jedem Fall wird die falsche Bedarfsermittlung von Schaden sein. Großbetriebe ermitteln ihren Bedarf gewöhnlich

1. nach der Umsatzstatistik: sie führen genau Statistik über ihre Verkäufe an jedem Tag, in jeder Woche, in jedem Monat und zu jeder Jahreszeit. Nach

einigen Jahren können sie daraus die Schwankungen in ihren Warenumsätzen feststellen;

2. nach den Verkaufsberichten: die Vertreter von Großbetrieben schreiben über alle ihre Kundenbesuche Berichte, um den Betrieb über das jeweilige Interesse für bestimmte Waren zu informieren;

3. nach den Marktberichten: die Wirtschaftszeitungen und auch die meisten Tageszeitungen bringen regelmäßig Berichte über die Preise und die Menge des Angebotes bestimmter Waren.

Um den Markt möglichst gut zu kennen, muß man ihn systematisch erforschen. Aus dieser Notwendigkeit hat sich die *Marktforschung* entwickelt.

Übung 1: Formulieren Sie die folgenden Sätze um:

1. Der Geschäftsinhaber errechnet aus dem täglichen Bedarf seiner Kunden den Milchbedarf für sein Geschäft.

2. Die Molkerei kauft von den Erzeugern die Menge Milch an, mit der sie die Belieferung ihrer Abnehmer sicherstellen kann.

3. Er kauft bei der Molkerei entsprechend dem Bedarf seiner Kunden ein.

4. Kleine Betriebe orientieren sich nach ihren täglichen Erfahrungen, die sich mit den Jahren ansammeln und die sichere Entscheidungen ermöglichen.

5. Wenn die Kunden die gewünschten Waren nicht erhalten, gehen sie zur Konkurrenz, wo sie sofort beliefert werden können.

6. Dieser Großbetrieb läuft Gefahr, einen Teil der hergestellten Waren nicht absetzen zu können.

7. Aus der Umsatzstatistik kann man die Schwankungen in den Warenumsätzen feststellen.

8. Die Vertreter informieren den Betrieb in ihren Berichten über das jeweilige Interesse an bestimmten Waren.

9. Wirtschaftszeitungen bringen regelmäßig Berichte über die Preise und die Menge des Warenangebotes.

---

## 1. Der Satz und das Satzfeld

Der Kaufmann bietet dem Kunden seine Waren an.
Subjekt, Prädikat, Objekte u. a. (= und andere) sind Satzglieder, d. h. Glieder eines Satzes.
Was ist der Satz? Er ist die grammatische Form eines Sachverhaltes.
Der Kaufmann bietet den Kunden seine Waren an. Wir sehen dies in allen Geschäften. (Sachverhalt)

Wir sehen in allen Geschäften, daß der Kaufmann seine Waren den Kunden anbietet. (Satz)

*Bietet* der Kaufmann den Kunden seine Waren *an?* (Fragesatz)

| |
1. Prädikatsteil                     2. Prädikatsteil
| |
0000000 ———————————————— 0000000
                Satzfeld

Die typische Form des deutschen Satzes ist das Satzfeld, das von den Prädikatsteilen begrenzt wird.

(Wir sehen in allen Geschäften),
        *daß* der Kaufmann den Kunden seine Waren *anbietet.*

| |
Verbindungsteil                     Personalform des Prädikats
| |
0000000 ———————————————— 0000000
                Satzfeld

Nebensätze (= Gliedsätze) werden durch den Verbindungsteil und die Personalform im Prädikat begrenzt.

Beispiel:

Der Kaufmann *bietet* den Kunden seine Waren *an.* (Aussagesatz)

    | |
    1. Prädikatsteil           2. Prädikatsteil
——————— 0000000 ———————————— 0000000
Vorfeld                 Satzfeld

Beispiele

| Der Mensch | benötigt Nahrung, Kleidung und Wohnung |
| Deshalb | nennen wir diese elementaren Bedürfnisse. |
| Es | besteht eine Normung für den Geschäftsbrief. |

Also:

1. fast jedes Satzglied kann im Vorfeld stehen
2. „es" steht im Vorfeld, wenn andere Satzglieder dort nicht stehen sollen.

41

Beispiel:

Was *bietet* der Kaufmann seinen Kunden *an?*

Fragesätze (mit Ergänzungsfrage z. B. „was") wie Aussagesätze!

Beispiel:

Sie *können* in den Geschäften den ganzen Tag einkaufen *außer* Samstag

— 00000 ————————————————————— 00000

Vorfeld              Satzfeld                        Nachfeld

Beispiel:

Wir | sehen in allen Geschäften,         daß der Kaufmann seine Waren den Kunden anbietet.

Also:

Manche Satzglieder kommen hinter den zweiten Prädikatteil, in das sog. (= sogenannte) Nachfeld.
Eine wichtige Aufgabe des Nachfeldes ist es, Gliedsätze (= Nebensätze) aufzunehmen.
Zur Stellung der Prädikatteile siehe 1 – A!

2. Die Handlung und der Vorgang

Beispiele:

Der Einbrecher drang in die Lagerhalle ein. (Handlung)
Das Messer drang in den Körper ein. (Vorgang)

Also:

„eindringen" – das eine Mal zur Beschreibung der Handlung, das andere Mal zur Beschreibung eines Vorganges.
Will man eine Handlung als Vorgang darstellen, bedient man sich verschiedener grammatischer Mittel:

Beispiele:

Die Bauern bebauen das Land. (Handlung)

Das Land wird von den Bauern bebaut. (Vorgang)
grammatisches Mittel: das Passiv (am häufigsten)
Europa öffnet seine Grenzen. (Handlung)
Die Grenzen Europas öffnen sich. (Vorgang)
grammatisches Mittel: Reflexivpronomen
Gestern schloß man den Kaufvertrag ab. (Handlung)
Der Kaufvertrag *kam* gestern zum *Abschluß*. (Vorgang)
grammatisches Mittel: Nominalkonstruktion (vor allem in Zeitungen, im
Rundfunk und im Fernsehen).


3. Das Geschehen und das Sein

Beispiele:

Die Kaufleute   *schließen* um ¹/₂7 Uhr abends
                ihre Geschäfte.    (Handlung)
Die Geschäfte   *werden* um ¹/₂7 Uhr abends          (= Geschehen)
                *geschlossen*.     (Vorgang)
Ab ¹/₂7 Uhr abends *sind* die Geschäfte geschlossen. (Sein)


Also:

Das „Sein" ist ein Ergebnis des Geschehens.

---

Übung 2: Erklären Sie in Ihrer Sprache die Wörter:

Sachverhalt, Glied, Satzglied, Gliedsatz, Prädikat, Verbindungsteil,
Aussagesatz, Ergänzungsfrage, Vorgang, Handlung, Geschehen, Sein,
Nominalkonstruktion, begrenzen, sich bedienen (+ Gen.).


Übung 3: Stellen Sie folgende Handlungen als Vorgang dar:

1. Belgien stellt sein Gemüse und Obst aus.
2. Der größte Teil der Menschheit kann seinen Bedarf an Nahrung
   nicht decken.
3. Australien erzielt einen schönen Erfolg mit seinen tiefgekühlten
   Krebstieren.
4. Der Geschäftsinhaber hat diese neuen Waren für sein Geschäft eingekauft.

Übung 4: Nennen Sie das Sein als Ergebnis des folgenden Geschehens:

1. Die Niederlande stellen ihre Käsesorten und ihre Fleischwaren aus.
2. Viele Menschen können ihren Bedarf an Nahrung nicht decken.
3. Neuseeland hat einen großen Erfolg mit seinen Molkereierzeugnissen erzielt.
4. Der Kaufmann kauft viele neue Artikel für seinen Laden ein.

Übung 5: Bilden Sie in den folgenden Sätzen Nominalkonstruktionen:

1. Die Molkerei beliefert täglich ihre Kunden.
2. Es ist für Großbetriebe lebenswichtig, ihren Bedarf richtig zu ermitteln.
3. Die Zeitungen berichten regelmäßig über das Warenangebot.

Übung 6: Bilden Sie je einen Satz mit den folgenden Verben:

„bekleidet sein", „tragen", „anhaben", „aufhaben" und erklären Sie in je einem weiteren Satz (auf deutsch!), was Sie mit diesem Verb ausdrücken wollen.

---

Güter erzeugen – für die Verteilung sorgen – Dienste leisten
anliefern lassen – ankaufen
Erzeuger – Abnehmer – Kunden
erzeugen – weiterverarbeiten – absetzen
planen – seinen Bedarf ermitteln
tägliche Erfahrungen – kaufmännische Betätigung – genau entscheiden
Bedarfsermittlung – Konkurrenz – nicht absetzen können
Umsatzstatistik – Schwankungen in den Warenumsätzen
Verkaufsberichte – Preise und Mengen des Warenangebots
den Markt systematisch erforschen – Marktforschung

---

# Abschnitt B

### Die Ziele der Marktforschung

Die Marktforschung ist eine der wichtigsten Voraussetzungen in einer Wirtschaft, wo man sich auf den großen Märkten gut auskennen muß, um bestehen zu können. Diese Erforschung erfordert große Mittel und muß einen längeren Zeitraum umfassen. Je größer die eingesetzten Mittel sind und je langfristiger geplant wird, desto sorgfältiger kann der Markt analysiert werden, damit möglichst keine Fehlplanungen vorkommen. Daraus ergibt sich, daß man selbstverständlich immer damit rechnen muß, daß die Marktanalyse viel Geld kostet. Deshalb ist es falsch, wie es in der Öffentlichkeit häufig geschieht, sich die Marktforschung wie eine jährliche ärztliche Untersuchung des Gesundheitszustandes vorzustellen. Denn eine derartige Untersuchung kostet bekanntlich jedes Jahr einmal etwas Geld, während die Marktanalyse über einen langen Zeitraum hin erhebliche Mittel erfordert.

Die Befriedigung der Kundenwünsche ist immer das erste Ziel dieser Analyse. Das bedeutet jedoch nicht, irgendeinen sehr gefragten Artikel auf den Markt zu werfen. Vielmehr muß die angebotene Ware verschiedensten Wünschen entsprechen.

Wenn der Gesamteindruck aus Menge, Qualität, Verpackung und Preis des betreffenden Artikels günstig erscheint, kann man mit einem sicheren und anhaltenden Absatz rechnen.

Häufig verändert sich aber der Geschmack der Kunden aus Gründen, die nicht genau festgestellt werden können. Eine bestimmte Ware z. B., die jahrelang gut gegangen ist, ist immer weniger gefragt. Dafür kann eine ähnliche, geringfügig verschiedene Ware plötzlich viel besser abgesetzt werden. Diese Marktveränderungen, bedingt durch den Geschmackswandel der Verbraucher, müssen rechtzeitig erkannt werden.

Viele Kaufleute versuchen trotz der eingetretenen Veränderung des Verbrauchergeschmacks die bisherige Ausführung ihrer Erzeugnisse beizubehalten, d. h. sie wollen den Verbrauchern das verkaufen, was sie erzeugen, und nicht die Ware, die der Kunde wünscht. In einer freien Wirtschaft wird sich der Hersteller solcher Erzeugnisse dann sehr bald durch große Verluste eines Besseren belehren lassen müssen. Hingegen können Erzeugnisse, die sich den Veränderungen angepaßt haben, sehr gut abgesetzt werden.

Die Zielsetzung der Marktforschung dürfte eine dreifache sein: Befriedigung der Kundenwünsche, Erkennung von Marktveränderung und Anpassung an solche Veränderungen. Allein durch diese dreifache Zielsetzung, durch die in jedem Bereich gleiche Leistungen erzielt werden sollen, kann man mit der Marktanalyse innerhalb des Betriebes zusammen mit der Produktions- und Planungsabteilung in einer Prognose die Chancen berechnen. Daneben sollen Verbesserungen im Kundendienst durchgeführt werden.

Durch die ständige Beobachtung des Marktes ist man jederzeit über die aktuellen Marktprobleme unterrichtet. Diese Probleme des Marktes werden an die technische Abteilung weitergegeben, d. h. die Richtung der Forschung, der Verbesserung und der nötigen Veränderung in der Erzeugung wird vom Markt diktiert und nicht umgekehrt.

Beantworten Sie die folgenden Fragen:

1. Weshalb betreibt man Marktforschung?
2. Was erfordert die Marktforschung?
3. Wie kann man Fehlplanungen vermeiden?
4. Womit muß man bei der Marktforschung immer rechnen?
5. Wie stellt sich die Öffentlichkeit die Marktforschung vor?
6. Welches ist das erste Ziel der Marktanalyse?
7. Wann kann man mit dem sicheren Absatz einer Ware rechnen?
8. Welches ist das zweite Ziel der Marktforschung?
9. Woraus entstehen die Marktveränderungen?
10. Welches ist die dritte Aufgabe der Marktforschung?
11. Womit muß der Kaufmann rechnen, der den Geschmackswandel der Verbraucher nicht beachtet?
12. Wie wird die Marktprognose erstellt?
13. Welche Abteilungen arbeiten mit der Marktforschung zusammen?
14. Wer diktiert dem Betrieb die Forschungsrichtung?

---

Marktforschung – große Mittel – langer Zeitraum
den Markt analysieren – Fehlplanungen
Befriedigung der Kundenwünsche – Veränderung des Kundengeschmackes
sich den Marktveränderungen anpassen – die Erzeugnisse gut absetzen
Markt – Planung – Produktion – Prognose

---

# Abschnitt C

**Wie schreiben Kaufleute ihre Geschäftsbriefe**

I Wie schreibt der Kunde eine Anfrage?

1. Bezug, Betreff, Anrede
2. a) bei bisherigen Lieferern:
   Haben sich die Preise (Qualität, Liefer- und Zahlungsbedingungen) für die angefragten Waren (Betreff) geändert?
   Ein Vertreterbesuch der Lieferfirma wäre sehr angenehm.
   b) bei neuen Lieferern:
   Man hat die Anschrift von ... (Geschäftsfreunden, von der Ausstellung, aus

dem Bezugsquellennachweis, aus der Geschäftsanzeige vom . . . in der . . . Zeitung).
Der Besuch eines Firmenvertreters (oder eines Reisenden) wird gewünscht.
3. Was will der Kunde wissen?
Genaue und klare Angaben der Warenart, der gewünschten Qualität und der Menge, die man ggf. (gegebenenfalls) beziehen würde.
4. Abschluß: Man hofft, daß bei einem günstigen Angebot eine dauernde Geschäftsverbindung beginnen könnte.

5.                                              Hochachtungsvoll
                                                 Unterschrift
Wortschatz:

ich benötige (dringend, demnächst, für den Monat . . .)
ich habe Bedarf an (dringenden Bedarf an)
ich habe Interesse für . . .
ich interessiere mich für
meine Kundschaft verlangt in letzter Zeit ständig . . .

II  Wie stellt der Lieferer sein Angebot zusammen?

1. Bezug, Betreff, Anrede
2. a) für bisherige Kunden:
Man bezieht sich mit Dank auf die Anfrage – im Bezug („obige Anfrage") –
die Preise, Qualitäten und Bedingungen sind dieselben geblieben.
Man empfiehlt ein Sonderangebot (besonders günstig).
3. Man *bietet* an:
Warenart (Artikel Nr. . . . .)
Qualität, Farben (ggf. Warenmuster)
Preis je Einheit (kg, l, dz, m, t, Dutzend)
Verpackung (mit oder ohne)
Lieferung – wann? (z. B. ab Werk, ab Lager, frei Bahnhof Münster, frei Haus)
Zahlungsbedingungen: z. B. „gegen Kasse" – „rein netto" – „zahlbar sofort ohne jeden Abzug" – „1 Monat Ziel" – „2 Monate Ziel, innerhalb 14 Tagen 2% Skonto"
Erfüllungsort und Gerichtsstand (welches Gericht ist zuständig, z. B. Gerichtsstand Köln)
4. Abschluß: Da das Angebot günstig ist, hofft man auf baldige Bestellung.
5. (Anlagen: Prospekte, Preislisten, Warenmuster, Fotos usw.)

                                             Hochachtungsvoll
                                                 Unterschrift

Wortschatz:

*ich biete an (= wir bieten an)*
ich empfehle als Sonderangebot zu sehr günstigen Preisen Art. Nr. (oder „die an-
gekreuzten Artikel")

III Wie gibt der Kunde eine schriftliche Bestellung ab?

1. Bezug, Betreff, Anrede
2. Dank für das Angebot – im Bezug („obiges Angebot")
3. Man *bestellt:*
   Warenart (Art. Nr. . . . .)
   Qualität
   Größe, Farben („laut Muster")
   Menge
   Preis je Einheit
   Verpackung
   Lieferung
   Zahlungsbedingungen
   besondere Wünsche, z. B. auf eigene Rechnung eine seefeste Verpackung
4. Abschluß: Man hofft auf gute Ausführung der Bestellung und fristgerechte
   Lieferung.
5.                                                    Hochachtungsvoll
                                                       Unterschrift

Wortschatz:

*ich bestelle = (wir bestellen)*

IV Welche Geschäftsbriefe schreibt der Kaufmann bei der Lieferung?

a) der Lieferschein

   1. Bezug
   2. Nachricht über erfolgte Lieferung (mit Datum der Lieferung)
   Angabe des Transportmittels (z. B. mit LKW, als Eilgut, ab Bhf. Lüneburg)
   wie verpackt?
   wie gezeichnet?
   3. Unterschrift

b) die Rechnung

   1. Bezug
   2. Menge der gelieferten Waren, Einzelpreis, Gesamtpreis
   Gesamtbetrag der Rechnung
   Wiederholung der Zahlungsbedingungen
   3. Unterschrift

Der Lieferschein und die Rechnung können auch in einem Geschäftsbrief zusammengefaßt sein.

Wortschatz:

Wir lieferten Ihnen heute ...
per ... (z. B. LKW)
wohin ... (z. B. frei Bahnhof Nürnberg)
(z. B.) in Kisten mit dem Zeichen L X 1–5
Wir stellen Ihnen in Rechnung

V  Was schreibt der Kunde beim Zahlungsausgleich?

1. Bezug, Betreff, Anrede
2. Mitteilung über die Überweisung des Rechnungsbetrages der Rechnung Nr. ...
vom ... über DM ... mit
a) Verrechnungsscheck (Nr.)
b) Banküberweisung (durch die ... Bank an die ... Bank)
3. (Anlage: Verrechnungsscheck)

Hochachtungsvoll<br>Unterschrift

Wortschatz:

Zum Ausgleich Ihrer Rechnung Nr. ... vom ... über DM ... fügen wir den Verrechnungsscheck Nr. ... über DM ... (Skonto wird abgezogen!) bei.
Zum Ausgleich Ihrer Rechnung Nr. ... vom ... über DM ... haben wir heute unserer Bank, der ... in ... den Auftrag erteilt, den Betrag von DM ... auf Ihr Konto bei der ... Bank in ... zu überweisen.

---

> ich benötige – ich habe Bedarf an
> ich beziehe mich auf Ihre obige Anfrage (Bestellung usw.)
> ich empfehle als Sonderangebot
> wir bieten an – wir bestellen
> wir hoffen auf gute Ausführung der Bestellung
> wir lieferten Ihnen heute – wir stellen Ihnen in Rechnung
> wir fügen einen Verrechnungsscheck bei
> wir haben unserer Bank den Auftrag erteilt, diesen Betrag zu überweisen

---

Schreiben Sie alle Geschäftsbriefe zu dem folgenden Geschäftsvorgang:
Der Kaufmann Heinz Berger, Inhaber des Lebensmitteleinzelhandelsgeschäftes „Lebensmittel Berger", Stuttgart, Hohenstaufenstraße 25, will sich für die Win-

tersaison mit Lebensmittelkonserven eindecken. Er schreibt deshalb an seinen langjährigen Konservenlieferanten „Konservenfabrik Rössle AG" in Ludwigsburg, Schillerstraße 45.

**10. 9. 73**

Die Firma Berger benötigt für den Monat November voraussichtlich
1000 Büchsen ($1/1$) junge Erbsen
500 Büchsen ($1/2$) Karotten
300 Büchsen ($1/4$) Spargel
Weil die Firma Berger im letzten Jahr diese Konserven nur einmal bezogen hatte, bittet sie für diese Saison um ein entsprechendes Angebot. Vielleicht wäre es möglich, einen Vertreter der Firma Rössle mit den diesjährigen Mustern zu schicken, um zugleich eventuelle Lieferungen für die nächsten Monate zu besprechen.

**13. 9. 73**

Die Firma Rössle bietet in ihrem Antwortschreiben an:
junge Erbsen in $1/1$-Büchsen zu 0,87 DM
Karotten    in $1/2$-Büchsen zu 0,54 DM
Spargel     in $1/4$-Büchsen zu 1,25 DM
Lieferung in Kisten zu Lasten des Kunden, frei Bahnhof Ludwigsburg, bis Mitte November, Ziel 1 Monat.

**15. 9. 73** Fa. Berger bestellt aufgrund dieses Angebotes 800 Büchsen junge Erbsen, 600 Büchsen junge Karotten, 200 Büchsen Spargel.

**10. 10. 73**

Die Firma Rössle liefert die bestellten Waren.

**15. 10. 73**

Die Rechnung wird zugeschickt.

**15. 11. 73**

Fa. Berger bezahlt die Rechnung mit einer Banküberweisung (Württembergische Bank, Stuttgart, an Deutsche Bank in Ludwigsburg).

# Kapitel 6
## Abschnitt A

### Die Werbemittel des Betriebes

Sobald der Betrieb den Bedarf ermittelt hat, beginnt man den Verkauf zu planen. Mit Hilfe der Marktforschung werden zuerst die *Absatzmöglichkeiten* festgestellt (Absatz = Verkauf). Danach werden die Marktveränderungen laufend beobachtet. Zusätzlich wird eine planmäßige Werbung die gesamte *Verkaufsförderung* begleiten. Die Werbung soll vor allem die bisherigen Kunden erhalten und diesen Kundenkreis durch immer neue Kunden erweitern. Die Werbung wird nur dann Erfolg haben, wenn sie richtig geplant ist. Jeder Betrieb muß wissen, warum, wo, wie und wie lange die Werbung eingesetzt werden soll.

Die *Werbemittel* des Betriebes sind sehr verschieden: Einzelhandelsgeschäfte benützen ihre *Schaufenster* zur Werbung. Darin sollen die oft mit viel Geschmack ausgestellten Waren die Aufmerksamkeit und die Kauflust der Vorübergehenden erregen.

Verschiedene *Drucksachen* sind beliebte Werbemittel, wie z. B. Plakate, auf denen besonders günstige Kaufmöglichkeiten angepriesen werden. Durch Prospekte, Broschüren, Preislisten und deren Aufmachung soll nicht nur die betreffende Ware genau beschrieben, sondern auch zur näheren Betrachtung und zum Kauf angeregt werden.

*Geschäftsanzeigen* (= Inserate) in Tageszeitungen und Fachzeitschriften, sehr oft in Farbdruck und ganzseitig, sollen den Leser zur Betrachtung der abgebildeten Erzeugnisse anhalten.

Eine großangelegte Werbetätigkeit wird auf *Ausstellungen* entfaltet, auf denen besonders Spitzenerzeugnisse eines Betriebes von allen Besuchern begutachtet werden können, wobei Fachkräfte der Firma zu Erklärungen bereitstehen.

*Besuche der Firmenvertreter* bei den Kunden dienen neben dem persönlichen Kontakt dazu, um auf neue Waren, günstigere Preise, angenehmere Zahlungsbedingungen und schnellere Liefermöglichkeiten hinzuweisen.

Die Verpackung der Waren ist für jeden, dessen Blick darauf fällt (z. B. Tüten mit Firmenaufdruck) eine ins Bewußtsein dringende Werbung für den Betrieb.

Die Werbung mit *Kurzfilmen* oder *Fernsehen* ist sehr kostspielig, wird aber trotzdem von großen Firmen betrieben.

Der Erfolg einer Werbung hängt allerdings von stabilen wirtschaftlichen Verhältnissen ab. Wenn die Geldbörse beim Verbraucher schmaler wird, so überlegen sich die Käufer sehr gründlich, was und wieviel sie sich leisten können. Dann stellt sich heraus, daß viele Konsumgüter, ohne die man bisher angeblich nicht leben konnte, eigentlich fast überflüssig sind.

Übung 1: Formulieren Sie die folgenden Sätze um:

1. Sobald der Betrieb den Bedarf ermittelt hat, beginnt man den Verkauf zu planen.
2. Zusätzlich wird eine planmäßige Werbung die gesamte Verkaufsförderung begleiten.
3. Einzelhandelsgeschäfte ziehen ihre Schaufenster zur Werbung heran.
4. Die ausgestellten Waren sollen die Kauflust der Vorübergehenden erregen.
5. Auf Drucksachen werden besonders günstige Kaufmöglichkeiten angepriesen.
6. Auf Ausstellungen wird eine große Werbetätigkeit entfaltet.
7. Die Werbung mit Kurzfilmen oder im Fernsehen ist sehr kostspielig.
8. Wir überlegen uns, was und wieviel wir uns leisten können.
9. Die Konsumgüter sind eigentlich fast überflüssig.

---

1. Das Objekt (Wiederholung)

Beispiele:

Die Sekretärin sieht *den Lagerverwalter.* (wen?)
Der Briefträger bringt *die Morgenpost.* (was?)
  (wen? – was? Akkusativobjekt)
Der Kaufmann dankt *dem Kunden.* (wem?)
  (wem? Dativobjekt)
Ich denke *an meinen Vater.* (an wen?)
Ich denke *an meine Arbeit.* (woran?)
  (an wen? – woran? Präpositionalobjekt)

Also:

das Verb bezeichnet eine Handlung oder einen Vorgang und verlangt eine Ergänzung, das Objekt.

2. Die Prädikatsergänzung

Beispiele:

Der Vertreter wohnt *in einem Hotel.* (wo?)
  (wo? Lokalergänzung)

Die Ausstellung dauert *bis Sonnabend*. (wie lange?)
(wie lange? Temporalergänzung)
Die Angestellten arbeiten *schnell*. (wie?)
(wie? Modalergänzung)
Die Preise steigen *wegen der hohen Löhne*. (warum?)
(warum? – wodurch? Kausalergänzung)
Dieser Laden ist *ein Einzelhandelsgeschäft*. (was?)
(wer? – was? Prädikatsnominativ)
Er nennt ihn *seinen Geschäftspartner*. (wie?)
(wie? Prädikatsakkusativ)
Heute findet *der Schlußverkauf* statt. (was?)
(was? Prädikatssubjekt)
Der Firmenvertreter macht *viele Kundenbesuche*. (was?)
(was? Prädikatsobjekt)
Also:

das Verb im Prädikat muß durch andere Satzglieder unterstützt werden. Diese Satzglieder sind die *Prädikatsergänzungen*.

3. Die freien Angaben

Beispiele:

Der Kaufmann will in *Hannover* die Ausstellung besuchen. (wo?)
(wo? Lokalangabe)
Die Sekretärin hat *heute vormittag* die Lieferscheine geschrieben. (wann?)
(wann? Temporalangabe)
Die LKWs fahren *langsam* in den Firmenhof ein. (wie?)
(wie? Modalangabe)
Die Touristen bleiben *wegen des schlechten* Wetters zu Hause. (warum?)
(warum? Kausalangabe)
Also:

durch bestimmte Satglieder werden nähere Umstände angegeben. Das sind die *freien Angaben*, die auch fehlen können, ohne daß der Sinn der Aussage verringert wird.
Objekte, Prädikatsergänzungen und freie Angaben werden innerhalb des Satzfeldes eingeordnet.

---

Übung 2: Schreiben Sie zu jedem Beispiel von 1., 2., 3. einen neuen Satz mit den Wörtern des bisherigen Wortschatzes!

Übung 3: Geben Sie ein zu den folgenden Verben passendes Nomen an:
verändern, vereinbaren, verarbeiten, verbrauchen, verzehren, verringern, versteuern, verzinsen.

Übung 4: Geben Sie ein zu den folgenden Verben passendes Nomen an:
erhalten, erledigen, erzielen, erfüllen, ergeben, erhöhen, erleiden, erteilen, erfolgen, erregen.

---

den Bedarf ermitteln – den Verkauf planen
die Absatzmöglichkeiten feststellen – die Marktveränderung laufend
beobachten
Verkaufsförderung betreiben – Werbung betreiben
Kunden erhalten – Kundenkreis erweitern
die Werbemittel einsetzen – die Kauflust bewirken
günstige Kaufmöglichkeiten anpreisen – Die Lust zum Kaufen anregen
eine Werbetätigkeit entfalten – Spitzenerzeugnisse ausstellen
Schaufenster – Drucksachen – Ausstellungen – Verpackung mit
Firmenaufdruck
Geschäftsanzeige – Besuche der Firmenvertreter
Werbung mit Kurzfilmen – Werbung im Fernsehen

---

# Abschnitt B

### Die POP-Werbung

Wie schwierig der Verkauf beim Rückgang der Nachfrage wird, kann man auf dem Käufermarkt in fast allen Wirtschaftszweigen beobachten. Daraus folgt das wachsende Interesse vieler Unternehmer an allem, was den Absatz vorbereiten und sichern hilft. Vielerorts wird das Markten oder „Marketing" zur Hauptaufgabe innerhalb des Unternehmens, gefolgt von der damit verbundenen notwendigen Werbung. Es erscheint demnach widersinnig, die Verkaufsbemühungen ausgerechnet beim Nachlassen der Konjunktur zu vermindern, also dann, wenn das Verkaufen schwieriger wird. Wenn man dennoch die Werbung zyklisch orientiert, verzichtet man auf ein wichtiges Mittel zur Absatzförderung in einer Zeit, in der sie dessen besonders bedarf. Diese Maßnahme wird mit der allgemeinen Verringerung der Ausgaben für die klassischen Werbemedien (Hörfunkwerbung, Fernsehwerbung, Zeitschriftenwerbung, Zeitungswerbung) zugunsten der POP-Werbung (*point of purchase* = am Ort des Kaufs) begründet. Die Annahme drängt sich deshalb auf, daß sich viele werbungstreibende Unternehmen über die jeweils anzuwendenden Mittel nicht im klaren sind. Das beweist die Tatsache, daß der größte Teil der europäischen Firmen Marketingpläne, Werbepläne und Werbeetats nicht kennt.

Bei verringertem Werbeaufwand verzichtet man auf die für die Werbung so wichtige Wiederholung. Andererseits ist es gerade dann leichter, der Konkurrenz Marktanteile abzujagen, wenn diese in ihrer Werbetätigkeit nachläßt und passiv bleibt. Wenn die Konkurrenten ihre Werbung einschränken, dann sind die Erfolgsaussichten der eigenen Werbung um so günstiger. Deshalb sollte es selbstverständlich sein, bei abfallender Konjunktur die eingesetzten Werbemittel zu erhöhen, d. h. durch antizyklische Werbung besondere Anstrengungen zur Sicherung und Ausweitung des Absatzes zu machen.

Es wirkt natürlich beruhigend für die Werbebranche, wenn die Statistiker eine Erhöhung des Werbeaufwands für einige Werbemedien feststellen und daraus schließen, daß das Unternehmen die Werbung als wesentliches Mittel, um den härteren Wettbewerb zu bestehen, erkannt hat. Betrachtet man aber den Werbekuchen als Ganzes, so kann man sich leicht ausrechnen, daß die Werbeumsätze des Fernsehens mit einer Wachstumsrate von rd. 100 Mill. DM durch Heraufsetzung des Minutenpreises erzielt wurden, was in den anderen Medien zu geringeren Steigerungsraten geführt hat.

Die angedeutete Verschiebung der Werbetätigkeit in Richtung POP-Werbung ist zahlenmäßig nicht leicht zu kontrollieren. Was an Werbung z. B. im Einzelhandel unmittelbar am Regal oder vor der Ware betrieben wird, kann sehr verschieden aussehen. Es können sowohl Ladenbau- oder Dekorationsmodelle sein, wie auch Markenartikelschilder an der Außenfront von Lebensmittelgeschäften. Diese Werbung soll Kaufimpulse im Laden auslösen und dadurch zur Umsatzsteigerung beitragen, d. h. die ursprünglich vorhandene, durch Medienwerbung geweckte Kaufbereitschaft des Verbrauchers soll durch POP-Werbung aktiviert werden. Diese Art von Werbung kann auch als Gemeinschaftswerbung auftreten, in der Artikel von oft konkurrierenden Herstellern, z. B. bei Lebensmitteln, in Bedarfsgruppen innerhalb eines Ladens zusammengestellt werden. In diesen wie in anderen Fällen versucht die POP-Werbung sich der Mentalität des Verbrauchers, wenn er sich dem Warenangebot konfrontiert sieht, anzupassen.

Beantworten Sie die folgenden Fragen:

1. Wann wird der Verkauf besonders schwierig?
2. Wann dürfen die Verkaufsbemühungen nicht verringert werden?
3. Was versteht man unter zyklischer Werbung?

4. Was verstehen Sie unter POP-Werbung?
5. Welches sind die klassischen Werbemedien?
6. Welche Werbekenntnisse fehlen den meisten europäischen Firmen?
7. Wann kann man der Konkurrenz gegenüber besondere Erfolge erzielen?
8. Was verstehen Sie unter antizyklischer Werbung?
9. Welches Werbemedium hat eine besonders hohe Wachstumsrate?
10. In welche Richtung geht die Verschiebung der Werbeausgaben?
11. Worin besteht die Tätigkeit der POP-Werbung?
12. Was ist der Zweck der POP-Werbung?
13. Was versteht man unter Gemeinschaftswerbung?

Rückgang der Nachfrage – Verkaufsbemühungen vermehren
zyklische Werbung – antizyklische Werbung
Absatzförderung – klassische Werbemedien – POP-Werbung
Werbeaufwand – Marktanteil – Werbetätigkeit
POP-Werbung: Ladenbau – Dekoration – Markenartikelschilder
Gemeinschaftswerbung – Bedarfsgruppen

# Abschnitt C

Schreiben Sie die Geschäftsbriefe zu dem folgenden Geschäftsvorgang:

Die Firma „Heinz Knapp & Söhne, Herrenbekleidung", Bayreuth, Richard-Wagner-Straße 53, will für die Wintersaison ihr Sortiment zusammenstellen. Deshalb schreibt sie nicht nur an ihre bisherigen, sondern auch an neue Lieferer, wie z. B. an die Firma „Jakob Russ, Kleiderfabrik", Aschaffenburg, Mainstraße 12.

5. 9. 73
Firma Knapp benötigt für die Saison modische Herrenwintermäntel in Wolle, in mittleren Preislagen.
Voraussichtlicher Bedarf etwa 500 Mäntel in den gängigen Größen. Fa. Russ ist von der Münchner Modewoche her bekannt.

10. 9. 73
Firma Russ schickt Fotos der Wintermäntel aus ihrer Produktion mit den Stoffmustern und der Farbkarte und bietet ihre Herrenwintermäntel an:

Art. 239 in allen Größen zum Einzelpreis von DM 240,–
Art. 257 „ „ „ „ „ „ DM 275,–
Art. 295 „ „ „ „ „ „ DM 295,–
Lieferbar ab 20. Okt d. J., frei Bahnhof Aschaffenburg.
Bei sofortiger Bestellung 2 Monate Ziel, 14 Tage 3⁰/o Skonto.

13. 9. 73
Firma Knapp bestellt aufgrund des Angebotes zur Lieferung für den 25. Okt. 73
Art. 239    10 Mäntel Größe 40
Art. 239    10 Mäntel Größe 42
Art. 239    10 Mäntel Größe 44
Art. 257    20 Mäntel Größe 44

25. 10. 73
Firma Russ liefert die bestellten Waren, zugleich geht der Firma Knapp die Rechnung zu.

8. 11. 73
Firma Knapp gleicht die Rechnung aus mit einem Verrechnungsscheck Nr. . . . .

Schreiben Sie die Geschäftsbriefe zu dem folgenden Geschäftsvorgang:

Die Firma „Schuhhaus Bantele" in Weil, Keplerstraße 5, benötigt für ihr Sortiment schwarze und braune Herrenschuhe, in allen Größen, mittlere Preislage, mit Ledersohlen sowie Arbeitsschuhe in allen Größen, zu sehr niedrigen Preisen mit Gummisohlen, ferner Kinderschuhe aus Leder, in allen Kindergrößen, mit Ledersohlen, in lebendigen Farben, mittlere Preislage.

Am 20. 9. 73
wendet sie sich deshalb an einen ihrer bisherigen Lieferanten, die „Triton Werke A.G." in Eßlingen, Welfenplatz 17, und fragt wegen der Lieferung von
100 Paar Herrenschuhen
200 Paar Arbeitsschuhen
100 Paar Kinderschuhen
bis 1. Nov. d. J. an.

Am 24. 9. 73
schicken die „Triton Werke" ihre Preisliste mit Prospekt für
Herrenschuhe Gr. 38–44, schwarz und braun, Ledersohlen  43,50 DM je Paar
Arbeitsschuhe Gr. 38–44, Gummisohlen                    15,70 DM je Paar
Kinderschuhe alle Größen                                 8,90 DM das Paar
lieferbar in Kartons, frei Bahnhof Weil, Ziel 2 Monate, 10 Tage 3⁰/o Skonto.

Firma Bantele bestellt:
je 10 Paar Nr. 39 schwarz
„ „ „ „ „ braun
je 10 Paar Nr. 40 schwarz
„ „ „ „ „ braun
je 10 Paar Nr. 41 schwarz
„ „ „ „ „ braun
je 10 Paar Nr. 42 schwarz
„ „ „ „ „ braun
je 10 Paar Nr. 43 schwarz
„ „ „ „ „ braun
je 10 Paar Nr. 44 schwarz
„ „ „ „ „ braun   Herrenschuhe
50 Paar Arbeitsschuhe aufgeteilt nach Größen
50 Paar Kinderschuhe aufgeteilt nach Größen und Farben
zur Lieferung bis 1. Nov. 73

28. 10. 73
Triton liefert, Rechnung geht zu.

9. 11. 73
Bantele überweist den Rechnungsbetrag über die Kreissparkasse Weil an die
Deutsche Bank in Eßlingen.

# Kapitel 7

## Abschnitt A

### Die verschiedenen Betriebsformen des Einzelhandels

Die meisten Güter, die in der Wirtschaft erzeugt werden, gelangen zuletzt in den Einzelhandel, wo sie als Waren dem Verbraucher angeboten werden.

Der Einzelhandel hat verschiedene Betriebsformen, je nachdem ob er in Dörfern, kleinen Städten oder Großstädten betrieben wird. Auch in Großstädten wird das Einzelhandelsgeschäft verschieden aussehen, je nachdem ob es in einem Villenvorort, in einer Geschäftsstraße oder in einer Industriegegend liegt.

Die ursprüngliche Betriebsform des Einzelhandels ist das Gemischtwarengeschäft. Es führt außer Lebensmitteln auch Kleider, Schuhe, Geschirr, Küchengeräte usw.

Gemischtwarengeschäfte finden wir sehr häufig in Kleinstädten und Dörfern. Je kleiner die Ortschaft ist, um so größer muß das Sortiment des Einzelhändlers, der meistens das einzige Geschäft dieser Art in der Gemeinde besitzt, für den Bedarf seiner Kundschaft sein.

Natürlich wird dieses Sortiment nur wenige Artikel einer Warengattung umfassen, weil in einem kleinen Laden und dem dazugehörigen Lager nicht viel Platz vorhanden ist. Außerdem wird der Kundenkreis in einem kleinen Ort keine besonderen Wünsche haben.

In größeren Gemeinden, d. h. in größeren Dörfern oder in Kleinstädten, ist die Kundschaft zahlenmäßig größer und ihre Wünsche sind individueller. Der Kaufmann wird weniger Warengruppen führen, dafür aber durch ein reichhaltiges Sortiment verschiedener Artikel den individuellen Wünschen seines Kundenkreises Rechnung tragen. So entwickeln sich allmählich Fachgeschäfte für Lebensmittel, Herren- und Damenbekleidung, Regenbekleidung, Hüte, Stoffe, Stahl- und Eisenwaren usw. Je größer die Gemeinde ist, um so spezialisierter sind die Fachgeschäfte.

Seit dem vorigen Jahrhundert hat sich in der Stadt eine moderne Form des Gemischtwarengeschäftes herausgebildet, das sog. Warenhaus oder Kaufhaus mit allen möglichen Waren wie Textilwaren, Schuhen und auch Möbeln. Heutzutage ist die Bezeichnung Kaufhaus die gängigste für diese Betriebsform des Einzelhandels von oft riesenhaften Ausmaßen. Kennzeichnend für fast alle Kaufhäuser sind die mittleren und niedrigen Preislagen der von ihnen geführten Waren.

Für die moderne Betriebsform des Lebensmitteleinzelhandels ist das Massenfilialgeschäft charakteristisch. In einer Großstadt oder in einer Gegend mit mehreren aneinandergrenzenden größeren Gemeinden betreibt eine Firma eine große Anzahl von Zweigstellen. Diese Filialen haben alle die gleichen Firmenschilder, die gleiche Beleuchtung, eine sehr ähnliche Inneneinrichtung und vor allem dasselbe Warensortiment (z. B. Kaiser's Kaffeegeschäft, Tengelmann). Eine ganz moderne und nach dem Krieg besonders entwickelte Betriebsform im Einzelhandel ist das Versandgeschäft. Es kann sich entweder nur auf einige Artikel spezialisieren, wie z. B. Bettwäsche, Photoartikel, oder es führt beinahe alle Waren von den kleinsten bis zu Fertighäusern und unterhält ein Reisebüro und eine Abteilung für Versicherungen („Quelle" in Fürth, „Neckermann" in Frankfurt).

Der Kunde läßt sich einen Warenkatalog schicken, in dem alle Waren mit genauer Beschreibung abgebildet sind und in welchem der Preis, die Zahlungs- und Lieferbedingungen klar angegeben sind. Mit einer Postkarte oder mit dem beigefügten Bestellschein kann man die gewünschten Waren bestellen und nach einigen Tagen mit der Post zugestellt bekommen.

Die modernsten Betriebsformen des Einzelhandels sind die Selbstbedienungsläden und die Kaufhäuser, wie z. B. Supermärkte am Stadtrand von Großgemeinden mit Parkplätzen, überwachten Spielplätzen für Kinder, Schwimmbecken, Tennisplätzen usw., alles, um dem Verbraucher das Einkaufen möglichst bequem und angenehm zu gestalten.

Übung 1: Formulieren Sie die folgenden Sätze um:

1. Alle Waren stehen dem Verbraucher im Einzelhandel zur Verfügung.
2. Die ursprüngliche Betriebsform des Einzelhandels ist das Gemischtwarengeschäft.
3. Die Kundschaft ist zahlenmäßig größer, ihre Wünsche sind individueller.
4. Der Kaufmann wird durch ein reichhaltiges Sortiment verschiedener Artikel den breitgefächerten Wünschen seines Kundenkreises Rechnung tragen.
5. Kennzeichnend für fast alle Kaufhäuser sind die mittleren und niedrigen Preislagen der von ihnen geführten Waren.
6. Mit einer Postkarte kann man die gewünschten Waren bestellen und mit der Post als Paket zugestellt bekommen.

---

I  Die Stellung der Satzglieder

1. Subjekt und Objekt sind Nomen:

*Der Kaufmann* bietet *den Kunden    seine Waren an.*
Stellung:
**Subjekt             Dativobjekt    Akkusativobjekt**

2. Subjekt und Objekt sind Pronomen:

*Er*     bietet *sie*        *ihnen* an.

Stellung:

**Subjekt    Akkusativobjekt    Dativobjekt**

3. Präpositionalobjekte:

a) Der Kaufmann bietet den Kunden seine Waren *zum Kauf* an.

                                              **Präpositionalobjekt**

b) Er bietet sie ihnen *zum Kauf* an.

Stellung:

**Subjekt – Objekt – Präpositionalobjekt**

4. Prädikatsergänzungen:

stehen immer am Ende des Satzfeldes hinter allen übrigen Satzgliedern (aber vor dem Infinitiv oder vor dem Verbzusatz).

5. Die freien Angaben:

stehen meistens (besonders als Temporal- oder Lokalangaben) im Vorfeld.

*Gestern abend* hat der Kaufmann seinen Angestellten besucht.

**Temporal**

*In den Kaufhäusern* kaufen sehr viele Menschen während des Sommerschlußverkaufs ein.

**Lokal**

Wenn mehrere Angaben im Satzfeld stehen, haben sie gewöhnlich die Reihenfolge: Temporal-, Kausal-, Modal- und Lokalangabe.

Die Lieferung kam *gestern*       *wegen einer Panne mit Verspätung*

                    **Temporal   Kausal**           **Modal**

*in Bayreuth* an.

**Lokal**

6. Objekte und Angaben im Satzfeld:

a) Objekte als Nomen stehen im Satzfeld hinter den Angaben:

Der Großhändler hat *gestern*      *seiner Bank*   *einen Brief* geschrieben.

                      **Temporal   Objekt**        **Objekt**

Der Kunde wartete *im Laden*   *zehn Minuten*   *auf die Verkäuferin.*

                      **Lokal    Temporal**      **Objekt**

(Die Temporalangabe ist hier wichtiger als die Lokalangabe, deshalb steht die Temporal- *nach* der Lokalangabe.)

b) Objekte als Pronomen stehen vorn im Satzfeld vor den Angaben:
Die Sekretärin hat *ihn    heute morgen   vor dem Geschäft* getroffen.
        **Objekt   Temporal   Lokal**
c) Präpositionalobjekte stehen als Nomen oder Pronomen immer hinter den Angaben:
Habt ihr euch *gestern    über das frische Obst* gefreut?
**Temporal   Präpositionalobjekt**
Wir haben uns *gestern den ganzen Tag darüber* gefreut.
    **Temporal**            **Präpositionalobjekt**

II Die Stellung der Satzverneinung „nicht" im Satzfeld

1. am Ende des Satzfeldes:
Die Kunden kamen gestern wegen des schlechten Wetters *nicht*.

2. vor den Präpositionalobjekten:
Die Sekretärin hat heute nach Büroschluß *nicht auf ihre Freundin* gewartet.
                                   **Präpositionalobjekt**
3. vor den Prädikatsergänzungen:
Heute abend geht der Angestellte nach Dienstschluß *nicht ins Kino*.
                                   **Prädikatsergänzung**
Beachten Sie: Die Adverbien „auch, schon, noch" folgen den gleichen Regeln.
Treffen sie zusammen, so stehen sie in der Reihenfolge: auch – schon – noch – nicht.

---

Übung 2: Geben Sie ein passendes Nomen zu den folgenden Verben an:
    beliefern, bezahlen, bestehen, befriedigen, berechnen, belasten

Übung 3: Geben Sie ein passendes Nomen zu den folgenden Verben an:
    entstehen, entscheiden, entsprechen, fordern, fördern, befördern, bedürfen

Übung 4: Erklären Sie die Nomen:
    Forderung, Beförderung, Förderung, Haushalt, Etat, Budget, Bedürfnisse, Bedarf

Übung 5: Welche Nomen kennen Sie, die wie „Medium" ihren Plural bilden?

Übung 6: Geben Sie Adverbien wie „zahlenmäßig" an!

Güter – Waren
Dörfer – Kleinstädte – Großstädte – Weltstädte
Villenvorort – Geschäftsstraße – Industriegegend
Betriebsform – Gemischtwarengeschäft
Sortiment – Bedarf des Kundenkreises
Warengattung – Artikel
Fachgeschäft – Kaufhaus
Massenfilialgeschäft – Versandgeschäft
Selbstbedienungsladen – Supermarkt

## Abschnitt B

### Versandhaus und Selbstbedienungsgeschäft

Das Versandhaus „Quelle" hat eine französische Filiale in Orléans, wo der Versandhandel betrieben wird. Der Umfang des Katalogs mit rd. (= rund) 4000 Nummern beträgt nur ein Zehntel des deutschen. Er enthält 50% Textilien, sonst die gängigsten Haushaltsartikel, wobei die ersteren hauptsächlich französische, die letzteren deutsche Fabrikate sind.
Wie auf allen Gebieten ist der Wettbewerb auch im Versandgeschäft zusehends härter geworden. Dies zeigen die Offerten eines anderen Versandhauses, das Frischfleisch von garantierter Qualität anbietet. Natürlich lohnt sich ein Einkauf erst bei größeren Mengen.
Versandhaus und Selbstbedienungsgeschäft haben ein verschiedenartiges Käuferpublikum. Das letztere wird von Kunden bevorzugt, die sich in aller Ruhe die Waren ansehen wollen. Viele bewegen sich mit wahrer Begeisterung zwischen den aufgestapelten Waren. Manche lassen sich dabei hinreißen, sich die gewünschten Waren einfach anzueignen, ohne dafür zu bezahlen. Diese Gefahr wird in den Massenkonsumgeschäften immer größer, so daß man schon beinahe von Massendiebstahl sprechen kann, wenn man weiß, daß dieser Ladendiebstahl oft 1% des Umsatzes ausmacht. Es werden überwiegend Lebensmittel gestohlen, und zwar in erster Reihe von Hausfrauen. Männer als Ladendiebe sind besonders auf Bücher spezialisiert.
Die Probleme der Selbstbedienung, als einer sehr modernen Betriebsform des Einzelhandels, sind aber auch noch anderer Art. Diese sind im ständigen Kontakt mit den Verbrauchern, die fast täglich einkaufen, und über Waren und Preise deshalb mehr wissen als in anderen Branchen, mit denen sie nicht so

häufig in Berührung kommen. Daraus ergibt sich für den Kaufmann eine ständige, nie abreißende Kontrolle der Warenqualität, der Aufmachung und vor allem des wettbewerbsfähigen Verkaufspreises. Ein anderes großes Problem für die Selbstbedienung sind die gegen Pfand ausgeliehenen Packungen (hauptsächlich Flaschen), deren Rückgabe viel Arbeit, Zeit und Geld kostet. Deshalb wird in der Zukunft mehr und mehr die Einwegpackung für alle Waren, einschließlich Bier, Wein und kohlensäurehaltige Getränke sich durchsetzen. Aufmerksamkeit schenkt man neuerdings auch dem „Einkaufserlebnis" der Kunden, durch gedämpfte Hintergrundmusik oder Kostprobenstände.

Beantworten Sie die folgenden Fragen:

1. Welches deutsche Versandhaus hat in Frankreich eine Filiale?
2. Wieviel Artikel enthält der deutsche Katalog?
3. Welche Warengattungen sind am meisten in diesem Katalog vertreten?
4. Woraus kann man feststellen, daß der Wettbewerb auch im Versandhandel härter geworden ist?
5. Wodurch unterscheidet sich der Kundenkreis eines Selbstbedienungsgeschäftes von demjenigen eines Versandhauses?
6. Welche Massenkonsumgeschäfte kennen Sie?
7. Was verstehen Sie unter „Ladendiebstahl"?
8. Wie erklären Sie die Ladendiebstähle?
9. Weshalb muß der Inhaber eines Selbstbedienungsladens die Wettbewerbsfähigkeit seiner Verkaufspreise ständig kontrollieren?
10. Was muß er außerdem ständig beachten?
11. Was ist der Unterschied zwischen einer geliehenen Flasche und der Einwegflasche?

| | |
|---|---|
| Versandhaus | – Selbstbedienung |
| Wettbewerb | – garantierte Qualität |
| Ladendiebstahl | – Massenkonsumgeschäft |
| Warenqualität | – Aufmachung |
| Kontrolle | – Wettbewerbsfähigkeit |
| Flaschenpfand | – Einwegflasche |
| Einkaufserlebnis | – Kostprobenstände |

# Abschnitt C

## Geschäftsbriefe im Versandhandel

Schreiben Sie die Briefe zu folgendem Geschäftsvorgang:
Der Tierarzt Rolf Weidlein in (8501) Allersberg, Albrecht-Dürer-Straße 19, will in einem Neubau seine Wohnung einrichten.
Deshalb schreibt er an das Versandhaus „Kellermann", 85 Nürnberg, Hans-Sachs-Straße 27, und bittet um die Zusendung des Katalogs. Nach Erhalt des Katalogs sucht er sich die von ihm benötigten Möbel heraus und füllt den beigefügten Bestellschein aus:

### Modell eines Bestellscheines

Kellermann
Versandhaus
Hans-Sachs-Straße 27

8500 Nürnberg


Bestellschein

Ich bestelle hiermit per Nachnahme die nachstehend aufgeführten Kellermann-Waren. Was mir nicht gefällt, kann ich umtauschen oder gegen Rückerstattung des vollen Betrages zurücksenden.

| Bestell-nummer | Anzahl/Menge | Bezeichnung der Ware | Einzelpreis | Gesamtpreis |
|---|---|---|---|---|
| 1. 06442 | 2 | Viertüriger Kleiderschrank | 269,– DM | 538,– DM |
| 2. 06733 | 1 | Doppelbett | 170,– DM | 170,– DM |
| 3. 03933 | 4 | Sessel | 59,– DM | 236,– DM |
| 4. 01344 | 1 | Wohnzimmerschrank | 750,– DM | 750,– DM |
| 5. 02718 | 4 · | Clubsessel | 298,– DM | 1194,– DM |

Lieferung erfolgt per Nachnahme mit dem LKW des Versandhauses.

# Kapitel 8
## Abschnitt A

### Der Großhandel und seine Aufgaben

Jeder Handelsbetrieb erwirbt Wirtschaftsgüter, die letztlich an die Verbraucher veräußert werden. Während der Einzelhandel mit dem Verbraucher in unmittelbarer, ständiger Berührung steht, kennt der Großhandel die Wünsche und Bedürfnisse der Verbraucher oft nur mittelbar über den Einzelhandel, der Abnehmer des Großhandels ist.

Der Einzelhandel bezieht nur soviel Waren, wie er in kurzer Zeit absetzen kann. Demgegenüber muß der Großhandel auf lange Sicht sich mit Waren eindecken, um dem Bedarf seiner Kundschaft nachkommen zu können.

Während der Einzelhändler seine Kundschaft durch schöne Verkaufsräume und die bekannten Werbemittel auf sein Angebot an Waren aufmerksam machen will und in seinem Geschäft auf seine Kunden wartet, muß der Großhändler meistens seinen Kundenkreis aufsuchen und diesem sein Angebot vorlegen. Deshalb dienen die Geschäftsräume des Großhandelsbetriebes weniger der Werbung als diejenigen des Einzelhandels. Demgegenüber kann der Großhändler nur mit einem großen und reichhaltigen Lager wettbewerbsfähig bleiben.

Die Kunden des Einzelhandels bezahlen ihre Einkäufe meistens bar an der Kasse. Im Großhandel ist dies nur selten der Fall, weil die Einzelhändler – je nach Branche – von ihrem Lieferanten ein Ziel von mindestens ein bis drei Monaten erwarten. Demzufolge muß der Großhändler über genügend Kapital verfügen, um die Geldrückläufe aus seinen Verkäufen abwarten zu können.

Auf der anderen Seite benötigt der Großhandel auch für seine Einkäufe beträchtliche Mittel. Wenn er beim Hersteller (in Fabriken, in Werken, in Werkstätten) einkauft, muß er meistens sofort bezahlen oder sogar teilweise Vorauskasse leisten.

Daraus ergeben sich folgende Unterschiede des Großhandels gegenüber dem Einzelhandel:

1. Große Lagerräume und entsprechend große Lagerhaltung
2. Beträchtliche Betriebsmittel, um einerseits die Lieferer zu finanzieren (und dadurch deren Absatzrisiko vermindern) und um andererseits seinen Kunden Kredite einräumen zu können.

Beim Großhandel unterscheidet man zwischen dem Handel mit Rohstoffen und demjenigen mit Fertigwaren (Fertigfabrikate).

Weiterhin kennt der Großhandel die Unterscheidung zwischen dem Lagerhandel (der die Ware für den Verkauf auf Lager hat), und dem vermittelnden

Großhandel, der hauptsächlich das Kapital aufbringt und das Risiko übernimmt.

Des weiteren kennt man im Großhandel den Aufkaufhandel, der von den Erzeugern die Produkte zum gegebenen Zeitpunkt aufkauft (z. B. Eier, Getreide, Wolle, tropische Rohstoffe usw.).

Vom Aufkaufhandel gelangen die Waren in den Zwischenhandel, der die Erzeugnisse lagert, bis der Absatzgroßhandel die Waren übernimmt. Von diesem gelangen die Waren entweder auf dem kürzesten Weg zum Verbraucher oder an weiterverarbeitende Betriebe der Industrie und des Handwerks; von dort wieder über den Großhandel und Einzelhandel an den Verbraucher.

Übung 1: Formulieren Sie die folgenden Sätze um:

1. Jeder Handelsbetrieb erwirbt wirtschaftliche Güter, die letztlich an den Verbraucher veräußert werden.
2. Der Einzelhandel steht unmittelbar mit dem Verbraucher in ständiger Berührung.
3. Der Großhandel kennt die Wünsche der Verbraucher nur mittelbar über seine Abnehmer.
4. Der Großhandel muß sich auf lange Sicht eindecken.
5. Der Großhändler muß seinen Kundenkreis aufsuchen und diesem sein Angebot vorlegen.
6. Der Großhändler kann nur mit einem großen und reichhaltigen Lager wettbewerbsfähig bleiben.
7. Im Einzelhandel werden die Einkäufe meistens bar an der Kasse beglichen.
8. Die Einzelhändler erwarten von ihren Lieferanten ein Ziel für ihre Einkäufe.
9. Der Großhändler muß über genügend Kapital verfügen, um die Geldrückläufe aus seinen Verkäufen abwarten zu können.
10. Oft muß der Großhändler für seine Einkäufe sofort bezahlen oder sogar teilweise Vorauskasse leisten.
11. Der Großhandel unterscheidet sich vom Einzelhandel durch große Lagerräume, große Lagerhaltung und beträchtliche Betriebsmittel.
12. Der Großhändler muß einerseits seine Lieferer finanzieren und dadurch deren Absatzrisiko vermindern und andererseits seinen Kunden Kredit einräumen.
13. Der Aufkaufhandel kauft bei den Erzeugern zum gegebenen Zeitpunkt ihre Produkte an.

1. Die Stellung des präpositionalen Infinitivs und der Infinitivsätze

   a) Wir fangen morgens um 7 Uhr *zu arbeiten* an. = Wir fangen morgens um
   7 an *zu arbeiten.*
   Infinitiv mit „zu" ohne eigene Ergänzung im Satzfeld.
   b) Infinitiv mit „zu" ohne eigene Ergänzung im Nachfeld.
   c) Die Verkäuferin hat sich angeboten, *dem Geschäftsführer zu helfen.*
   Infinitiv mit „zu" und eigener Ergänzung steht immer im Nachfeld.

2. Die Stellung der Gliedsätze

   a) im Vorfeld stehen vor allem Temporalsätze oder Konditionalsätze, weil
   sie zur Erklärung des Geschehens in der folgenden Aussage unentbehrlich sind.
   Als die Kunden ins Geschäft kamen, war nur eine Verkäuferin zu ihrer Be-
   dienung da.
   Wenn ich ins Kaufhaus gehe, kaufe ich immer etwas ein.
   b) im Vorfeld stehen Kausalsätze, die einen bekannten Grund angeben.
   *Da am Sonntag die Postämter geschlossen sind,* bekommen wir unsere Post
   erst am nächsten Tag.
   c) im Nachfeld stehen meistens die übrigen Gliedsätze.
   Der Werbefachmann hat uns erzählt, daß er viele Jahre in den Vereinigten
   Staaten gearbeitet hat.
   In der Fachzeitschrift stand, daß die Preise für Rohwolle demnächst steigen
   werden.
   Wir gehen heute in die Möbelausstellung, obwohl das Wetter sehr schön ist.
   d) im Satzfeld kann ein Gliedsatz ebenfalls stehen, besonders wenn ein Satz-
   glied oder ein Gliedsatz die Stellung im Vorfeld verlangt.
   Hans wollte viele, schöne Sachen einkaufen; deshalb ging er, als er in die
   Stadt fuhr, zuerst in das größte Kaufhaus.

---

Übung 2: Suchen Sie ein passendes Nomen zu den folgenden Verben:
nachlassen, vermindern, verringern, zurückgehen, einschränken, abfallen, anwachsen, erhöhen, steigen, heraufsetzen.

Güter erwerben – Güter veräußern
unmittelbar – mittelbar
Waren beziehen – Waren absetzen
sich mit großen Mengen eindecken – anliefern lassen
großes und reichhaltiges Lager – wettbewerbsfähig bleiben
Einkäufe bar an der Kasse begleichen – ein Ziel einräumen
sofort bezahlen – Vorauskasse leisten
große Lagerhaltung – beträchtliche Betriebsmittel
Absatzrisiko vermindern – Kredit einräumen
Großhandel mit Rohstoffen – Großhandel mit Fertigwaren
Lagerhandel – vermittelnder Großhandel
Aufkaufgroßhandel – Absatzgroßhandel
Einzelhandel: Verkauf an Verbraucher
Großhandel: Verkauf an Kaufleute

# Abschnitt B

### Eine moderne Vertriebsform des Großhandels

Eine der modernsten Formen des Großhandels stellen die „Cash-and-Carry"-
Betriebe dar (CC-Betriebe). Für die Einzelhändler ist diese Vertriebsform besonders praktisch, weil sie während der Geschäftszeit immer die Möglichkeit
haben, sich sehr schnell einzudecken. Geht der Lagerbestand an Warenartikeln
zu Ende, fährt der Einzelhändler zu einem CC-Betrieb, sucht sich die nötigen
Waren wie in einem Selbstbedienungsgeschäft aus und bezahlt den Einkauf bar
an der Kasse.
Die besondere Funktion dieser Betriebe innerhalb des Großhandels liegt im
niedrigen Preis, im großen Sortiment und in der umfangreichen Lagerhaltung.
Am wichtigsten ist natürlich der günstige Preis, der den Einzelhändler auch
dann noch reizt, wenn er in diesen Großhandelsgeschäften sofort bezahlen muß,
also keinen Lieferantenkredit eingeräumt bekommt.
Von der Bedeutung dieses neuartigen Großhandels kann man sich anhand
eines Jahresumsatzes von etwa 6 Mrd. DM ein Bild machen, wobei der Marktanteil am Lebensmittelgroßhandel 20% beträgt. Der Vorwurf, daß diese Großhändler auch an den privaten Verbraucher verkaufen, ist in Einzelfällen sicher
begründet.
Diese CC-Betriebe sind ein Zeichen für die Hinwendung des Großhandels zum

Kunden, zum Abnehmer. Die Sortimente werden nicht mehr entsprechend dem Produktionsprogramm der Hersteller, sondern unter Berücksichtigung der Kundenwünsche zusammengestellt.

Neu ist außerdem eine bestimmte Auswahl der Kunden nach ihrer betrieblichen Größenordnung. Einzelhändler mit einer größeren Lagerhaltung werden kaum in diesem Großhandel einkaufen, dessen Abnehmer meistens Einzelhandelsgeschäfte mit kleinen Lagerräumen und auch oft mit geringen Betriebsmitteln sind. Dadurch können die anderen Großhandlungen die Belieferung ihres homogenen Kundenkreises viel kostensparender durchführen, ohne wie bisher groß und klein wahllos in gleicher Weise bedienen zu müssen.

Des weiteren ergibt sich aus diesem Wandel für den Großhandel, der früher viele Reisende auf Provision hatte, um seine Kunden aufsuchen zu lassen: Heute sind es festbezahlte Berater, die dem Kunden nicht um jeden Preis verkaufen und die Lager vollstopfen wollen.


Beantworten Sie die folgenden Fragen:

1. Was verstehen Sie unter einem CC-Großhandelsbetrieb?
2. Für welche Einzelhändler ist diese Einkaufsmöglichkeit besonders praktisch?
3. Worin liegt die besondere Funktion dieses Großhandels?
4. Welche Bedeutung haben die CC-Betriebe in der Bundesrepublik?
5. Wonach werden die Sortimente des CC-Großhandels zusammengestellt?
6. Wie tragen diese Betriebe zur Auswahl der Abnehmer nach ihrer betrieblichen Größenordnung bei?
7. Welche Vorteile ergeben sich aus dieser Kundenauswahl?
8. Wer besucht heutzutage die Kunden des Großhandels?


---

der Lagerbestand geht zu Ende – den Einkauf bar an der Kasse bezahlen

Lieferantenkredit einräumen – sofort bezahlen

Bedeutung auf Grund der Größenordnung – Bedeutung auf Grund des Marktanteils

Sortimente entsprechend dem Produktionsprogramm – Sortiment mit Berücksichtigung der Kundenwünsche

betriebliche Größenordnung – homogener Kundenkreis

Reisende auf Provision – festbezahlte Berater

---

# Abschnitt C

## Besondere Formen des Kaufvertrages

1. Bei bestimmten Warenarten kauft der Einzelhändler beim Großhändler „nach Muster" (= „nach Probe"). Dies ist besonders der Fall bei Textilien, Lederwaren, Kaffee, Tee usw. Bei einem Kauf „nach Probe" muß die Ware in derselben Farbe, Qualität, usw. geliefert werden wie das vorgelegte Muster. Andernfalls hat der Käufer ein Rückgaberecht.

Wortschatz:
Lieferer: „Ich biete (diese Ware) nach beigefügtem Muster (beigefügter Probe) an".
Kunde: „Ich bestelle nach Muster (= nach Probe)...".

2. Wenn der Kaufmann sich mit neuen Waren eindecken will, deren Qualität er noch nicht kennt, kann er eine geringe Menge bestellen. Auf diese Weise geht er kein besonderes Risiko ein. Diese Bestellung ist ein „Kauf zur Probe" und unterscheidet sich von anderen Einkäufen nur durch die Menge.

Wortschatz:
„Ich bestelle ... zur Probe."

3. Sehr häufig wird im modernen Handel ein Gebrauchsgut (wie z. B. Fernsehapparat) dem Käufer auf Wunsch für eine bestimmte, nicht allzu lange Zeit überlassen. Ist er mit der Ware zufrieden, wird er sie behalten, d. h. kaufen. Ansonsten gibt er sie dem Kaufmann zurück. Dies ist ein „Kauf auf Probe".

Wortschatz:
„Ich bestelle ... auf Probe".

4. In besonderen Fällen bestellt der Kunde bei seinem Großhändler eine bestimmte Ware, wobei er die näheren Angaben erst später mitteilen kann (z. B. bei Holz, Blechen usw.) Diese Art von Bestellung nennt man Spezifikationskauf.

5. Für manche Branchen ist der Kauf „auf Abruf" sehr vorteilhaft. Der Kunde schließt mit dem Lieferer einen Kaufvertrag über eine große Warenmenge (meistens Rohstoffe) ab. Zur Lieferung wird ein Lieferzeitraum festgelegt (z. B. 18 Monate), innerhalb dessen der Käufer in vertraglich vereinbarten Abständen (z. B. alle 6 Wochen) eine bestimmte Menge abruft.

Schreiben Sie die Briefe zu den folgenden Geschäftsvorgängen:

1. Die Kolonialwarenhandlung Heinrich Groth, 33 Braunschweig, Welfenplatz 11, möchte „Darjeeling-Tee" in mittleren und Spitzenqualitäten bei der

Firma Kampendonk, Teegroßhandlung, 28 Bremen, Hansestraße 125, kaufen. Welche Form des Kaufes wird der Käufer wählen?

2. Die Firma Schlieder, Kaffeegroßhandlung, 2 Hamburg, Worpsweder Straße 17, benötigt für ihren Betrieb ein Kopiergerät (für Trockenkopien). Sie schreibt an die Firma Repro-International, Düsseldorf, Heinrich-Heine-Straße 3, und bittet um ein Angebot.

Welche Geschäftsbriefe schreiben die beiden Firmen, und welche Form des Kaufes wird dem Kunden besonders zusagen?

3. Die Parfümerie Hollweg, 5 Köln, Habsburgerring 22, möchte den neuen Lippenstift „Hippie" der Firma Anderson-Kosmetik, 62 Wiesbaden, Taunusstraße 35, einführen. Welche Geschäftsbriefe schreiben die beiden Firmen, und welche Form des Kaufes wird das Parfümeriegeschäft wählen?

4. Die Firma „Moderne Möbel" Inhaber Hans Schreiner, 699 Bad Mergentheim, Hermann-von-Salza-Straße 45, bestellt bei der Holzgroßhandlung Georg Mitterer, 726 Calw, Hermann-Hesse-Straße 6, am 1. Dez. 73 für den 5. März 74 Möbelholz „Fichte 1 A" im Wert von 3400 DM. 4 Wochen vor der Abnahme will der Kunde die Stärke, die Länge und die Breite (= Abmessungen) mitteilen.

Schreiben Sie die entsprechenden Geschäftsbriefe!

---

nach Probe – nach Muster
vorgelegte Muster – gleiche Qualität, Farbe
zur Probe – geringe Mengen
auf Probe – Gebrauchsgut
Spezifikationskauf – Abmessungen
auf Abruf – Lieferzeitraum – abrufen

# Kapitel 9

## Abschnitt A

### Die Entwicklung der modernen Industrie

Landwirtschaft und Bergbau, Industrie und Handwerk beliefern mit ihren Erzeugnissen den Handel, der damit die Bedürfnisse der Verbraucher befriedigt. Die Gesamtmenge der für die Bedarfsdeckung erzeugten Güter nimmt seit Jahrzehnten ständig zu, eine Erscheinung, die unmittelbar mit der Entwicklung der modernen Industrie zusammenhängt. Dadurch sind nicht nur die Fabriken leistungsfähiger geworden, sondern auch das Handwerk, die Land- und Forstwirtschaft und der Bergbau.

Seit der Erfindung der Dampfmaschine (Watt 1763) und der Dynamomaschine (Siemens 1867) hat die Industrie einen steilen Aufstieg genommen, der im 20. Jahrhundert seinen bisherigen Höhepunkt durch die Leistungen der chemischen Industrie erreicht hat: Herstellung künstlicher Farben, Gewinnung von Stickstoff aus der Luft, Herstellung synthetischer Textilrohstoffe und Kunststoffe. An Stelle des Dampfes und der Elektrizität versucht man, sich immer mehr auf Erdöl und Atomenergie zu konzentrieren, wobei die friedliche Anwendung der letzteren in ihren Auswirkungen noch nicht abzusehen ist.

Die einzelnen Entwicklungsstufen der industriellen Revolution, vom Handwerk über die Manufaktur bis zu den Riesenwerken der modernen Industrie, waren nur möglich durch die Einführung der Gewerbefreiheit, d. h. die Aufhebung des Zunftzwanges durch die Französische Revolution. Um 1850 waren jedoch die Probleme der Unternehmer und Arbeiter so angewachsen, daß erneute Zusammenschlüsse nicht zu vermeiden waren. So entstanden in der Landwirtschaft und im Handwerk die Genossenschaften, die Arbeitnehmer schlossen sich zur Wahrung ihrer Rechte und Forderungen in Gewerkschaften zusammen, während die Arbeitgeber ihre Arbeitgeberverbände gründeten.

Zur Förderung der gewerblichen Interessen von Handwerkern im selben Ort wurden Handwerksinnungen geschaffen (im gleichen oder verwandten Handwerkszweig, z. B. die Bäckerinnung). Um die gemeinsamen Interessen der Handwerker aller Zweige in einem bestimmten Bezirk gegenüber den Behörden zu vertreten, wurden die Handwerkskammern als öffentlich-rechtliche Einrichtungen ins Leben gerufen.

Die Unternehmer im Handel und in der Industrie schlossen sich zu fachlichen Unternehmerverbänden (= Fachverbänden) zusammen, die wiederum alle im Bundesverband der deutschen Industrie zusammengefaßt sind. Die Interessenvertretung von Handel und Industrie in einem bestimmten Bezirk geschieht durch die Industrie- und Handelskammern für die von ihnen erfaßten Wirtschaftszweige. Alle Industrie- und Handelskammern sind in der Spitzenorganisation des DIHT (= Deutscher Industrie- und Handelstag) zusammengefaßt.

Der moderne handwerkliche Betrieb ist schwer vom industriellen Betrieb abzugrenzen, weil auch ersterer oft mit modernsten Maschinen seine Arbeit verrichtet, um die Rohstoffe in wirtschaftliche Güter umzuformen oder zu veredeln. Trotzdem kann man für beide spezifische Kennzeichen herausarbeiten. Die Industrie umfaßt hauptsächlich auf Kapital aufgebaute Betriebe mit einer umfassenden Organisation, mit weitgehender Arbeitsteilung, die mit Hilfe ihrer Produktionsmittel – der Maschinen – eine Massen- oder Serienfertigung vornehmen können. Demgegenüber ist das Handwerk vorwiegend auf Handarbeit aufgebaut und zeigt kaum – abgesehen von den Maschinen – die übrigen Merkmale der industriellen Unternehmung.

Der Industriebetrieb ist durch seine Größe zu einer gut funktionierenden Organisation gezwungen. An der Spitze des Betriebes steht die Betriebsdirektion, die meistens eine kaufmännische und eine technische Abteilung umfaßt. Für den reibungslosen Betrieb sorgen die wichtigsten Abteilungen wie die Einkaufs-, Verkaufs-, Produktionsabteilung und die Abteilung für das Rechnungswesen.

Die betrieblichen Funktionen müssen gut ineinandergreifen, wenn der Betrieb die gesetzten Ziele erreichen will: Die Beschaffung (= Einkauf), die Produktion (= Fertigung), der Vertrieb (= Absatz, Verkauf) und die Verwaltung müssen ihre gesamte Tätigkeit koordinieren.

Übung 1: Formulieren Sie die folgenden Sätze um:

1. Die Gesamtmenge der für die Bedarfsdeckung erzeugten Güter nimmt seit Jahrzehnten ständig zu.
2. Der Aufstieg der Industrie hat seinen Höhepunkt durch die Leistungen der chemischen Industrie erreicht.
3. Die friedliche Anwendung der Atomenergie ist in ihren Auswirkungen noch nicht abzusehen.
4. Die einzelnen Entwicklungsstufen der industriellen Revolution waren nur durch die Einführung der Gewerbefreiheit möglich.
5. Die Probleme der Arbeitgeber und Arbeitnehmer waren so angewachsen, daß erneute Zusammenschlüsse nicht zu vermeiden waren.
6. Das Handwerk zeigt kaum – abgesehen von den Maschinen – die übrigen Merkmale der industriellen Entwicklung.
7. Die betrieblichen Funktionen müssen gut ineinandergreifen, wenn der Betrieb die gesetzten Ziele erreichen will.

## 1. Attributsätze

vertreten keine Satzglieder, sondern sind nur Teile eines Satzgliedes. Sie stehen deshalb bei dem Satzglied, dem sie untergeordnet sind.

Das ist *eine Erscheinung, die mit der Entwicklung der Industrie zusammenhängt.*

Es wurde *das Problem* besprochen, *wie der Betrieb* besser organisiert werden kann.

Die Verbindung des Attributsatzes mit seinem übergeordneten Nomen geschieht am häufigsten durch ein Relativpronomen. Deshalb sind die mit einem Relativpronomen eingeleiteten Gliedsätze (Relativsätze!) die wichtigsten Attributsätze.

Die *Sekretärin, die wir neulich gesprochen haben,* ist gestern schwer erkrankt.

Die *Kinder, deren Eltern arbeiten müssen,* werden früh selbständig.

## 2. Partizipien als Attribut (Partizipalkonstruktion)

Partizipien können als Attribut (ähnlich wie Adjektive) noch weitere Teile zur näheren Bestimmung erhalten. Im Gegensatz zum Relativsatz, der dem übergeordneten Satzglied folgt, steht die Partizipalkonstruktion vor dem übergeordneten Satzglied oder Satzteil.

Die Gesamtmenge *der für die Bedarfsdeckung erzeugten* Güter wächst von Jahr zu Jahr.

(als Relativsatz: Die Gesamtmenge der *Güter,* die für die Bedarfsdeckung erzeugt werden, wächst von Jahr zu Jahr.)

Die *eine kaufmännische und eine technische Abteilung umfassende* Betriebsdirektion steht an der Spitze des Betriebs.

(als Relativsatz: Die Betriebsdirektion, die eine kaufmännische und eine technische Abteilung umfaßt, steht an der Spitze des Betriebs.)

## 3. Die Apposition und das nachgestellte Attribut

ist ein normales Attribut, das im gleichen Fall wie das übergeordnete Nomen steht. Die häufigsten Appositionen sind:

Karl der Große, Kardinal Richelieu, der Monat Oktober, fünf Glas Wein, zwei Sack Kartoffeln.

Der Besuch Herrn Krügers = der Besuch von Herrn Krüger. (Herr wird immer dekliniert!)

Adjektive können als Attribute auch hinter dem Nomen stehen, werden dann aber nicht dekliniert.

Wir bestellen 50 Paar Arbeitsschuhe, *aufgeteilt* nach Größen.

Auch das Handwerk, *bisher vornehmlich auf Handarbeit basierend,* muß sich heute moderner Maschinen bedienen.

4. Rangattribute verleihen dem Satzglied, bei dem sie stehen, einen höheren Rang.

*Erst* nach der Französischen Revolution wurde der Zunftzwang aufgehoben.

Die einzelnen Betriebe können ihre Interessen *nur* vertreten, wenn sie sich zusammenschließen.

---

Übung 2: Verbinden Sie die Sätze!

Beispiel:

Landwirtschaft und Industrie beliefern den Handel. Der Handel befriedigt die Bedürfnisse der Verbraucher.
Landwirtschaft und Industrie beliefern den Handel, der die Bedürfnisse der Verbraucher befriedigt.

1. Es wurden Handwerksinnungen geschaffen. Diese fördern die Interessen bestimmter Handwerkszweige.
2. Der DIHT ist eine wichtige Organisation. Alle Industrie- und Handelskammern gehören ihm als Mitglieder an.
3. Die Fabrik ist sehr groß. Die Erzeugnisse der Fabrik werden zu 60% in andere Länder verkauft.
4. Die Atomenergie tritt an die Stelle des Dampfes und des Erdöls. Die friedliche Nutzung hat erst begonnen.
5. Die moderne Industrie hat einen steilen Aufstieg genommen. Die chemische Industrie steht an der Spitze der modernen Industrie.

Übung 3: Verbinden Sie die Sätze!

Beispiel a):

*Wie* kann man einen Handwerksbetrieb von einem Industriebetrieb abgrenzen?
Wir unterhielten uns über *diese* Frage.
Wir unterhielten uns über *die* Frage, *wie man einen Handwerksbetrieb von einem Industriebetrieb abgrenzen kann.*
Wir beschäftigen uns mit folgenden Problemen:

1. Warum hat die Industrie einen steilen Aufstieg genommen?
2. Wie sind die Genossenschaften entstanden?
3. Warum braucht das Handwerk moderne Maschinen?
4. Wie waren die einzelnen Entwicklungsstufen der modernen Industrie möglich?
5. Wann schlossen sich die Arbeitnehmer in Gewerkschaften zusammen?

Beispiel b):

Auch das Handwerk braucht heute moderne Maschinen. Diese Behauptung ist richtig.
Die Behauptung, *daß auch das Handwerk heute moderne Maschinen braucht,* ist richtig.

1. Die Zunahme der erzeugten Güter ist eine Folge der industriellen Entwicklung.
2. Die chemische Industrie ist der wichtigste Zweig der industriellen Erzeugung.
3. Die Aufhebung des Zunftzwanges hat den Aufstieg der modernen Industrie ermöglicht.
4. Die betrieblichen Funktionen müssen gut ineinandergreifen.

Übung 4: Bilden Sie aus den kursiv gesetzten Satzgliedern ein Attribut!

Beispiele:

Die Organisation *funktioniert überall gut.*
Das ist eine *überall gut funktionierende* Organisation.
Der Betrieb *ist hauptsächlich auf Kapital aufgebaut.*
Die Industrie umfaßt *hauptsächlich auf Kapital aufgebaute* Betriebe.

1. In dieser Fabrik werden Eisenwaren hergestellt.
   Die ............................ Eisenwaren werden in Kaufhäusern verkauft.
2. Mit diesen Maschinen wird eine Serienfertigung verwirklicht.
   Die ............................ Serienfertigung hat die Verringerung der Preise ermöglicht.
3. In jedem größeren Ort wurden Handwerksinnungen geschaffen.
   Die ............................ Handwerksinnungen fördern die gewerblichen Interessen ihrer Mitglieder.
4. Die Handwerkskammern wurden als öffentlich-rechtliche Einrichtungen ins Leben gerufen.
   Die ............................ Handwerkskammern vertreten die Interessen der Handwerker gegenüber den Behörden.

Landwirtschaft – Bergbau – Industrie – Handwerk – Handel
Dampfmaschine – Dynamomaschine
Dampf – Elektrizität – Erdöl – Atomenergie
Handwerk – Manufaktur – Werke der modernen Industrie
Gewerbefreiheit – Zunftzwang
Genossenschaften – Gewerkschaften – Arbeitgeberverbände
Handwerksinnungen – Handwerkskammern
Fachverbände – Bundesverband der Industrie
Industrie- und Handelskammern – Deutscher Industrie- und Handelstag
Industrie – Kapital – Organisation – Arbeitsteilung – Maschinen –
Serienfertigung
Handwerk – Handarbeit – Maschinen
Betriebsdirektion – kaufmännische und technische Abteilung
Beschaffung – Produktion – Vertrieb
Einkauf – Fertigung – Absatz (Verkauf)

## Abschnitt B

### Die industriellen Rohstoffe

Der Bergbau ist nach wie vor die Rohstoffquelle für den größten Teil der heutigen Industrie: Erze, Salze und fossile Brennstoffe sind die Basis der Grundstoffindustrie eines modernen Industriestaates. Von dieser Rohstoffindustrie hängen die Maschinen-, Fahrzeug- und Werkzeugindustrie, die chemische Industrie, der Schiffbau und der Apparatebau ab.

Die Gewinnung der Mineralien im Bergbau nennt man Abbau, dann folgt die Förderung, d. h. der Transport des Abbaugutes bis zu Tage. Von allen geförderten Gütern steht die Kohle noch immer mengenmäßig an der Spitze. Davon ist die Steinkohle mit einem Kohlenstoffgehalt von 70–95% besonders wichtig für die deutsche Industrie, welche Fettkohle mit 19–27% Gasgehalt zur Herstellung von Koks (für Hochöfen und Gießereien) verwendet. Viel Kohle wird auch noch heute als Energiequelle (Elektrizität) benutzt, jedoch ist in dieser Beziehung das goldene Zeitalter des schwarzen Goldes endgültig vorbei. Dies zeigt sich ganz klar in der abfallenden Steinkohleförderung, die in der Bundesrepublik bei etwa 120 Mill. t Jahresförderung liegt. Für die nächsten Jahre ist eine weitere Drosselung zu erwarten, weil das Förderziel innerhalb der Montanunion durch die Hohe Behörde heruntergesetzt wird.

Die wachsende Verwendung von Heizöl statt Hausbrandkohle hat die Kohle auch als Brennstoff weitgehend verdrängt. Die wirtschaftliche Folge davon sind weitere Stillegungen von Zechen im Revier. Wenn man bedenkt, daß noch vor kurzem die Gesamtkohlenförderung im Ruhrgebiet bei 160 Mill. t lag, so kann man den Rückgang der Bedeutung der Kohle für die deutsche Wirtschaft erst richtig ermessen.

Dennoch wird die Kohle ihre Rolle in der Eisen- und Stahlindustrie behalten, denn zur Verhüttung, d. h. zum Schmelzen der Erze in Hochöfen, wird Koks aus Fettkohle unersetzlich bleiben. Die große Bedeutung von Eisen und Stahl ergibt sich aus dem Rohstoffbedarf der eisenverarbeitenden Industrie. Wenn die Bundesrepublik auch Eisenerz aus Schweden beziehen muß, so kann die eisenschaffende Industrie kaum in die Lage der Steinkohlenindustrie kommen, weil der Bedarf an Eisen ständig zunimmt.

Das erzeugte Roheisen, mit einem Kohlenstoffgehalt von 3–4%, ist nicht schmiedbar und kann nur als Gußeisen verwendet werden. Wird jedoch der Kohlenstoffanteil durch Sauerstoffzufuhr auf etwa 1,7% verringert, so kann das Eisen geschmiedet werden: wir erhalten Stahl.

Die wirtschaftliche Rolle der Kohle hat in manchen Sektoren das Erdöl übernommen. Erdöl ist ein Gemisch von Kohlenwasserstoffen, aus dem in Raffinerien durch ununterbrochene und stufenweise Destillation Benzin, Petroleum, Maschinen- und Heizöl gewonnen wird.

Oft findet man auch Erdgas in nächster Nähe der Erdöllagerstätten (hauptsächlich in den Vereinigten Staaten, in Venezuela, im Vorderen Orient, in der Sowjetunion, in Rumänien). Das Erdgas wird vornehmlich zu Kraft- und Heizzwecken verwendet und über Entfernungen bis zu 2000 km in Rohrleitungen befördert. Die öffentliche Gasversorgung in der Bundesrepublik geht langsam von Stadtgas auf Erdgas über. Die Gründe dafür sind der niedrige Preis gegenüber dem Stadtgas und die praktisch unbegrenzte Menge. Dazu kommen die sensationellen Nordseegasfunde, die heute schon ein Vielfaches der jetzigen binnendeutschen Produktion ausmachen.

Auf derselben Linie liegen die Bemühungen, sowjetisches Erdgas aus Sibirien nach Mittel- und Südeuropa in der Größenordnung von 12 Mrd. Kubikmeter anzuliefern.

Eine ganz neue Energiequelle, die nun auch das Erdöl mancherorts zu verdrängen beginnt, ist die Atomenergie. Dieser modernste Energiespender entwickelt seine Energie aus Spaltung des Atomkerns des Elements Uran, wobei die Energie von 1 kg Uran einer Energie von 30 000–60 000 t Kohle entspricht und durch Weiterentwicklung und Anreicherung einer Energie von ca. 1 000 000 t Kohle erreichen kann. Gewonnen wird das Uran aus Uranpechblende (Kanada, Belgisch-Kongo, Sowjetunion, Deutschland, Frankreich).

Die Erzeugnisse der Forstwirtschaft – das Nutzholz und das Brennholz – sind die Grundlage für viele Wirtschaftszweige, die Zellstoff, Papier, Chemiefasern und Alkohol als Rohstoff benötigen.

Ebenso hat die Landwirtschaft im Zeitalter der Massenindustrie ihre Bedeutung als Rohstofflieferant nicht eingebüßt. Die Häute von Rindern, Pferden, Schafen, die zu Leder gegerbt werden, sind als Halbfabrikat der Rohstoff der Lederwaren- und Schuhindustrie.

Die Faserstoffe (Baumwolle, Hanf, Flachs, Tierhaare = Wolle, Seide, Jute) bilden die Rohstoffe zur Herstellung von Gespinsten, wobei die Fasern durch Spinnen zu einem Faden zusammengedreht werden (Spinnerei). In den Webereien werden zwei oder mehrere Fadengruppen flächenförmig zu Geweben verarbeitet. Aber auch die klassischen Erzeugnisse der Landwirtschaft wie Getreide (Weizen, Roggen, Hafer, Gerste, Reis, Mais und Hirse) dienen als Rohstoff, z. B. Gerste für Bierbrauereien (mit Hopfen) und für andere Industrien.

Beantworten Sie die folgenden Fragen:

1. Welche Rohstoffe liefert der Bergbau für die Industrie?
2. Welche Industriezweige basieren auf der Grundstoffindustrie des Bergbaus?
3. Welches ist das wichtigste Abbaugut des Bergbaus?
4. Warum geht die Steinkohlenförderung in Westeuropa zurück?
5. Was ist der Unterschied zwischen Roheisen und Stahl?
6. Welche Energiequelle verdrängt die Kohle aus ihrer Spitzenposition als Energiequelle?
7. Was wird aus Erdöl gewonnen?
8. Welche Energiequelle spielt in Europa eine immer größere Rolle?
9. Wo befinden sich in Europa Erdgaslagerstätten?
10. Welches ist die modernste Energiequelle?
11. Welche Rohstoffe liefert die Landwirtschaft für die Industrie?
12. Welche Wirtschaftszweige basieren auf der Landwirtschaft?
13. Welches sind die Rohstoffe der Textilindustrie?

Erze – Salze – fossile Brennstoffe
Grundstoffindustrie – Rohstoffindustrie
Maschinenindustrie – Fahrzeugindustrie – Werkzeugindustrie
chemische Industrie – Schiffbau – Apparatebau
Bergbau – Abbau – Förderung
Steinkohle – Koks – Hausbrandkohle – Heizöl
Verhüttung – Eisenerz – Koks
Roheisen – Stahl – Kohlenstoffgehalt
Erdöl – Kohlenwasserstoff – Destillation
Benzin – Petroleum – Maschinenöl – Heizöl
Erdgas – Kraftzweck – Heizzweck
Rohrleitung – Gasversorgung – Stadtgas
Atomenergie – Spaltung des Atomkerns (Kernspaltung) – Uranpech
blende
Nutzholz – Brennholz – Zellstoff – Papier
Tierhäute – Gerben – Leder
Faserstoffe – Fasern – Spinnen – Faden
Weberei – Fadengruppe – Gewebe

## Abschnitt C

### Die Störungen im Verlauf des Kaufvertrages

Durch den Kaufvertrag zwischen dem Lieferer und dem Käufer entstehen für beide Vertragspflichten: Der Lieferer muß auf Grund seines Angebotes die bestellten Waren auftragsgemäß und zum vereinbarten Zeitpunkt liefern, der Käufer muß die bestellten Waren abnehmen und bezahlen.

a) Wenn die bestellten Waren nicht in Art, Güte, Menge, Farbe, Preis usw. dem Angebot entsprechen oder beschädigt sind, wird von seiten des Kunden eine *Mängelrüge* (= Beanstandung = Bemängelung = Reklamation) erhoben.

b) Liefert der Lieferer nicht zum vereinbarten Zeitpunkt, entsteht ein *Lieferverzug*

c) Der Käufer muß die bestellten Waren bei der Zustellung übernehmen und innerhalb des vereinbarten Zeitraumes den Gesamtbetrag der Lieferung begleichen.

Wenn der Käufer diese Waren bei der Lieferung nicht übernimmt, dann sprechen wir vom *Annahmeverzug* des Käufers.

d) Wird die entsprechende Rechnung nicht rechtzeitig bezahlt, dann ist der Käufer im *Zahlungsverzug*.

a) Bei der Mängelrüge hat der Käufer gegenüber dem Lieferer folgende Rechte, wenn er innerhalb des gesetzlich vorgeschriebenen Zeitraumes die *Mängelrüge* erhebt:

1. er kann vom Kaufvertrag zurücktreten (Wandelung)
2. er kann eine Neulieferung fordern (Gattungskauf)
3. er kann einen Preisnachlaß vorschlagen (Minderung)
4. er kann Schadensersatz fordern (Schadensersatz wegen Nichterfüllung)

Welches Recht er geltend macht, hängt von der Art des Geschäftes ab.
Die festgestellten Mängel müssen in jedem Fall genau angegeben werden.

b) Wenn die Lieferfirma zum vertraglich vereinbarten Zeitpunkt nicht geliefert hat, muß der Käufer an den Lieferer eine Mahnung richten. In dieser Mahnung wird er einen neuen Termin (= Nachfrist) angeben, bis zu dem die Lieferung erwartet wird. Wird auch dieser Termin von der Lieferfirma nicht eingehalten, so ist sie im *Lieferverzug*. In diesem Fall kann der Käufer:

1. vom Kauf zurücktreten
2. sich bei einer anderen Firma eindecken und mit dem Mehrpreis den säumigen Lieferer belasten
3. Schadenersatz fordern.

c) Der Käufer muß die vom Lieferer rechtzeitig und am vereinbarten Ort gelieferten Waren übernehmen. Übernimmt der Käufer nicht, sprechen wir vom *Annahmeverzug* des Käufers.
Der Lieferer hat im Falle dieser Vertragsverletzung folgende Rechte:

1. Er kann die Sendung zurückrufen;
2. er kann dem Käufer eine Nachfrist zur Übernahme stellen.

Wenn der Käufer diese Nachfrist nicht einhält, darf der Lieferer die gelieferten Waren öffentlich versteigern lassen. Bei der Versteigerung darf der Lieferant mitsteigern und den Mindererlös vom Käufer fordern.

3. Er kann Schadensersatz fordern.

d) Der *Zahlungsverzug* des Käufers entsteht, wenn er nicht zum vereinbarten Zeitpunkt den Gesamtbetrag der Rechnung beglichen hat. Der Lieferer muß den säumigen Schuldner mahnen. Führt dies auch nicht zum Rechnungsausgleich, wird er anschließend gerichtliche Schritte unternehmen, um zu seinem Geld zu kommen.

Wortschatz:
ich erhebe Mängelrüge
ich beanstande Ihre obige Lieferung

ich habe folgende Mängel festgestellt
ich trete vom Vertrag zurück
ich werde Schadenersatzansprüche stellen
ich bitte um Neulieferung
ich schlage Ihnen einen Nachlaß von 10% vor
ich trete vom Kauf zurück
ich werde mich bei einer anderen Firma eindecken
ich mache Sie schadenersatzpflichtig
ich stelle Ihnen eine angemessene Nachfrist von einer Woche, d. h. bis zum ...
ich werde von Ihnen Schadenersatz fordern
Unsere Rechnung Nr. ... vom ... ist seit dem ... fällig
Da wir keinen Zahlungseingang festgestellt haben, bitten wir um umgehenden
Ausgleich unserer Rechnung.

---

Mängelrüge – Lieferverzug
Annahmeverzug – Zahlungsverzug
Mängelrüge erheben – die Lieferung beanstanden
Mängel feststellen – Schadenersatzansprüche stellen
vom Kauf zurücktreten – schadenersatzpflichtig machen
vom Vertrag zurücktreten – Neulieferung fordern
Preisnachlaß vorschlagen – Schadenersatz fordern
Rechte geltend machen – mit dem Mehrpreis belasten
die Sendung zurückrufen – eine Nachfrist stellen
öffentlich versteigern lassen – den Mindererlös fordern
den säumigen Schuldner mahnen – gerichtliche Schritte unternehmen

---

Schreiben Sie die Geschäftsbriefe zu den folgenden Geschäftsvorgängen:

1. Die Tuchgroßhandlung Heinrich Scholz in 33 Braunschweig, Leibniz-
   straße 11, hatte am 16. 3. 73 von der Aachener Tuchweberei AG. in Aachen,
   Karolingerstraße 54, verschiedene Stoffe bezogen. Bei der Überprüfung der
   Ware am 23. 3. wurde bei Art. 335 ein durchgehender Webfehler vom 11. bis
   25. Meter festgestellt. Der Abnehmer bittet um Neulieferung der be-
   schädigten Meterzahl.
2. Die Firma „Moderne Herrenwäsche", Inhaber Karl Blöhm in 45 Osnabrück,
   Friedrichstraße 38, hatte am 3. 4. 73 von der Firma „Bielefelder Hemden-
   fabrik", 48 Bielefeld, Kurfürstenstraße 17, verschiedene Posten von Herrenhemden bezogen. Bei der Überprüfung der Ware am 6. 4. 73 mußte sie fest-

stellen, daß anstelle der 6 Dtzd. Herrenhemden Typ „James Bond", Art. 27, nur 5 Dtzd. geliefert wurden.

3. Die Firma „Schuh-Mayer", Inh. Kurt Mayer, in 69 Heidelberg, Schloßstraße 10, hatte am 23. 3. 73 von der Schuhfabrik Herbert Zinn in 605 Offenbach (Main), Schopenhauerstraße 3, eine Sendung von Damenschuhen erhalten. Bei Übernahme wurde festgestellt, daß anstelle des Art. 123 (Abendschuhe in Schwarz) Straßenschuhe in Braun geliefert wurden.

Schreiben Sie die Briefe zu den folgenden Geschäftsvorgängen:

1. Die Firma „Schreibmaschinengroßhandlung Hausschild" in 55 Trier, Römerstraße 12, sendet der Firma Wöhler in 5559 Trittenheim, Moschallee, auftragsgemäß und zum vereinbarten Zeitpunkt durch ihren Spediteur Birkhaus 3 elektrische Schreibmaschinen, deren Annahme vom Käufer verweigert wird. (4 Briefe)

2. Die Firma Wittges in 31 Celle, Emdener Straße 3, hatte auf Grund des Angebotes der Firma Kohler in 3 Hannover, Händelstraße 10, (Pulloverfabrik) zur Lieferung für den 1. 11. 50 Pullover bestellt, deren Lieferung am 5. 11. noch nicht eingetroffen ist. (4 Briefe)

3. Die Eisenwarengroßhandlung Hans Eder in 849 Cham, Böhmerwaldstraße 5, hatte am 10. 10. Eisenwaren im Rechnungsbetrag von 346,– DM, Ziel 1 Monat, der Gemischtwarenhandlung Irlinger in 8481 Irchenrieth zugehen lassen. Am 20. 10. ist der Rechnungsbetrag noch nicht beglichen. (4 Briefe)

# Kapitel 10

## Abschnitt A

### Der Außenhandel

Großhandel und Einzelhandel versorgen mit allen ihren Vertriebsformen den Verbrauchermarkt im Inland, d. h. den Binnenmarkt. Diesen Handel nennen wir deshalb *Binnenhandel*.

Viele Güter, die im Inland erzeugt werden, haben ihren Markt zum Großteil im Ausland. Ebenso werden viele Güter – vom Rohstoff bis zum Fertigfabrikat – für den Binnenmarkt aus dem Ausland bezogen. Wir nennen diesen Handel, der die Grenzen der Länder überschreitet, *Außenhandel*.

Im Außenhandel kann man unterscheiden:

1. *den Einfuhrhandel,* der diejenigen Güter aus dem Ausland bezieht, die in der eigenen Wirtschaft nicht erzeugt werden oder deren Gestehungskosten im Inland zu hoch sind. Man führt deshalb gewöhnlich billigere ausländische Waren ein. Der Import (= Einfuhr) dieser Güter wird von Einfuhrhändlern oder Importeuren durchgeführt;

2. *den Ausfuhrhandel,* der von den im Inland hergestellten Gütern diejenigen im Ausland absetzt, die besonders preisgünstig und wettbewerbsfähig sind oder wegen ihrer besonderen Qualität von den Auslandskunden geschätzt werden. Die Ausfuhr oder der Export wird von den Exporteuren (= Ausfuhrhändlern) durchgeführt. Um auszuführen, muß man über eine genaue Kenntnis des belieferten Marktes verfügen;

3. *den Durchgangshandel* (= Transithandel), der nur durch ein Land hindurchgeleitet wird, ohne daß diese Güter in den Handel oder in die verarbeitende Industrie dieses Landes gelangen. Aus diesem Handel ziehen vor allem die Durchgangshäfen großen Nutzen.

Um den Außenhandel zu verstehen, muß man die Begriffe „Handelsbilanz" und „Zahlungsbilanz" begreifen.

Die *Handelsbilanz* ist die Gegenüberstellung der Werte der *Waren-Ein- und Ausfuhr* eines Landes innerhalb eines bestimmten Zeitraums (z. B. Monat, Jahr). Wenn die Ausfuhr größer ist als die Einfuhr, so ist die Handelsbilanz aktiv. In diesem Fall spricht man von einem Aktivsaldo der Handelsbilanz (Saldo = Unterschied der Warenwerte aus der Einfuhr und Ausfuhr). Übersteigt hingegen der Wert der Einfuhr den der Ausfuhr (Passivsaldo), so ist die Handelsbilanz passiv.

Der Außenhandel eines Landes umfaßt nicht nur die ausgeführten und eingeführten Güter. Alle Geldbeträge, die von ausländischen Reisenden, z. B. den Touristen, im Inland ausgegeben werden, sind unsichtbare Ausfuhren, d. h. man führt Dienstleistungen aus, die in ausländischer Währung im Inland beglichen werden. Umgekehrt müssen z. B. im Ausland Eisenbahnfrachten, Schiffsreparaturen, Lizenzen und Patente von den Firmen des eigenen Landes bezahlt werden. Außer diesem *Dienstleistungsverkehr* strömen große Mengen von Geldkapital über die Grenzen, die im Ausland angelegt werden. Die daraus entstehenden Forderungen, wie z. B. der Kapitalzins, fließen ins Inland zurück. Dieser *Kapitalverkehr* spielt in der internationalen Wirtschaft eine erhebliche Rolle.

Die *Zahlungsbilanz* eines Landes setzt sich aus der *Handelsbilanz*, der *Dienstleistungsbilanz* (Werte der Dienstleistungen aus dem Ausland und für das Ausland) und aus der *Kapitalverkehrsbilanz* (Import und Export von Kapital) zusammen.

Wenn die Zahlungsbilanz einen Einnahmesaldo aufweist, ist die Bilanz aktiv, besteht jedoch ein Ausgabesaldo, dann sprechen wir von einer passiven Zahlungsbilanz. Jede Regierung ist bestrebt, im Außenhandel einen Aktivsaldo zu erzielen, um so mehr, als Passivsalden sich auf den Binnenmarkt auswirken.

Eine typische Erscheinung der modernen Wirtschaft ist das Bestreben aller Länder, möglichst viel im Ausland zu verkaufen. Dies ist hauptsächlich damit zu erklären, daß der Gegenwert der ausgeführten Güter in ausländischen Zahlungsmitteln, den sogenannten *Devisen*, beglichen wird. Mit diesen Devisen kann man auf dem Auslandsmarkt die für die eigene Volkswirtschaft nötigen Güter, vor allem fehlende Rohstoffe, besorgen. Es muß demzufolge zuerst ein Ausfuhrerlös vorhanden sein, um die Einfuhr von wirtschaftlich wichtigen Gütern zu ermöglichen. Rohstoffarme Länder können ohne Ausfuhr, mit der sie die lebensnotwendigen Importe bezahlen, nicht existieren, ebenso übervölkerte Länder ohne ausgedehnte Landwirtschaft. Deshalb ist für Deutschland die Ausfuhr seiner Erzeugnisse eines der wichtigsten wirtschaftlichen Probleme.

Die Einfuhr ausländischer Waren ist meistens an die Genehmigung des Einfuhrlandes gebunden. Dafür wird in der Bundesrepublik in den Außenhandelsbanken den Importeuren auf Antrag eine Einfuhrgenehmigung (= Importlizenz) ausgestellt. Die importierte Ware kann an der Landesgrenze, am Bestimmungsbahnhof oder -flughafen, im Binnen- oder Seehafen beim zuständigen Zollamt zur Verzollung angemeldet werden. Die Anmeldung kann unmittelbar von der Importfirma vorgenommen werden, oder sie beauftragt damit einen Spediteur. Aufgrund der vorgelegten Einfuhrgenehmigung, der Rechnung des Exporteurs und der Unterlagen der Transportfirma wird die eingeführte Ware vom Zollamt abgefertigt.

Für die Abfertigung muß der Zollbeamte die entsprechende Warenposition aus dem Zolltarif feststellen. Der deutsche Zolltarif deckt sich weitgehend mit dem Zollsatz der Länder des GATT (1947) (= das Allgemeine Zoll- und Handelsabkommen). Die entscheidende Neuerung dieses Abkommens ist der Wertzoll, das zollpolitische Ziel der allmähliche Abbau der Zollschranken (die letzte Zollsenkungsrunde ist die sogenannte Kennedy-Runde, an der die Länder, auf die etwa 80%/o des Welthandels entfallen, teilnehmen).

Der Wertzoll errechnet sich aus der Rechnung des Exporteurs und der Beförderung der Güter von der Landesgrenze bis zum Einfuhrort. Bis zur Einführung dieses neuen Zolltarifs war in Deutschland über ein halbes Jahrhundert der Gewichtszoll die Bemessungsgrundlage. Noch heute werden Genußmittel (Tabak, Tabakwaren, Kaffee, Tee, und alkoholische Getränke) mit Gewichtszoll belegt.

Wenn der Abfertigungsbeamte die Zollposition festgestellt hat, wird der anfallende Zoll (= Zollgebühr) in Prozenten des Warenwertes berechnet. Zu diesem Zollbetrag muß noch die Mehrwertsteuer hinzugerechnet werden, die in der Bundesrepublik vorerst 11%/o beträgt. Der aus diesen Abgaben (Zoll und Mehrwertsteuer) entstehende Betrag wird bei der Verzollung entrichtet, wonach die eingeführte Ware ohne jede Einschränkung in den Binnenhandel gelangen kann.

Des öfteren werden eingeführte Waren nicht sofort benötigt. Um nicht hohe Zollbeträge für Waren zu entrichten, die man noch nicht absetzen kann oder will, und um nicht flüssige Mittel auf längere Zeit festzulegen, beläßt man die angekommenen Waren vorerst unter Zollverschluß in einem Zollager. Dafür muß der Einfuhrhändler eine bestimmte Lagergebühr dem Zollamt bezahlen.

Der Außenhandel ist für die heutige Weltwirtschaft von einer Bedeutung, die kaum zu überschätzen ist. Deshalb versuchen die Regierungen der Länder, untereinander Handelsverträge abzuschließen, durch welche die mengen- und wertmäßige gegenseitige Einfuhr vertraglich festgelegt wird. Da die Höhe der Zollabgaben die Einfuhr jedoch hemmen oder fördern kann, werden gleichlaufend internationale Zollabkommen getroffen, wie das GATT. Die Länder der EWG (Europäische Wirtschafts-Gemeinschaft) haben für ihre Erzeugnisse einen Gemeinsamen Markt, auf dem ihre Güter seit dem 1. 7. 68 zollfrei die Grenzen überschreiten dürfen. Dem Exporteur wird dabei die im Inland entrichtete Mehrwertsteuer erstattet, während der Importeur, wie schon ausgeführt, die Mehrwertsteuer des Einfuhrlandes entrichten muß. Eine auf Zollfreiheit beruhende Gemeinschaft von Ländern ist auch die Europäische Freihandelszone (EFTA).


Übung 1: Formulieren Sie die folgenden Sätze um:

1. Viele Güter, die im Inland erzeugt werden, haben ihren Markt zum Großteil im Ausland.
2. Im Durchgangshandel gelangen die Güter nicht in den Handel oder in die verarbeitende Industrie des Transitlandes.

3. Die Handelsbilanz ist der rechnerische Vergleich der Erlöse aus der Ausfuhr und Einfuhr.
4. Alle Geldbeträge, die von ausländischen Reisenden im Inland ausgegeben werden, sind unsichtbare Ausfuhren.
5. Die Zahlungsbilanz umfaßt alle Einnahmen und Ausgaben eines Landes aus Dienstleistungen oder aus dem Kapitalverkehr.
6. Jede Regierung ist bestrebt, für den Außenhandel ihres Landes einen Aktivsaldo zu erzielen.
7. Der Gegenwert der ausgeführten Güter wird in ausländischen Zahlungsmitteln beglichen.
8. Für die Einfuhr wird in den Außenhandelsbanken den Importeuren auf Antrag eine Einfuhrgenehmigung ausgestellt.
9. Der Wertzoll errechnet sich aus der Rechnung des Exporteurs und der Beförderung der Güter von der Landesgrenze bis zum Einfuhrort.
10. Der anfallende Zoll wird vom Abfertigungsbeamten in Prozenten des Warenwertes berechnet.
11. Man beläßt die angekommenen Waren vorerst unter Zollverschluß, um dafür nicht flüssige Mittel auf längere Zeit festzulegen.
12. Durch Handelsverträge wird die mengen- und wertmäßige gegenseitige Einfuhr vertraglich festgelegt.

---

1. Das Passiv als Mittel zur Änderung der Mitteilungsperspektive:

Wenn man den Satz: *Die Fabrik stellt viele Güter her* formuliert, dann spricht man von *der Fabrik* und fragt: *Was macht sie?* Die Mitteilungsperspektive geht von der „Fabrik" aus.
Formuliert man aber den gleichen Inhalt: *Viele Güter werden in dieser Fabrik hergestellt* dann spricht man von den Gütern und fragt: *„Was ist (geschieht) mit den Gütern?"*
*Ein Radfahrer* hat *eine Frau* überfahren, *die* von einem Krankenwagen weggebracht werden mußte.
1. Mitteilungsperspektive: der Radfahrer (was hat er getan?)
2. Mitteilungsperspektive: eine Frau (was mußte mit ihr geschehen?)

2. Gebrauch und Bedeutung der Modalverben

Die Modalverben stehen beim Infinitiv eines Verbs, über das sie etwas aussagen. Diese Aussage kann objektiv oder subjektiv vom Standpunkt des Sprechenden aus sein:

a) er kann Deutsch sprechen
   er muß ins Geschäft gehen
   er mag keine Geschäftsbriefe schreiben

also: vom Standpunkt des Sprechenden ist die Aussage eine Tatsache, also *objektiv.*

b) er kann noch keine siebzehn Jahre alt sein
   er muß aus Düsseldorf kommen
   das mag schon stimmen

also: der Sprechende gibt seine Meinung über einen Sachverhalt, also ist die Aussage *subjektiv.*

In der Satzform gibt es keinen Unterschied zwischen der subjektiven und objektiven Aussage für die Gegenwart.

Die Vergangenheitsformen der beiden Aussageweisen sind verschieden:

a) er *wollte* viel Geld verdienen (Präteritum: regelmäßig)
   er hat viel Geld verdienen *wollen* (Perfekt: statt Partizip den Ersatzinfinitiv)
objektiv ich weiß, daß er viel Geld *hat* verdienen *wollen.*
   (Nebensatz: das konjugierte Verb vor den beiden Infinitiven)
b) er *will* viel Geld verdienen, und dabei bezahlt er seine Miete nicht.
subjektiv er *wollte* viel Geld *verdient haben,* hat aber nichts sparen können

also: bei der subjektiven Aussage steht das Modalverb nur dann im Präteritum, wenn der Sprechende Vorgänge aus der Vergangenheit berichtet.

---

Übung 2: Ändern Sie die Mitteilungsperspektive!

Beispiel:

Der Import von Gütern wird von Importeuren durchgeführt.
Importeure führen den Import von Gütern durch.
Importeure sind für den Transport von Gütern zuständig.
1. Der Großhandel versorgt den Verbrauchermarkt im Inland.
   Der Verbrauchermarkt im Inland ...
2. Diese Waren werden wegen ihrer Qualität von Auslandskunden sehr geschätzt.
   Auslandskunden ...
3. Alle Geldbeträge, die Touristen im Ausland ausgeben, sind unsichtbare Ausfuhren.
   Alle Geldbeträge, die von Touristen ...

4. Die Bürger eines Landes legen Kapitalien im Ausland an.
   Kapitalien ...
5. Der Gegenwert der ausgeführten Güter wird in Devisen beglichen.
   Devisen ...
6. Die Außenhandelsbanken stellen den Importeuren auf Antrag eine Importlizenz aus.
   Eine Importlizenz ...

Übung 3: Verwenden Sie das passende Modalverb!

Beispiel:

Es gibt ein Gesetz, daß 11% Mehrwertsteuer entrichtet werden.
Es müssen 11% Mehrwertsteuer entrichtet werden.
1. Es ist meist nicht erlaubt, Waren ohne Importlizenz einzuführen.
   Die meisten Waren ...
2. Jede Regierung ist bestrebt, möglichst viele Waren auszuführen.
   Jede Regierung ...
3. Der Importeur wird entscheiden, ob er die eingeführten Waren an der Landesgrenze oder am Bestimmungsbahnhof zur Verzollung anmeldet.
   Der Importeur ...
4. Der Zolltarif ist ein Gesetz, nach dem der Zollbeamte die Abfertigung vornimmt.
   Der Zollbeamte ...
5. Der Einfuhrhändler hat dem Spediteur den Auftrag erteilt, die eingeführten Waren zur Verzollung anzumelden.
   Der Spediteur ...

Übung 4: Setzen Sie statt eines Attributsatzes ein Attribut!

Beispiel:

Viele Güter, *die im Inland erzeugt werden,* haben ihren Markt im Ausland.
Viele im Inland erzeugten Güter haben ihren Markt im Ausland.
1. Güter, die in der eigenen Wirtschaft nicht erzeugt werden, müssen eingeführt werden.
2. Der Zollbeamte stellt die Warenposition aus dem Zolltarif fest, der sich mit dem Zollsatz der Länder des GATT weitgehend deckt.
3. Die Bemessungsgrundlage ist der Wertzoll, der sich aus der Exportfaktura und den Transportkosten errechnet.

4. Zum Zollbetrag muß noch die Mehrwertsteuer hinzugerechnet werden, die 11% beträgt.
5. Die Mehrwertsteuer, die im Inland entrichtet wurde, wird dem Exporteur bei der Ausfuhr erstattet.

---

Binnenhandel – Außenhandel
Einfuhrhandel – Ausfuhrhandel – Durchgangshandel
Import – Export – Transit
Einfuhr – Ausfuhr
Einfuhrhändler – Ausfuhrhändler
Importeur – Exporteur – Transiteur
einführen – ausführen
Import (Export) durchführen – über Kenntnisse des belieferten Marktes verfügen
Handelsbilanz – Zahlungsbilanz
aktive Handelsbilanz – passive Handelsbilanz
aktive Zahlungsbilanz – passive Zahlungsbilanz
unsichtbare Einfuhren – im Ausland angelegte Kapitalien
entstehende Forderungen – Kapitalzins
Aktivsaldo – Passivsaldo
ausländische Zahlungsmittel – Devisen
Einfuhrgenehmigung (Importlizenz) – zur Verzollung anmelden
Abfertigung – Zollposition – Zolltarif
Zollsatz – Wertzoll – Gewichtszoll
Zoll – Mehrwertsteuer – Zollamt – Zollager
Handelsvertrag – mengen- und wertmäßige Einfuhr
Zollabkommen – GATT – EWG – Gemeinsamer Markt
Mehrwertsteuer erstatten – Mehrwertsteuer entrichten

---

# Abschnitt B

## Exportprobleme

Der hohe Exportüberschuß von 1,8 Mrd. DM im April, der den Aktivsaldo in den ersten vier Monaten dieses Jahres auf 6,2 Mrd. DM hinaufgetrieben hat, ist die Folge der Konjunkturabschwächung in der Bundesrepublik, die einen Rückgang der Importe bewirkt und unsere Industrie zwingt, im Ausfuhrgeschäft einen Ausgleich für die verringerte Inlandsnachfrage zu finden. Dadurch ist der Export zur unentbehrlichen Stütze geworden, um die Beschäftigung nicht noch weiter absinken zu lassen. Vielleicht nehmen die Einfuhren wieder zu, wenn die Rohstoffbestände der Industrie so stark abgebaut sind, daß sie wieder aus dem Ausland ergänzt werden müssen. Natürlich wird dann die derzeitige aktive Zahlungsbilanz der Bundesrepublik durch Anwachsen der Importe geschwächt. Dieser scheinbare Nachteil wird durch die darauf folgende Ausfuhr von Fabrikaten des Maschinenbaus und der Produktionsgüterindustrie wieder erheblich aufgewogen und zahlenmäßig verbessert. Ein ausgesprochener Exportboom für den Investitionsgütersektor, der für die Exporte der Bundesrepublik entscheidend ist, wird jedoch nach Angaben zuständiger Stellen auf längere Sicht nicht eintreten.

Die Exporterlöse sind der Schlüssel für unsere Einkäufe im Ausland. Um unseren Handelspartnern neue Wege zur Erschließung des deutschen Marktes zu bieten, können diese in einer Hamburger Ausstellungsgesellschaft, Hamburg Trade Center, ihre Exportgüter unserem Binnenhandel anbieten. Vielen Ländern fehlen die organisatorischen Voraussetzungen, um auf dem deutschen Markt Fuß zu fassen, deshalb werden dem ausländischen Interessenten eine Reihe von Dienstleistungen angeboten, mittels derer die genannten Voraussetzungen von der Ausstellungsfirma geschaffen werden, also z. B. vom Aufbau der Stände bis zum Versand von Einladungskarten an Importeure, an Behörden, an die Presse u. a. Dafür wird ein Pauschalpreis von 52 DM pro qm für acht Tage berechnet.

Um das Interesse des deutschen Importeurs zu wecken, muß jeder Aussteller die ausgestellten Artikel genau beschreiben, die verwendeten Rohstoffe und die Produktionsverfahren, Qualitätsmerkmale, Größe, Gewicht und Verpackungsart, Produktionskapazitäten, Lieferfristen und cif-Preis Hamburg angeben.

Mit dieser weitgehenden Warendeklarierung will man erreichen, daß nur Waren angeboten werden, die den Voraussetzungen auf dem deutschen Markt entsprechen und lieferbar sind. Der Besuch dieser Musterschau ist nur Fachkreisen vorbehalten. Um jedoch festzustellen, wie die ausgestellten Artikel beim deutschen Verbraucher ankommen, wird diesem zu bestimmten Zeiten die Ausstellung auch offen stehen, damit er seine Meinung über Geschmack, Qualität, Farb- und Formgebung usw. äußern kann.

Beantworten Sie jede Frage in mehreren Sätzen:

1. Aus welcher Situation am Binnenmarkt können hohe Exportüberschüsse entstehen?
2. Ist ein Passivsaldo der Zahlungsbilanz immer nachteilig für den Außenhandel?

3. Welche Schwierigkeiten müssen beseitigt werden, damit Waren auf dem Auslandsmarkt Fuß fassen können?
4. Wodurch erleichtert es die Bundesrepublik den ausländischen Importeuren, ihre Waren anzubieten?
5. Wie kann man das Kaufinteresse der Verbraucher für Waren feststellen, die nur auf Fachkreisen vorbehaltenen Ausstellungen gezeigt werden?

---

Exportüberschuß – Aktivsaldo
Konjunkturabschwächung – Rückgang der Importe
Ausfuhrgeschäft – Inlandsnachfrage
Anwachsen der Importe – Exportboom
Erschließung des Marktes – organisatorische Voraussetzungen
Produktionsverfahren – Qualitätsmerkmale
Produktionskapazität – Lieferfristen
Warendeklarierung – Musterschau – Fachkreise – Verbraucher

---

# Abschnitt C

### Die Zahlungs- und Lieferbedingungen im Außenhandel

Grundsätzlich können im Außenhandel dieselben Zahlungsbedingungen wie im Binnenhandel gelten. Durch die oft großen Entfernungen, die zwischen den beiden Handelspartnern liegen, und die damit zusammenhängende Schwerfälligkeit, haben sich zur Sicherung beider Seiten bestimmte internationale Gepflogenheiten in der Zahlungsweise entwickelt.

1. Das Dokumentenakkreditiv
   Der Importeur eröffnet bei seiner Bank ein Akkreditiv zugunsten des Lieferers (= Exporteur). Das Akkreditiv ist ein Zahlungsauftrag, das unter den angeführten Bedingungen dem Exporteur zur Verfügung steht. In diesem Akkreditiv wird der *Betrag* für die zu liefernden Waren, ggf. auch Nebenkosten und die bestellte Ware angegeben.
   Ebenso wird die *Laufzeit* in Tagen oder Monaten festgesetzt, z. B. 60 Tage. Für den Exporteur sind nur unwiderrufliche Akkreditive von Interesse, d. h. solche, die innerhalb der Laufzeit ihm zu den angegebenden Bedingungen zur Verfügung stehen. Der Einfuhrhändler bestimmt im Akkreditiv, welche *Dokumente* vom Exporteur einzureichen sind. Außerdem kann angegeben werden, ob das Akkreditiv *teilbar* und *übertragbar* ist.

Diese Akkreditivdaten werden der Bank des Ausfuhrhändlers von der Bank des Importeurs übermittelt. Wenn die Bank des Exporteurs sich zur Zahlung des Akkreditivbetrages bei Vorlage der vorgeschriebenen Dokumente verpflichtet, spricht man von einem bestätigten, andernfalls von einem unbestätigten Akkreditiv.

Der Exporteur hat nun innerhalb der Akkreditivlaufzeit die Möglichkeit, die Lieferung zusammenzustellen und vor Fristablauf die Dokumente seiner Bank vorzulegen, um die Zahlung entgegenzunehmen.

Die Bank ist bei der Abwicklung eines Akkreditivs der Treuhänder ihrer Kunden. Diese Zahlungsweise ist für den Exporteur von großem Vorteil:

1. Er hat genügend Zeit, um die Sendung vorzubereiten.

2. Er hat innerhalb der Laufzeit die Gewißheit, daß der Käufer vom Vertrag nicht zurücktreten wird.

3. Er kann sicher damit rechnen, nach Abfertigung der Sendung gegen Vorlage der Dokumente in den Besitz des Akkreditivbetrages zu gelangen.

2. Eine andere Zahlungsart ist die *Zahlung D/P* (documents against payment), gewöhnlich *„Kasse gegen Dokumente"* genannt. In diesem Fall gelangt die Warensendung in den Bestimmungshafen des Importeurs, der dann verständigt wird, bei der Auftragsbank des Exporteurs die Dokumente gegen Zahlung des angegebenen Betrages einzulösen. Diese Zahlungsbedingung ist für den Importeur sehr vorteilhaft, da er den Akkreditivbetrag nicht monatelang festlegen muß und erst beim Eintreffen seiner Bestellung bezahlen muß. Für den Exporteur ergibt sich das Risiko des Annahmeverzuges.

3. Es gibt noch andere Zahlungsarten im Außenhandel, wie z. B. Vorauszahlung eines Teilbetrages der Rechnung bei der Bestellung, bei der Fertigstellung oder beim Versand, und auch wie im Binnenhandel, Gewährung eines offenen Zahlungszieles.

Welche Dokumente kann der Importeur bei der Einlösung des Akkreditives verlangen?

1. die auf seinen Namen ausgestellte Rechnung des Exporteurs (Exporteurfaktura)

2. die Konsulatsfaktura und das Ursprungszeugnis

3. den Seefrachtbrief (Konnossement)

4. die Versicherungspolice der Sendung

5. verschiedene Bescheinigungen, z. B. von der Gesundheitsbehörde des Ursprungslandes.

Die Lieferbedingungen im Außenhandel werden in Preisen mit besonderen Klauseln ausgedrückt:

1. der „fob"-Preis (fob = free on board = frei an Bord).
   Aufgrund dieser Klausel ist der Exporteur für die seemäßige Verpackung, den Transport bis zum Seehafen und das Verladen auf dem Schiff verantwortlich. Z. B.: Preis DM 2500,– fob Hamburg.

2. der „cif"-Preis (cif = cost, insurance, freight = Kosten, Versicherung, Fracht).
   Dieser Preis umfaßt alle Unkosten, die bis in den Bestimmungshafen des Abnehmers entstehen, d. h. zu dem fob-Preis noch die Versicherung, die Fracht und die Nebenkosten. Z. B. Preis DM 3100,– cif New York.

3. der „cf"-Preis (cf = cost, freight = Kosten, Fracht).
   In diesem Preis sind von seiten des Abladers keine Versicherungsspesen einkalkuliert. Für die Versicherung ist der Abnehmer verantwortlich. Z. B. Preis DM 3000,– cf New York.
   Die Incoterms 1953 (= International Comercial Terms) der Pariser Internationalen Handelskammer führen noch folgende Lieferbedingungen an:

4. ex work = ab Werk

5. f.o.r. (free on rail), = frei Waggon

6. f.a.s. (free alongside ship) = frei Längsseite Schiff

7. freight or carriage paid to ... = frachtfrei ...

8. ex ship = ab Schiff

9. ex quay (duty paid) = ab Kai (Zoll bezahlt).

Auftraggeber

..............................................

..............................................     Frankfurt/Main, den

An das
Bankhaus Barth, Härtling & Co.
Frankfurt

Betreff: Eröffnung eines Akkreditivs Lizenz Nr. ....................

Ich/wir bitte(n) Sie, für mich/uns das folgende unwiderrufliche Akkreditiv per Luftpost zu eröffnen:

1. Bei:

2. Zugunsten:

3. Betrag:

4. benutzbar bei Sicht gegen Vorlage folgender Dokumente:

   a) unterzeichnete Rechnung,       -fach
   b) amtliches Ursprungszeugnis,
   c) Versicherungszertifikat/Police,
      Versicherungswert:

      Versicherungsbedingungen:
   d) Versanddokumente:
      bahnamtlich abgestempelter, nachnahmefreier Duplikatfrachtbrief, Luftfrachtbrief, Spediteur-Übernahmebescheinigung / -Versandbescheinigung, Postquittung
      Seekonnossement
   e) ................................................

5. Ausweisend den Versand von (Menge, Beschreibung und gegebenenfalls Preis der Ware):

6. Lieferbedingung:

7. Die Ware ist zu senden mit
   von            nach
   an
   zur Verfügung von

8. Teillieferungen         erlaubt.

9. Letzter Verladetag:

10. Das Akkreditiv ist gültig bis:

   bei $\dfrac{\text{Ihnen}}{\text{Auslandsbank}}$

11. Das Akkreditiv ist durch die ausländische Bank – nicht – zu bestätigen.

12. besondere Vorschriften:

   Für obiges Akkreditiv ist mein/unser Konto Nr.       zu belasten.
   Im übrigen sollen die „Einheitlichen Richtlinien und Gebräuche für Dokumentenakkreditive" der Internationalen Handelskammer gelten.

Hochachtungsvoll

Vordruck: **Kasse gegen Dokumente**

An
Bankhaus Barth, Härtling & Co.
Frankfurt/Main

............................................., den ....................

Betrifft:  Inkassodokumente auf das Ausland

Ausländischer Käufer: .........................................................................................

..............................................................................................................................

In der Anlage überreichen wir Ihnen zum Inkasso bei (Auslandsbank) .........................

..............................................................................................................................

..............................................................................................................................

## nachstehend aufgeführte Dokumente:

| | |
|---|---|
| ...... Handels-Rechnung ......fach über _____ | ...... Tratte(n) per |
| ...... Zollfaktura ......fach | über _____ |
| ...... Konnossement | ...... Versicherungs-Police/Zertifikat ......fach |
| ...... Duplikat-Frachtbrief | ...... Ursprungszeugnis ......fach |
| ...... Luftfrachtbrief | ...... Packliste |
| ...... Spediteur-Bescheinigung ......fach | ...... ....................................... |
| ...... Posteinlieferungsschein | ...... ....................................... |
| | ...... ....................................... |

## Die Dokumente sind auszuliefern: (Zutreffendes bitte ankreuzen)

☐ gegen Zahlung von ...................................

☐ gegen Akzept

☐ Der akzeptierte Wechsel ist zurückzufordern

☐ Der akzeptierte Wechsel kann zum Einzug im Ausland verbleiben

☐ Protest mangels Zahlung ist n i c h t zu erheben

## Sonstige Weisungen:

Hochachtungsvoll

(Firmenstempel und Unterschrift)

98

1. Schreiben Sie die Briefe zu folgendem Geschäftsvorgang:

a) Die Fa. Taveres Chico, Porto, Rua do Aucar, verlangt ein Angebot mit cif-Preisen, „cif-Leixoes" für eine Verpackungsmaschine für Süßwaren in Kartons – Kartongröße 15×25 cm, von der Firma „Verpackungsmaschinen-Schünemann A.G." in 562 Velbert (Rheinland), Rheinstr. 12.

b) In ihrem Angebot bietet die Fa. Schünemann 3 verschiedene Typen der Maschine an:

1. Typ „Flora" mit einer Stundenkapazität von 250 Kartons (15×25) zum Preis von cif-Leixoes 15 500 DM
2. Typ „Corolla" mit einer Stundenkapazität von 400 Kartons zum Preis von cif-Leixoes 19 200 DM
3. Typ „Splendor" mit einer Stundenkapazität von 500 Kartons zum Preis von cif-Leixoes 21 400 DM.

Zahlungs- und Lieferbedingungen: Eröffnung eines unwiderruflichen Akkreditivs bei der Banco do Lisboa zugunsten der Fa. Schünemann mit einer Laufzeit von 2 Monaten. Lieferung ab Hamburg 6 Wochen nach der Akkreditivverständigung.

c) Die Firma in Portugal ist mit dem Angebot einverstanden, bestellt 2 Maschinen des Typ „Corolla" und teilt mit, daß sie gleichzeitig ein Akkreditiv bei der angegebenen Bank eröffnet hat und außer dem Seefrachtbrief folgende Dokumente zur Einlösung des Akkreditivs vorschreibt:

1. Handelsfaktura in dreifacher Ausfertigung
2. Konsulatsfaktura auf vorgeschriebenen Formularen (Declaraçao de Carga) in portugiesischer Sprache in drei Exemplaren, beglaubigt vom portugiesischen Generalkonsulat in Bad Godesberg
3. Ursprungszeugnisse in zweifacher Ausfertigung.

d) 40 Tage später wird die portugiesische Firma von seiten des deutschen Lieferers von der Verladung der beiden Maschinen auf dem portugiesischen Dampfer „Vasco da Gama" verständigt, ferner daß zur gleichen Zeit das Akkreditiv unter Vorlage der vorgeschriebenen Dokumente bei der Deutschen Bank in Velbert eingelöst wurde.

2. Schreiben Sie die Briefe zu dem folgenden Geschäftsvorgang:

Die Firma Hirtner K.G., 4 Düsseldorf, Schadowstr. 5, Import und Großhandel mit Tuchen und Stoffen, bestellt als langjähriger Kunde bei der Fa. Redmayes Ltd. Bredford, 17, Gray Inn's Road, nach Musterkarte zur sofortigen Lieferung:

| | | |
|---|---|---|
| 2 Stück Mohair | Art. 753 | – zu DM 27/yard |
| 2 Stück Irish Linnen | Art. 978 | – zu DM 24,50/yard |
| 2 Stück Cashmere | Art. 1235 | – zu DM 135/yard |

Die Preise wurden von der Lieferfirma als „frei Flughafen Wahn" angegeben. Als Zahlungsbedingung gilt seit Jahren Kasse gegen Dokumente. Die Dokumente werden immer beim Bankhaus Trinkaus, Düsseldorf, eingelöst, und zwar müssen es folgende sein: die Exporteurfaktura in dreifacher Ausfertigung, der Luftfrachtbrief und das Ursprungszeugnis.

---

Dokumentenakkreditiv – Kasse gegen Dokumente
ein Akkreditiv eröffnen – den Betrag angeben
Laufzeit des Akkreditivs – Dokumente vorschreiben
unwiderruflich (widerruflich) – teilbar (unteilbar)
übertragbar (unübertragbar) – bestätigt (unbestätigt)
die Dokumente vorlegen – die Zahlung entgegennehmen
Vorauszahlung – offenes Zahlungsziel
Exporteurfaktura – Konsulatsfaktura
Ursprungszeugnis – Seefrachtbrief
Versicherungspolice – Bescheinigung der Gesundheitsbehörde
„fob"-Preis – „cif"-Preis – „cf"-Preis
seemäßige Verpackung – Transport bis zum Seehafen
Verladen auf dem Schiff – Kosten – Versicherung – Fracht
ab Werk – frei Waggon – frei Längsseite Schiff
frachtfrei – ab Schiff – ab Kai

---

# Kapitel 11

## Abschnitt A

### Der Personen-, Güter- und Nachrichtenverkehr

Der Weg der einzelnen Güter führt von der Erzeugung zum Handel, wo sie als Waren dem Verbraucher zur Verfügung stehen. Nur in seltenen Fällen werden diese Waren am Herstellungsort verbraucht. Meistens müssen sie dorthin befördert werden, wo man sie benötigt. Die *Beförderung* der Güter ist Aufgabe von Betrieben, die nicht erzeugen, sondern nur Dienste leisten. Ihre *Dienstleistung* ist die *Beförderung von Gütern, Personen* und Übermittlung von *Nachrichten*. Diese Betriebe nennen wir ganz allgemein *Transport-* und *Verkehrsbetriebe*. Der Verkehr ist die Gesamtheit aller dieser Betriebe und Transportmittel.

Die wichtigsten Transport- und Verkehrsmittel sind:

1. die Eisenbahn
2. der Kraftwagen
3. das Schiff
4. das Flugzeug

1. Die Eisenbahn wickelt den Güter- und Personenverkehr auf ihren Schienen ab. Die Güter können als Stückgut (z. B. Säcke) oder als Wagenladungen befördert werden. Für die Beförderung muß – wie auch sonst immer im Güterverkehr – *Fracht* bezahlt werden. Je nach der Schnelligkeit der Beförderung ist die Fracht verschieden (Frachtgut, Eilgut, Expreßgut). Für die beförderten Güter wird ein *Frachtbrief* ausgestellt.
2. Der Kraftwagenverkehr ist für die Wirtschaft der europäischen Länder von höchster Bedeutung. Güter werden mit *LKWs* (= Lastkraftwagen), Personen in Bussen und *PKWs* (= Personenkraftwagen) befördert. Dazu sind gute und ausgedehnte Autostraßen notwendig. Viele Länder haben deshalb für ihren Kraftwagenverkehr sehr teure Autobahnen gebaut.
3. Die Schiffahrt wird auf Flüssen und Binnenseen als *Binnenschiffahrt* oder auf Meeren als *Seeschiffahrt* betrieben. Für den Austausch der Güter war die Schiffahrt seit Menschengedenken außerordentlich wichtig, sie ist bis heute das billigste Beförderungsmittel geblieben. Phönizier und Griechen, Dänen, Italiener, Portugiesen, Spanier, Holländer, Franzosen und Engländer haben als seefahrende Völker in fernen Gegenden der Erde im Lauf der Geschichte Handelsniederlassungen gegründet und unterhalten.

Auf deutscher Seite entwickelte sich der Städtebund der Hanse im nördlichen Europa zu einer ausschlaggebenden Handelsorganisation im Mittelalter.

Die Schiffahrt befördert Güter von geringerem Wert, deren Transport nicht eilt, vor allem Rohstoffe wie Sand, Holz, Getreide, Kohle, Rohwolle, Rohbaumwolle usw. Der Frachtbrief heißt hier *Ladeschein* (= Konnossement). Auch für die Personenbeförderung ist die Schiffahrt von großer Wichtigkeit, wird aber heute von

4. dem Flugverkehr weit überflügelt, der durch seine Schnelligkeit ferne Erdteile in Stunden verbindet, eine Strecke, für die man selbst mit den schnellsten Seeschiffen mehrere Tage oder Wochen benötigt. Mit dem Flugzeug werden nur ganz hochwertige Güter befördert, deren Preis durch die hohe Luftfracht nicht allzusehr belastet wird.

Von höchster Bedeutung für die moderne Wirtschaft ist die schnelle und zuverlässige Beförderung von Nachrichten. Dazu sind die Betriebe der Post und des Fernmeldewesens geschaffen worden, die Briefe und Telegramme zustellen und Ferngespräche ermöglichen. Briefe können als Eilbriefe oder eingeschriebene Briefe mit Gebührenzuschlag aufgegeben werden.

Die Fernschreiber, die aus einem modernen Großbetrieb nicht mehr wegzudenken sind, liefern mit der sofortigen Übermittlung die Unterlagen für den Austausch der geschäftlichen Nachrichten oder Vereinbarungen. Über die automatischen Fernsprechzentralen können Ferngespräche von jedem privaten Fernsprechapparat bis ins Ausland vermittelt werden.

Nach dem Zweiten Weltkrieg hat in Europa der Fremdenverkehr einen rasanten Aufschwung genommen. Vor allem ist dieser im Gaststätten- und Beherbergungsgewerbe festzustellen, das sich überall auf den Massentourismus umstellen muß. In einer Zeit, in der sich jeder durchschnittlich Verdienende ein Auto leisten kann, ist es natürlich, daß man dieses Fahrzeug benützen will, um unabhängig von Kursbüchern die Welt kennenzulernen. Dabei sind die Reisespesen eines vollbelegten Kraftwagens viel niedriger pro Person als die Tarife der Eisenbahn. Dennoch ist dieses klassische Verkehrsmittel nach wie vor für den Tourismus unentbehrlich geblieben, wenn auch Busreisen und Charterflüge von einer bestimmten Gruppe von Reisenden bevorzugt werden.

Übung 1: Formulieren Sie die folgenden Sätze um:

1. Die Beförderung der Güter ist Aufgabe von Betrieben, die nicht erzeugen, sondern nur Dienste leisten.
2. Je nach der Schnelligkeit der Beförderung ist die Fracht verschieden.
3. Für den Austausch der Güter war die Schiffahrt seit Menschengedenken außerordentlich wichtig.

4. Die Schiffahrt wird heute vom Flugverkehr weit überflügelt.
5. Mit dem Flugzeug werden nur ganz hochwertige Güter befördert, deren Preis durch die hohe Luftfracht nicht allzusehr belastet wird.
6. Die Fernschreiber liefern mit der sofortigen Übermittlung die Unterlagen für den Austausch der geschäftlichen Nachrichten oder Vereinbarungen.
7. Jeder, der sich ein Auto leisten kann, will dieses Fahrzeug benützen, um unabhängig von Kursbüchern die Welt kennenzulernen.
8. Die Eisenbahn ist für den Tourismus unentbehrlich geblieben, wenn auch Charterflüge von einer bestimmten Gruppe von Reisenden bevorzugt werden.

---

Bedeutung der Modalverben

können

1. in der objektiven Aussage:
   a) die Fähigkeit: Du kannst Deutsch sprechen.
   b) die Möglichkeit: Mit dem Flugzeug können wir schon in zwei Stunden in Rom sein.
   c) die Erlaubnis: Ihr könnt morgen etwas später ins Büro kommen.
2. in der subjektiven Aussage:
   a) die ziemlich sichere Vermutung: Die Lieferung kann heute ankommen.
   b) die nicht ganz so sichere Vermutung (durch den Konjunktiv II): die Lieferung könnte heute ankommen.
   c) die Überzeugung des Sprechers, daß etwas möglich sein muß (mit dem Konjunktiv II): Die Lieferung könnte wirklich jetzt ankommen.

dürfen

1. in der objektiven Aussage:
   a) die Erlaubnis: Wir dürfen (nicht) vor 5 Uhr das Büro verlassen.
   b) die (offizielle) Genehmigung: Der Verkehrsschutzmann darf bei Verkehrsunfällen nur die Wagenpapiere kontrollieren.
2. in der subjektiven Aussage:
   die vorsichtige Vermutung (durch den Konjunktiv II): Die Rechnung ist gestern mit Banküberweisung ausgeglichen worden. Jetzt dürfte die Bankmitteilung schon beim Lieferer angekommen sein.

wollen

1. in der objektiven Aussage:
   a) der feste Wille: Die Sekretärin will ihren Arbeitsplatz wechseln.

b) die Absicht, der Plan, der Entschluß: Wir wollen nächstes Jahr unsere Geschäftsräume vergrößern.

c) die Bereitschaft: Der Geschäftsinhaber will den jungen Angestellten gerne ihre Arbeit erklären.

d) der Wunsch: Wir wollen die Waren noch heute zugestellt haben.

2. in der subjektiven Aussage:

a) eine Behauptung, deren Richtigkeit vom Sprecher angezweifelt wird: Dieser Kaufmann will lange Jahre ein Geschäft betrieben haben, dabei versteht er sehr wenig vom Handel.

b) eine empörte Anrede: Sie wollen ein höflicher Mensch sein und benehmen sich so schlecht!

müssen sagt immer, daß es nur eine Möglichkeit gibt; es bedeutet:

1. in der objektiven Aussage:

a) den Zwang: Kaufleute müssen ihre Geschäfte regelmäßig öffnen. Angestellte müssen pünktlich zur Arbeit kommen.

b) die unbedingte Notwendigkeit: Wir müssen uns beeilen, sonst können wir die Bestellung nicht abgehen lassen.

2. in der subjektiven Aussage:

die Überzeugung des Sprechers: Wer einen solchen Lebensstandard hat, muß sehr reich sein.

Die Negation von müssen drückt man aus:

1. In den meisten Ländern muß man rechts fahren. Das ist ein Gesetz, deshalb kann die Verneinung nur ein Verbot sein: Man *darf* nur rechts fahren.

2. Mein Vater muß mir Geld schicken.
Wenn man nur das Modalverb verneinen will, steht *nicht müssen*:
Mein Vater muß mir kein Geld schicken.

3. Wenn man den ganzen Satz verneinen will, gebraucht man die Negation von *brauchen* (+ Infinitiv + zu): Mein Vater braucht mir kein Geld zu schicken, denn ich verdiene jetzt selbst genug.

---

Übung 2: Formen Sie die kursiv gedruckten Satzteile um, indem Sie Modalverben verwenden!

1. *Es ist* für ein Fremdenverkehrsland *unmöglich*, den Kraftwagenverkehr ohne gute Autostraßen zu entwickeln.

2. Die Regierung hat *die Absicht*, in dieser überbevölkerten Gegend Industrien anzusiedeln.

3. Vor dem Betreten des Abflugraumes *wurden* alle Fluggäste *aufgefordert*, ihre Flugscheine vorzuzeigen.
4. Die Lieferfirma *war gezwungen*, wegen der kurzen Lieferfristen die Sendung als Luftfracht aufzugeben.
5. Die Fluggäste *sind verpflichtet*, eine halbe Stunde vor dem Abflug an der Abfertigung zu erscheinen.
6. Der Angestellte *war nicht imstande*, den Reisenden die genaue Abfahrtszeit des Busses anzugeben.

Übung 3: Formen Sie die kursiv gedruckten Satzteile um, indem Sie Modalverben verwenden!

1. Diesem Hotel *war es nicht* mehr *gestattet*, so hohe Preise für die Übernachtung zu verlangen.
2. Er *hatte keine Lust*, ohne eigenes Fahrzeug diese sehr lange, aber auch wunderschöne Reise anzutreten.
3. Auf die Aufforderung der Grenzpolizei *waren* die Reisenden *gezwungen*, ihre Pässe vorzuzeigen.
4. Er *hatte die Absicht*, diese Waren als Expreßgut aufzugeben.
5. Der Kellner *erhielt den Auftrag*, das Frühstück aufs Zimmer zu bringen.
6. Mit dem modernen Flugverkehr *ist man imstande*, in einigen Stunden in Amerika zu sein.

Übung 4: Vervollständigen Sie die Mitteilungen, indem Sie Modalverben verwenden!

1. Der Flughafenangestellte sagte zum Fluggast: „Der letzte Bus ist schon abgefahren, . . . Ihnen ein Taxi bestellen?"
2. Der Kunde sagte zur Verkäuferin: „Ich . . . diesen Kaffee haben. Was . . . ich dafür bezahlen?"
3. Der Hotelangestellte fragte den Hotelgast: „. . . Sie sich die Adresse merken? . . . ich sie Ihnen aufschreiben?"
4. Der Zollbeamte sagt zu dem Reisenden: „Sie . . . nur eine Flasche Alkohol zollfrei einführen. Für jede weitere Flasche . . . Sie 10 DM Zoll bezahlen!"

Beförderung – Dienstleistung
Güter – Personen – Nachrichten
Verkehrsbetriebe – Verkehrsmittel
Eisenbahn – Kraftwagen (Auto) – Schiff – Flugzeug
Eisenbahnverkehr – Kraftwagenverkehr
Schiffahrt – Flugverkehr
Stückgut – Wagenladung – Fracht
Frachtgut – Eilgut – Expreßgut – Frachtbrief
LKW – Bus – PKW
Autostraße – Autobahn
Binnenschiffahrt – Seeschiffahrt
Fluß – (der) Binnensee – Meer – (die) See
Ladeschein – Konnossement – Luftfracht
Post – Fernmeldewesen
Ferngespräch – Telegramm – Fernschreiber
Eilbrief – Einschreibebrief – Gebührenzuschlag
Fernsprechzentrale – Fernsprechapparat
Fernverkehr – Gaststättengewerbe – Beherbergungsgewerbe
Massentourismus – Kursbuch – Charterflug

# Abschnitt B

**Probleme des Personen-, Güter- und Nachrichtenverkehrs**

In den europäischen Ländern arbeitet die Post fast immer unter staatlicher Verwaltung, sie ist daher mehr Behörde als Wirtschaftsunternehmen. Da die Post eine Monopolstellung einnimmt, ist durch den Wegfall des für die Wirtschaft so wichtigen Wettbewerbs der Dienst am Kunden in diesem Dienstleistungsbetrieb nicht immer der beste. Dazu kommt die nicht den wirtschaftlichen Bedürfnissen entsprechende Besoldung der Postbeamten, wodurch z. B. ein immer größer werdender Mangel an zuverlässigen Briefträgern auftritt. Weil die Wirtschaft immer neue Wege zur Beseitigung bestehender Mängel beschreitet, wird in Kürze sicherlich die Fern-Xerographie an Bedeutung gewinnen. Es beruht auf folgendem Verfahren: ein Gerät überträgt das Abbild eines Briefes über ein Telefonkabel, wo ein Kopiergerät des Empfängers den Brief originalgetreu wiedergibt. Ein blitzschneller Vorgang, wobei für einen Normalbrief nicht mehr als für einen Luftpostbrief bezahlt wird.

Der TEE (= Trans-Europ-Expreß) München–Amsterdam bringt den Reisenden in neuneinhalb Stunden vom Alpenrand zum Nordseestrand. Diese Expreßzüge verkehren in acht Ländern und werden besonders von Geschäftsreisenden benutzt. Sie sollen durch ihre Schnelligkeit und ihren Komfort die Wettbewerbsfähigkeit der Schiene gegenüber dem Luftverkehr stärken. Dies ist jedoch schwierig, weil der Luftverkehr prozentual immer mehr zunimmt. Deswegen versucht man nicht nur Komfort, sondern auch die Geschwindigkeit dieser Züge zu erhöhen. So fährt z. B. der schnellste Zug der Bundesbahn, der „Blaue Enzian" mit 180 Stundenkilometern auf der Versuchsstrecke München–Augsburg.

Seit langem stellt sich die europäische Wirtschaft auf Containerverkehr um. Ein Container ist ein Behälter aus Blech, Kunststoff oder Holz zur Aufnahme von Ladegut. Nach der Entladung der Container von den Containerschiffen erfolgt der Landtransport mit der Bahn und auf besonderen Fahrgestellen. Die Vorteile des Containerverkehrs kommen erst zum Tragen, wenn die Container vom Hafen zu den Entladezentren des Binnenlandes ohne Umladen transportiert werden. Nach Lösung aller Probleme (schneller Transport, kurze Ladezeiten, Umladen auf andere Verkehrsmittel, Schutz vor Witterungseinflüssen und Einsparung von Verpackung) wird sich der Container als universelles Transportmittel durchsetzen.

So sicher die Zukunft der Container ist, so wenig gesichert scheint der rentable Einsatz von Luftkissenfahrzeugen (Hovercraft) zu sein. Dieses ist ein neues Verkehrsmittel, das weder Schiff noch Flugzeug ist und sich ohne Räder auf dem Land bewegen kann.

Die Duisburg-Ruhrorter Häfen bilden eine Wirtschaftseinheit aus Industrie, Binnenschiffahrt und Häfen. Während früher hauptsächlich der Kohleverkehr den ganzen Komplex beherrschte, ist heute der Hafenumschlag mehr auf Mineralölverkehr eingestellt. Dieser größte Binnenhafen der Welt erreicht eine Verkehrsquote mit einem durchschnittlichen Jahresumsatz von 27 Mill. t. Groß angelegte Tankanlagen, modernste Landverbindungen mit umfangreichen Eisenbahnanlagen, zahlreiche neue Straßenzüge und der autobahnmäßig ausgebaute Ruhrschnellweg sichern diesem Hafenkomplex den unmittelbaren Zugang nach allen Richtungen im Landverkehr.

Die Rheinschiffahrt wird über den Rhein-Main-Donau-Kanal in absehbarer Zeit eine 3400 km lange Wasserstraße quer durch Europa, von der Nordsee bis zum Schwarzen Meer, bilden. Z. Z. ist nur die Verbindungsstrecke zwischen Regensburg und Nürnberg (133 km) noch nicht fertiggestellt. Für die Verbindung der hochindustrialisierten Rheingegend mit den in steiler Aufwärtsentwicklung befindlichen Südoststaaten wird dieser Binnenschiffahrtsweg von größter Bedeutung sein und eine echte völkerverbindende Verkehrsachse bilden. Was die Größenordnung der wirtschaftlichen Bedeutung betrifft, ergibt der Vergleich einen Gesamtumschlag von 300 Mill. t in den deutschen Binnenhäfen gegenüber einem Umschlag von 50 Mill. t auf der Donauschiffahrt.

Der Hamburger Hafen steht mit seiner umgeschlagenen Gütermenge von rd. 35 Mill. BRT (= Bruttoregistertonnen) unter allen europäischen Häfen an vierter Stelle. Damit beweist die Hansestadt ihre große Bedeutung für den Außenhandel der Bundesrepublik, besonders für die Einfuhr von Südfrüchten, Tabak, Häuten und Fellen, von Tee und Kaffee, Gewürzen und Kautschuk.

Ebenso wichtig war und ist für die deutsche und westeuropäische Wirtschaft der Hafen von Antwerpen, der nach Rotterdam und New York der drittgrößte der Welt ist. Rund 7 Mill. t Güter werden jährlich von deutschen Handelsschiffen über Antwerpen entladen, davon besonders viel an Eisen- und Stahlerzeugnissen.

Demgegenüber ist der Hafen Rotterdam der größte Ölhafen Europas. Daneben ist er der Haupthafen für Erze und Getreide und hat mit seiner Gesamttonnage von 130 Mill. t New York weit überflügelt und ist somit zum größten Hafen der Welt aufgestiegen. Das bedeutet, daß der Rotterdamer Hafen ebenso groß ist wie Antwerpen, Amsterdam, Bremen und Hamburg zusammen. Besonders als Ölhafen wird Rotterdam in den nächsten Jahren sich noch weiter entwickeln, weil es schon jetzt für das Einlaufen der Mammut- und Supertanker zwischen 200 000 und 500 000 t alle Vorbereitungen trifft. Allerdings dürfte das Auftreten dieser Giganten-Tanker auch manchen deutschen Nordseehäfen, wie z. B. Wilhelmshaven, neue Chancen eröffnen, weil sie sich aufgrund der Tiefwassergrenze in einer besseren Lage befinden.

Was das Schicksal des Suez-Kanals in dieser Epoche der Riesentanker sein wird, kann man leicht aus der angegebenen Größenordnung errechnen.

Von den südeuropäischen Häfen entwickelt sich Marseille zum Europort des Südens. Durch die Verdoppelung der Marseiller Hafenkapazität wird die Abfertigung von Supertankern und großen Erzfrachtern ermöglicht; die Autobahn Paris–Marseille, die fast vollständig fertiggestellt ist, wird Anschluß an das belgische und deutsche Netz haben. Der Rhône-Rhein-Kanal wird die Binnenwasserstraße zum Rhein und zur Nordsee über Straßburg und über das lothringsche Industriegebiet sein.

Gegenüber Marseille ist an der italienischen Westküste Genua der größte Hafen Italiens. Von der Gesamtausfuhr von rd. 27 Mill. t gehen 25 Mill. t. des italienischen Außenhandels über Genua, hauptsächlich Maschinen und Fahrzeuge, Produkte der chemischen und pharmazeutischen Industrie, der Textil- und der kautschukverarbeitenden Industrie. Für die oberitalienische Industrie ist somit Genua das Tor zum Weltmarkt.

Die neuen Flughäfen von Paris, die bis zum Jahr 1980 völlig fertiggestellt sein sollen, werden über fünf einzelne Flugbahnhöfe zur Abfertigung der Fluggäste verfügen. Die Flugzeuge werden wie Taxis vorfahren und zum Start weiterfahren. Der Fluggast wird höchstens 150 Meter vom Flugzeug bis zum Verlassen des Flugbahnhofes zurückzulegen haben. Die Verbindung zur Stadtmitte wird über die bis dahin fertiggestellten Autobahnen oder mit der Weiterführung der U-Bahn hergestellt werden.

Der internationale Flugverkehr befindet sich in ständiger Entwicklung. Dies trifft für den Passagier- wie für den Frachtverkehr gleicherweise zu. Das Luftfrachtaufkommen ist seit der Einführung der Düsenfrachter besonders rasch gewachsen. Sehr wichtig für den Luftfrachtverkehr ist die Beförderung von Kühlgut, von Tieren und Wertsendungen. Ein technisch vollmechanisches Abfertigungssystem hat dafür die Amsterdamer Luftfrachtzentrale entwickelt, die damit einen Jahresumschlag von 300 000 t erreicht.

Die Bedeutung des Luftfrachtverkehrs ist auch daran abzulesen, daß man um eine weltweite Standardisierung der Luftfrachtraten bemüht ist. Damit müßten aber die Spezialraten, d. h. die Vorzugstarife, die bisher der Anreiz für die verladende Wirtschaft waren, sehr bald verschwinden. Es bedarf bei der heutigen Ausdehnung des Luftfrachtverkehrs keines stärkeren Anreizes mehr, um sich der Lufttransporte zu bedienen.

Es ist heute auch der nicht unmittelbar beteiligten Industrie klar, daß die Luftfracht von grundsätzlicher Bedeutung für das gesamte Wirtschaftsgeschehen ist. Besonders deutlich wird diese Tatsache bei der Überlegung, Großcontainer zu schaffen, die auf Schienen und Straßen, per Schiff und Flugzeug transportiert werden können.

Die Entwicklung des internationalen Fremdenverkehrs ist auf die ständige Ausweitung der Verkehrsmöglichkeiten und das steigende Einkommen der berufstätigen Bevölkerung in den Industriestaaten zurückzuführen. Es ist heute kein Vorrecht des Reichen mehr, einen Urlaub an der See, im Gebirge oder in fernen Ländern zu verbringen. Dabei sind nicht nur sonnige Meeresküsten gefragt, denn viele Touristen suchen vor allem Ruhe und Erholung, was in den Zentren des Massentourismus kaum möglich ist. Es ist viel zu wenig bekannt, daß selbst Deutschland als Industriestaat eine große Anziehungskraft durch seine idyllischen Gegenden auf den Fremdenverkehr ausübt, dessen Einnahmen auf gleicher Höhe mit den Ausgaben der 20 Mill. deutschen Touristen im Ausland liegen. Um nur einige wenige Gegenden außer den bekannten oberbayrischen Alpenseen, den Nord- und Ostseeküsten und dem Rheintal zu erwähnen, denken wir an die „Romantische Straße" von Bad Mergentheim bis Füssen im Allgäu, die „Burgstraße" von Mannheim über Heidelberg, Heilbronn, Rothenburg ob der Tauber bis nach Nürnberg. Ebenso interessant wie diese Wiege deutscher Romantik ist die „Idyllische Straße" im Schwäbischen Wald entlang des ehemaligen römischen Grenzwalls.

Ruhe und Idyllik findet der Großstädter auch bei den Waldbauern des Bayerischen Waldes. Dort sind die Preise noch sehr niedrig.

Beantworten Sie jede folgende Frage in mehreren Sätzen:

1. Wodurch unterscheidet sich der Postbetrieb von anderen Wirtschaftszweigen?
2. Welche ganz neue Form des Briefverkehrs hat man in letzterer Zeit entwickelt?
3. Welche besonderen Eigenschaften weisen die TEE-Züge auf?
4. Welches sind die besonderen Vorteile des Containerverkehrs?
5. Was wissen Sie über den größten Binnenhafen der Welt?
6. Welche Aussichten wird die Fertigstellung des Rhein-Main-Donaukanals für die europäische Wirtschaft eröffnen?
7. Worin besteht die Wichtigkeit des größten deutschen Seehafens?
8. Welche Bedeutung hat der Hafen von Antwerpen für die deutsche Wirtschaft?
9. Für welche Rohstoffe ist der größte Hafen der Welt besonders wichtig?
10. Welche südeuropäischen Häfen in der EWG sind von besonderer Bedeutung?
11. Wie wird der zukünftige Riesenflughafen von Paris ausgebaut?
12. Woran erkennen Sie die internationale Bedeutung des Luftfrachtverkehrs?
13. Worauf ist die Entwicklung des internationalen Fremdenverkehrs zurückzuführen?
14. Welche Fremdenverkehrsziele sind Ihnen in der Bundesrepublik oder in Ihrer Heimat gut bekannt?

---

Post – staatliche Verwaltung – Monopolstellung
TEE – Schnelligkeit – Komfort
Container – Containerverkehr – Containerschiff
schneller Transport – kurze Ladezeiten – Umladen
Schutz vor Witterungseinflüssen – Einsparung von Verpackung
Hafenumschlag – Mineralölverkehr – Tankanlagen
Landverbindung – Eisenbahnanlage – Straßenzüge
Ruhrschnellweg – Hafenkomplex – Zugang zum Landverkehr
Rheinschiffahrt – Nordsee – Schwarzes Meer
Mammuttanker – Supertanker – Gigantentanker – Riesentanker
Hafenkapazität – Gesamtumschlag
Flugbahnhof – Abfertigung von Fluggästen – Start
Luftfrachtaufkommen – Abfertigungssystem – Luftfrachtzentrale
Fremdenverkehr – Versicherungsmöglichkeiten – Einkommen
sonnige Meeresküsten – Ruhe – Erholung
oberbayerische Seen – Nordseeküste – Ostseeküste – Rheintal
Romantische Straße – Burgstraße – Idyllische Straße

# Abschnitt C

Schreiben Sie auf zwei Seiten über ein Verkehrsmittel, das in den nächsten 20 Jahren an Bedeutung sehr zunehmen könnte!

# Kapitel 12
## Abschnitt A

**Banken und Versicherungen**

In der heutigen Wirtschaft ist die Rolle der Banken unentbehrlich geworden. Als Dienstleistungsbetriebe betreiben sie vor allem das Kreditgeschäft, den Zahlungsverkehr und den Kapitalverkehr. Im Unterschied zum übrigen Handelsgewerbe wird keine „Gewinnspanne" für die geleistete wirtschaftliche Tätigkeit berechnet, sondern das Entgelt als „Provision" in Prozenten des getätigten Umsatzes ausgedrückt. Demzufolge wird für das Kreditgeschäft, für den Zahlungs- und Kapitalverkehr eine Umsatzprovision angesetzt.

Die wichtigste Aufgabe der Banken ist die Beschaffung flüssiger Mittel, um diese der Wirtschaft als Kredite zur Verfügung zu stellen. Deshalb lesen wir in allen Tageszeitungen großflächige Inserate der Banken, mit deren Hilfe versucht wird, die ungenutzten Gelder der Berufstätigen zu sammeln und dorthin zu lenken, wo diese von den Betrieben der Wirtschaft benötigt werden.

Gegenwärtig betätigen sich in der Bundesrepublik etwa 13 000 Kreditinstitute, die in verschiedenen Bankengruppen zusammengefaßt sind und die über 21 598 Zweigstellen oder Niederlassungen verfügen.

Der „Nationalbank" der meisten Staaten entspricht in der Bundesrepublik die Deutsche Bundesbank. Sie hat ihren Sitz in Frankfurt/Main und verfügt über 247 Zweigstellen. Die Deutsche Bundesbank hat allein das Recht, Banknoten auszugeben. Sie ist also die Notenbank der Bundesrepublik. Die wichtigste wirtschaftliche Aufgabe der Bundesbank besteht darin, über die Währungsstabilität zu wachen, indem sie auf die Kreditbewilligung für den Handel und die Industrie einwirkt. Sie hat die Möglichkeit, die Kredite zu verbilligen oder zu verteuern, weil sie den Satz für die Rediskontierung festsetzen kann.

Das private Bankwesen hat in der Bundesrepublik eine wirtschaftliche Schlüsselposition. Weil es den Banken nicht verboten ist, Spargelder entgegenzunehmen und gleichzeitig Industriebeteiligungen zu besitzen, sind die 3 Großbanken an einem Großteil der Industrie mitbeteiligt. Sie müssen Beteiligungen von mehr als 25% öffentlich mitteilen. Die Großbanken (Dresdner Bank, Deutsche Bank und Commerzbank) haben Zweigstellen im ganzen Bundesgebiet, während die Regionalbanken nur in den einzelnen Bundesländern und die Lokalbanken nur an einem Ort vertreten sind. Die meisten Privatbanken sind Aktiengesellschaften, jedoch gibt es einige Banken als Personengesellschaften, die sehr beachtliche Umsätze (von 100 Mill. bis 1 Mrd. DM) jährlich tätigen.

Das Kreditgeschäft ist die wichtigste wirtschaftliche Aufgabe der Banken. Die Banken gewähren als Kreditgeber (= Darlehensgeber) Kredite (= Darlehen) den Betrieben, die für die Kreditsumme entsprechende Sicherheiten stellen können. Für die Laufzeit des Kredites wird der Kreditnehmer (= Darlehensnehmer) der Schuldner seines Gläubigers, also der Bank, die den Kredit gegeben hat. Wenn der Schuldner seinen Kreditverpflichtungen durch Rückführung des Kredites nachgekommen ist, d. h. die Forderungen der Bank als Gläubiger wieder zurückgezahlt sind, erlischt das Gläubiger-Schuldner-Verhältnis.

Der größte Teil der Banken betreibt das Kreditgeschäft in allen seinen Arten, außer dem Pfandbriefgeschäft. Man nennt sie deshalb Kreditbanken. Die Hypothekenbanken sind in ihrer Zahl beschränkt und gewähren langfristige Kredite durch Ausgabe von Pfandbriefen, die von der Gesamtheit der ihnen zur Verfügung stehenden hypothekarischen Sicherungen gedeckt sind.

Eine besondere Art von Kreditinstituten sind die Sparkassen, deren Haftung meistens von den Gemeinden getragen wird und die nach Ländern aufgeteilt und in 12 Girozentralen zusammengefaßt sind.

Die Bankkunden vertrauen ihren Banken für einen festgesetzten Zeitraum ihre Gelder an und werden dafür mit Habenzinsen vergütet (z. B. 5%). Dieses Geld wird von den Banken als Kredit ausgereicht, wofür sie Sollzinsen berechnen (z. B. 9%). Die Differenz zwischen diesen beiden Zinssätzen (= 4%) ist die sog. Zinsspanne; diese stellt die Bruttoeinnahme der Banken dar. Die Abwicklung der Geschäfte zwischen der Bank und ihren Kunden erfolgt über ein Bankkonto. Im Grunde genommen ist das Konto ein Karteiblatt, mit der Kontonummer, dem bürgerlichen Namen oder der Firma des Kontoinhabers und mit der Unterschrift des oder der Zeichnungsberechtigten. Die letzteren sind die Personen, die mit ihrer Unterschrift über das Konto verfügen dürfen. Auf diesem Kontoblatt werden die Geschäftsvorfälle zwischen der Bank und ihrem Kunden eingetragen. Der auf dem Konto befindliche Betrag ist das Guthaben. Beträge, die vom Konto abgehoben oder überwiesen werden, vermindern das Guthaben, d. h. mit diesem Betrag wird das Konto belastet. Andererseits werden Beträge, die auf das Konto eingezahlt oder auf das Konto überwiesen werden, dem Konto gutgeschrieben. Das neue Guthaben ist der neue Saldo, der sich als Summe oder als Differenz ergibt. Saldieren nennt man diese Berechnung des neuen Guthabens.

Je nach dem verfolgten Zweck kann das Konto als Kontokorrent- oder Girokonto – für laufende Zahlungen und Eingänge – oder als Sparkonto für festgelegte Beträge eingerichtet werden.

Der Kontoinhaber kann über sein Guthaben in bar oder bargeldlos verfügen. Im ersten Fall kann er unmittelbar Bargeld abheben oder einzahlen oder mit Hilfe eines Barschecks einen Betrag für sich oder für andere auszahlen lassen. Bei der bargeldlosen Zahlung geschieht dies mit einer Banküberweisung oder mit einem Verrechnungsscheck. Durch die Banküberweisung belastet der Kontoinhaber sein Konto mit einem bestimmten Betrag (Lastschrift), der dem Konto des Zahlungsempfängers gutgeschrieben wird (Gutschrift). Sind die beiden Konten nicht bei derselben Bank, so wird dieser bargeldlose Zahlungsverkehr über ein Gironetz geleitet werden (meistens über die Landeszentralbanken). Die Banküberweisung kann formlos oder mit Hilfe eines Überweisungsvordrucks durchgeführt werden, der bei allen Kreditinstituten der Bundesrepublik einheitlich ist. Eine sehr häufige Form des bargeldlosen Zahlungsverkehrs ist der Verrechnungsscheck, dessen Abrechnung ähnlich wie bei der Überweisung erfolgt. Allerdings ist der Scheck an strenge Formen gebunden, die im Scheckrecht festgelegt sind. Außer dem Bar- und Verrechnungsscheck sind noch gekreuzte Auslandsschecks im Verkehr, die in der Bundesrepublik wie Verrechnungsschecks abgerechnet werden.

Für das Kreditgeschäft der Banken unterscheidet man nach der Laufzeit kurzfristige (3–6 Monate), mittelfristige (über 1 Jahr) und langfristige Kredite (mehr als 4 Jahre). Für die Wirtschaft ist besonders der Diskontkredit wichtig. Wenn ein Kunde ein längeres Ziel als 2 Monate von seinem Lieferer eingeräumt bekommt, muß er gewöhnlich für den Rechnungsbetrag sich mit einem Wechsel verpflichten. Der Lieferer ist der Aussteller dieses Wechsels (= Tratte), den er auf seinen Kunden zieht und durch den sich der Kunde (= der Bezogene) verpflichtet, den Betrag an einem bestimmten Tag (= Fälligkeit), an einem bestimmten Ort (= Domizil) dem jeweiligen Wechselinhaber zu bezahlen.

Der Lieferer kann den vom Bezogenen angenommenen Wechsel (= das Akzept) durch seine Unterschrift auf der Rückseite (= Indossament) für seine Verbindlichkeiten weitergeben. Er kann aber auch das Akzept von seiner Bank ankaufen lassen. Das bedeutet, daß die Bank vom Wechselbetrag die Zinsen (= Diskont) bis zum Fälligkeitstag abzieht und diesen Betrag als Diskontkredit auf dem Konto des Lieferanten zur Verfügung stellt. Wird der Wechsel fristgerecht eingelöst, so wird der Betrag gutgeschrieben. Andernfalls, d. h. bei Wechselprotest wird das Konto mit dem Wechselbetrag belastet. Die Banken verkaufen ihre angekauften Wechsel der Landeszentralbank (= Rediskontierung).

Schecks, Wechsel, Konnossemente u. a. sind Urkunden, die einen fest umrissenen Wert darstellen. Wertpapiere, die an der Börse gehandelt werden, nennt man Effekten. Diese sind die häufigsten und wichtigsten Finanzierungsmittel der Wirtschaft. Effekten sichern ihren Inhabern einen Ertrag. Ist dieser Ertrag gleichbleibend, d. h. wird der Ertrag in Prozenten (= Zins) des Nennwertes gesichert, so spricht man von Zinspapieren (Anleihen, Obligationen, Pfandbriefe). Effekten mit schwankendem Ertrag nennt man Aktien. Der Tageswert von Effekten ist ihr Kurswert, ihr wirklicher Wert, während der Nennwert aufgedruckt ist. Ist der Nennwert gleich dem Kurswert, so ist der Kurs „al pari". Ist der Kurswert höher als der Nennwert, so ist der Kurs „über pari", im Gegenteil „unter pari".

Der Handel mit Wertpapieren ist für die Banken ein einträgliches Geschäft, weil sie für ihre Bemühungen eine Maklergebühr (= Courtage) erhalten. Der Kunde muß außerdem die Börsenumsatzsteuer bezahlen. Der Kauf oder Verkauf wird von der Bank entsprechend dem Auftrag des Kunden durchgeführt. Dieser kann „bestens" (= Tageskurs) oder „limitiert" sein.

Der Wertpapierhandel wird an Börsen abgewickelt. Durch die große Häufung von Angeboten und Nachfragen entwickelt sich der Tageskurs für die amtlich notierten Wertpapiere. Die Ausführung der Geschäfte wird den Börsenmaklern übertragen, die mit den Usancen sehr gut vertraut sind. Manche Börsen sind nur auf den Handel mit Wertpapieren spezialisiert (Düsseldorf, Frankfurt, Hamburg, München, New York, London, Paris, Amsterdam, Brüssel, Zürich), während wieder andere, die Warenbörsen, mit vertretbaren (fungiblen) Waren handeln. Das bedeutet, daß von der börsenmäßig gehandelten Ware große Mengen von gleicher Qualität (Getreide, Kaffee, Tee usw.) vorhanden sein müssen, die auf der Grundlage von sog. Standards angeboten werden.

Wichtige Treffpunkte von Angebot und Nachfrage sind die Messen und Ausstellungen. Auf den Messen werden nur dem fachlich interessierten Abnehmer Angebote gemacht, während die Ausstellungen sich auch an den Verbraucher wenden. Die Kaufabschlüsse können entweder auf der Messe oder aufgrund der ausgestellten Erzeugnisse beim Fachhandel getätigt werden. Die Messen können fachlich orientiert sein (Industrie-Messe von Hannover) oder allgemeine Warenmessen sein wie die Frankfurter Messe.

Durch den großen Personen- und Warenverkehr hat die Dienstleistung der Versicherungsbetriebe eine immer stärkere Bedeutung gewonnen. Das Versicherungsgeschäft beruht auf der Bereitschaft der Versicherten, durch ihre regelmäßigen Zahlungen gemeinsam die bei ihnen auftretenden Versicherungsschäden zu decken. Dieses Geschäft wird von den Versicherungsfirmen als Gewerbe betrieben, die meistens Gesellschaften sind und deshalb kurz Versicherungsgesellschaften genannt werden. Die Versicherungsgesellschaft als Versicherer schließt mit ihren Kunden, den Versicherungsnehmern einen Versicherungsvertrag ab, wobei der Kunde sich zur Zahlung der Prämie oder des Beitrags verpflichtet. Dafür übernimmt die Versicherungsfirma das Risiko, bei Eintritt vertraglich festgelegter Schäden, den Vermögensverlust zu decken. Manche Versicherungsverträge beruhen auf gesetzlichem Zwang, wie z. B. die Sozialversicherung (Krankenversicherung 1883, Unfallversicherung 1884, Rentenversicherung 1889, Arbeitslosenversicherung 1927). Für diese Versicherungen werden die Beiträge für die betriebliche Unfallversicherung in voller Höhe vom Arbeitgeber, für die übrigen drei je zur Hälfte vom Arbeitgeber und Arbeitnehmer aufgebracht.

Für den Kaufmann ist besonders die Transportversicherung wichtig, die er meistens für alle seine Transporte in Form einer Generalpolice abschließt. Für die Seeversicherung gelten besondere Bestimmungen für den Eintritt des Schadens (Havarei = Havarie). Für Exportkaufleute ist die Versicherung ihrer Ausfuhrkredite unumgänglich notwendig geworden. Diese Risikodeckung können sie bei der „Hermes"-Ausfuhr-Kreditversicherung abschließen, die ihre Schadensfälle mit Bundesbürgschaft deckt. Die Versicherungsgesellschaften sind für ihre gesamten Schadenfälle bei Rückversicherungsgesellschaften versichert.

Das lawinenartige Anschwellen des Kraftwagenverkehrs hat die Versicherung der Kraftfahrzeughalter für die mit diesem Kfz verursachten Schäden zur gesetzlich vorgeschriebenen Pflicht gemacht. Diese Haftpflichtversicherung soll alle Personen- und Sachschäden decken, die der Betrieb eines Kraftfahrzeuges an fremdem Gut und fremden Personen verursacht. Für Unfallschäden am eigenen Wagen kann man eine Kasko-Versicherung (Vollkasko = alle Unfallschäden), für die im Auto befindlichen Personen eine Insassenversicherung abschließen.

Viele Selbständige sorgen für ihr Alter und für ihre Familie mit dem Abschluß einer Lebensversicherung vor, die von einem vertraglich bestimmten Lebensjahr an dem Versicherungsnehmer eine Rente und bei dessen Ableben den Familienangehörigen eine einmalige Summe sichert.

Übung 1: Formulieren Sie die folgenden Sätze um:

1. Das Entgelt für die geleistete wirtschaftliche Tätigkeit wird in Prozenten des getätigten Umsatzes ausgedrückt.
2. Die ungenutzten Gelder werden dahin gelenkt, wo sie von der Wirtschaft benötigt werden.
3. Die Bundesbank wirkt auf die Kreditbewilligung ein und wacht auf diese Weise über ihre Währungsstabilität.
4. Die Pfandbriefe sind von der Gesamtheit der hypothekarischen Sicherung gedeckt.
5. Die Spargelder werden als Kredite ausgereicht, wofür die Banken Sollzinsen berechnen.
6. Das Konto wird mit den Beträgen belastet, die abgehoben oder überwiesen werden.
7. Die auf das Konto überwiesenen Beträge werden dem Konto gutgeschrieben.
8. Der Kunde muß sich für ein längeres Ziel mit einem Wechsel verpflichten.
9. Der Lieferer kann das Akzept durch sein Indossament für seine Verbindlichkeiten weitergeben.
10. Beim Ankauf des Akzeptes durch die Bank wird der Diskont vom Wechselbetrag abgezogen, der auf dem Konto des Lieferanten zur Verfügung gestellt wird.

11. Durch die große Häufung von Angebot und Nachfrage entwickelt sich der Tageskurs für die amtlich notierten Wertpapiere.
12. Die börsenmäßig gehandelten Waren werden auf Grundlage von Standards angeboten.
13. Die Kaufabschlüsse für die ausgestellten Erzeugnisse können beim Fachhandel getätigt werden.
14. Die Versicherungsgesellschaft übernimmt das Risiko, bei Eintritt des vertraglich festgelegten Schadens diesen Vermögensverlust zu decken.
15. Die Haftpflichtversicherung soll alle Schäden decken, die der Betrieb des Kraftfahrzeuges an fremdem Gut und an fremden Personen verursacht.
16. Die Lebensversicherung sichert dem Versicherungsnehmer eine Rente und bei dessen Ableben den Familienangehörigen einen einmaligen Betrag.

---

Bedeutung der Modalverben (Fortsetzung)

sollen

1. in der objektiven Aussage:
   a) der Auftrag: Ihr sollt heute nicht so viel arbeiten.
      Jemand hat den Auftrag (bekommen), etwas zu tun. Jemand ist beauftragt (worden), etwas zu tun. Es ist jemandem aufgetragen worden, das zu tun.
      Ich soll heute länger im Büro bleiben und mit dem Chef zusammen arbeiten.
      Der Lagerverwalter soll morgen zu mir kommen und seine Buchhaltung vorlegen.
      Die Lieferung soll heute schon um 10 Uhr vormittags fertig sein.
      Der Auftrag wurde nicht ausgeführt:
      Eigentlich sollte ich schon gestern mit der neuen Arbeit beginnen.
   b) die allgemeingültige Pflicht:
      Jeder soll dem anderen helfen.
   c) das Gebot:
      Du sollst nicht stehlen.
   d) das Bedauern über ein Tun (oder dessen Unterlassung):
      Wir hätten dieser Firma nicht liefern sollen, dann wäre dieser Verlust nicht eingetreten.
   e) die Empfehlung:
      Diese Waren sollten doch bald verkauft werden.
   f) die Erwartung eines Sachverhaltes:
      Der Firmenvertreter soll die neue Maschine bei uns vorführen.

g) die Absicht, der Plan, das Programm:
   Diese Umsätze sollen in den nächsten Monaten getätigt werden.
   Es ist beabsichtigt (vorgesehen, geplant), daß das geschieht. Man hat die
   Absicht (den Plan), das zu tun oder durchzuführen.
h) die Voraussetzung für einen Sachverhalt:
   Die Exportfirma sucht einen Geschäftsführer. Er sollte mindestens zwei
   Fremdsprachen sprechen können. Es wird vorausgesetzt, daß jemand das
   kann.
i) der Sinn oder Zweck einer Sache:
   Was soll diese Maschine sein? Es soll eine Verpackungsmaschine sein, sieht
   aber aus wie eine Fleischmaschine.
j) in der indirekten Rede zur Umschreibung des Imperativs (durch Konjunktiv):
   Der Prokurist sagte dem Angestellten, er solle zwei Rechnungen sofort
   schreiben.

2. in der subjektiven Aussage:
   a) der Sachverhalt, zu dem man keine Stellung nimmt:
      Dieser Herr soll Direktor in einer Exportfirma sein.
   b) als alternative Feststellung in Bedingungssätzen (im Konjunktiv II):
      Wenn Ihnen mein Angebot entsprechen sollte, so teilen Sie es mir bitte
      sofort mit.

mögen

1. in der objektiven Aussage:
   a) die Neigung (Abneigung), Vorliebe Lust, – dauernd oder augenblicklich:
      Ich mag nicht immer im Büro arbeiten.
      Der junge Angestellte möchte in allen Abteilungen arbeiten (möchte =
      Konjunktiv II).
   b) in der indirekten Rede eine sehr höfliche Umschreibung des Imperativs:
      Der Firmeninhaber hat den Fahrer angerufen und ihm gesagt, er möge
      nicht auf ihn warten.
   c) eine Einschränkung (nur im Präsens oder Präteritum):
      Sein Diplom mag so gut sein, wie es will, er bekommt diese Stellung doch
      nicht.
   d) ein Wunsch, dessen Erfüllung möglich scheint:
      Möchte es doch in diesem Jahr mit der Wirtschaft wieder aufwärts gehen!

2. in der subjektiven Aussage:
   die Möglichkeit:
   Er mag jetzt auf der Fahrt nach Hamburg sein (der Sprecher hält dies für
   möglich).

Er mag früher ein bekannter Kaufmann gewesen sein.
Das mag sein (es ist möglich, daß es so ist).

---

Übung 2: Formen Sie die kursiv gedruckten Satzteile um, indem Sie Modalverben verwenden!

1. Der Vertreter *hatte* den *Auftrag,* nicht um jeden Preis zu verkaufen, sondern die Kunden in der Zusammenstellung des Sortiments zu beraten.
2. *Der Lebensmittelgroßhändler empfahl,* diese Ware bald zu verkaufen.
3. *Es ist beabsichtigt,* in den nächsten Wochen den Umsatz dieser Artikel zu erhöhen.
4. *Es wird vorausgesetzt,* daß die Bewerber über große Erfahrungen im Außenhandel verfügen.
5. Ich *habe keine Lust,* ständig nur diese Arbeit zu verrichten.
6. *Es ist möglich,* daß er früher viel mehr Verantwortung in der Firma hatte.

Übung 3: Formen Sie die kursiv gedruckten Satzteile um, indem Sie Modalverben verwenden!

1. Vor dem Einkauf *ist es ratsam,* in mehreren Geschäften die Waren und die Preise zu vergleichen.
2. *Wir erwarten,* daß der Kaufvertrag nächste Woche abgeschlossen wird.
3. *Die Regierung hat den Plan,* wegen der steigenden Preise die Steuern zu erhöhen.
4. Die jungen Arbeiter *haben oft Lust,* einiges zu ihrem Beruf dazuzulernen.
5. *Es besteht die Absicht,* den Diskontsatz der Banken wesentlich zu erhöhen.
6. *Es wird erwartet,* daß die Angehörigen des verstorbenen Großindustriellen die Fabrik bald verkaufen werden.

Übung 4: Vervollständigen Sie die Mitteilungen, indem Sie Modalverben verwenden!

1. Der Tourist fragt den Reiseführer: „Was . . . dieses eigenartige Gebäude sein?"
2. Der Kunde sagte dem Firmenreisenden: „Bestellen Sie Ihrem Chef, er . . . mich morgen anrufen!"
3. Der Prokurist gibt der Versandabteilung den Auftrag: „Diese Sendung . . . heute unbedingt zugestellt werden."

4. Der Versicherungsangestellte sagt zu dem Geschädigten: „Eigentlich ... ich schon gestern wegen des Unfallschadens zu Ihnen kommen."

Banken – Kreditgeschäft – Zahlungsverkehr – Kapitalverkehr
Gewinnspanne – Umsatzprovision
Beschaffung flüssiger Mittel – ungenutzte Gelder für die Wirtschaft
Kreditinstitute – Bankengruppen – Zweigstellen – Niederlassungen
Bundesbank – Notenbank – Währungsstabilität
Kredite verbilligen – Kredite verteuern – Diskontsatz festsetzen
Großbanken – Regionalbanken – Lokalbanken
Kreditbanken – Hypothekenbanken – Pfandbriefgeschäft
Sparkassen – Gemeinden – Girozentralen
Habenzinsen – Sollzinsen – Zinsspanne
Bankkonto – Guthaben – dem Konto gutschreiben
das Konto belasten – saldieren – Saldo
über das Konto bar oder bargeldlos verfügen
Barscheck – Verrechnungsscheck – Banküberweisung
Kredit – (Darlehen) – Kreditgeber (Darlehensgeber)
Kreditnehmer (Darlehensnehmer) – Gläubiger – Schuldner
Forderung – Verbindlichkeiten (Verpflichtungen)
kurzfristige Kredite – mittelfristige Kredite – langfristige Kredite
Diskontkredit – Wechsel – Tratte – Akzept
Aussteller – auf den Kunden eine Tratte ziehen
Bezogener – die Tratte annehmen – Akzept
Indossament – Diskontierung – Diskont – Wechselzins
Rediskontierung – Wechselprotest
Wertpapier – Effekten – Ertrag
Zinspapier – Anleihen – Obligationen – Pfandbrief
Aktien – Kurswert – Nennwert
Börsenmakler – Usancen – Maklergebühren
Wertpapierbörsen – Warenbörsen
Messen – Ausstellungen – fachlich – allgemein
Versicherer – Versicherungsgesellschaft – Versicherungsnehmer
Versicherungsvertrag – Prämie – Risiko – Vermögensverlust
Sozialversicherung – Krankenversicherung – Unfallversicherung
Rentenversicherung – Arbeitslosenversicherung
Transportversicherung – Ausfuhrkreditversicherung
Haftpflichtversicherung – Kaskoversicherung
Insassenversicherung – Lebensversicherung

# Abschnitt B

## Aufgaben der Weltbank, Währungsreform, Finanzierungsmittel

Der volle Name der Weltbank „Internationale Bank für Wiederaufbau und Entwicklung" gibt an, wofür sie geschaffen wurde. Sofort nach dem Krieg ermöglichten ihre Kredite, die Einfuhr lebenswichtiger Güter nach Europa aufrechtzuerhalten. Kurz darauf begann sie mit der Entwicklungshilfe, die vor allem aus Infrastruktur-Darlehen besteht. Der gleichzeitig 1945 gegründete Internationale Währungsfonds (IWF) soll Mitgliedsländern bei internationalen Währungs- und Kreditproblemen helfen.

Die Krisen der deutschen Wirtschaft nach dem ersten Weltkrieg haben zur Geldentwertung und zur ersten großen Inflation geführt. Durch die Weltwirtschaftskrise und den zweiten Weltkrieg kam es zur zweiten Inflation, die 1948 durch die Währungsreform bereinigt wurde. Viele Finanzfachleute sprechen heute schon von einer dritten Inflation, weil sie von der Erkenntnis ausgehen, daß gutes Geld knapp sein muß, um seinen Wert zu behalten.

Klassische Finanzierungsmittel für die Wirtschaft sind Pfandbriefe und Kommunalobligationen. Diese Rentenpapiere beschaffen das Kapital für Investitionen und sichern den Sparern langfristig ein regelmäßiges Einkommen. Mit Hilfe von Pfandbriefen wird der Wohnungsbau und die Landwirtschaft finanziert. Mit Hilfe von Kommunalobligationen werden Schulen, Krankenhäuser und Kraftwerke gebaut. Der Sparer, der sein Geld in diesen Wertpapieren angelegt hat, bekommt Jahr für Jahr gleichmäßig hohe Zinsen – also eine echte Rente. Das garantiert ihm der aufgedruckte Zinssatz.

## Fachmessen

Die „Interpack" in Düsseldorf ist die größte und bedeutendste internationale Fachmesse ihrer Art. Beschickt wird diese Messe von Firmen, die Verpackungsmaschinen und Verpackungsmaterial herstellen. Packstoffe und Verpackungsmittel, Geräte und Maschinen zum Herstellen der Packungen, zum Abfüllen der verschiedenen Güter, zum Verschließen von Einzelpackungen und zum Verpacken in größeren Einheiten für Lagerung und Versand – dies alles wird den Besuchern präsentiert.

Beantworten Sie jede Frage mit mehreren Sätzen!

1. Welche Aufgaben hatte die Weltbank nach dem Krieg?
2. Womit beschäftigt sich die Weltbank heute?
3. Was wissen Sie über den internationalen Währungsfonds?

4. Wie kommt es zu einer Inflation?
5. Welche Krisenzeiten der deutschen Wirtschaft kennen Sie?
6. Welche Bedeutung haben die Rentenpapiere für die Finanzierung?
7. Welche Vorhaben werden aus Spargeldern finanziert?
8. Welche deutsche Großstadt veranstaltet besonders viele Fachmessen?
9. Welche Fachmessen kennen Sie, die in Ihrem Land stattfinden?

---

Entwicklungshilfe – Infrastruktur
Weltbank – Währungsfonds
Geldentwertung – Inflation – Wirtschaftskrise
Währungsreform – Geldknappheit
Finanzierungsmittel – Rentenpapiere
Investitionen – regelmäßiges Einkommen
Pfandbriefe – Wohnungsbau – Landwirtschaft
Kommunalobligationen – Schulen – Krankenhäuser – Kraftwerke
Fachmessen – Packstoffe – Verpackungsmittel
Packung – Abfüllen – Verschließen – Lagerung – Versand

---

# Abschnitt C

### Was soll bei einem Aufsatz beachtet werden

Wenn wir einen Aufsatz schreiben, müssen wir zuerst das Thema genau analysieren. Ist uns das Thema klar geworden, so beginnen wir mit dem ersten Teil
der Gliederung, mit der Einleitung. In ihr versuchen wir, den Leser für das
Thema zu interessieren. Die *Einleitung* soll nicht mehr als 5–10 Zeilen lang
sein.
Für den Hauptteil des Aufsatzes, d. h. für die eigentliche *Behandlung* des
Themas, müssen wir uns alles überlegen, was wir dazu sagen können. Dabei
dürfen wir nicht vergessen, daß man nur das ausdrücken kann, was man geistig
besitzt und in unserem Fall auf Deutsch sagen und schreiben kann. Dafür kann
man, wie das beigefügte Schema zeigt, alle Wörter, die uns nach reiflicher Überlegung zum Thema einfallen, nach Nomen, Verben und Adjektiven ordnen.
Dann beginnen wir mit der Ausarbeitung.
Haben wir alles, was wir zum Thema zu sagen haben, schriftlich niedergelegt,
müssen wir dem Aufsatz den richtigen *Abschluß* geben. In den abschließenden

Teil kommen die Antworten und Folgerungen, die als unsere persönliche Stellungnahme erwartet werden.

Schreiben Sie den folgenden Aufsatz:

Welche Dienstleistungen haben Ihrer Meinung nach die größte Bedeutung für die Entwicklung der modernen Wirtschaft?
Begründen Sie Ihre Meinung mit einzelnen Beispielen aus Ihrem Lebenskreis!

Gliederung:

I   Einleitung
II  Behandlung des Themas (= Hauptteil)
III Abschluß mit eigener Meinung (= Schluß)

| Fragen: | Antworten: | |
| --- | --- | --- |
| A | B | C |
| Nomen | Verben | Adjektive |

# Kapitel 13

## Abschnitt A

### Der Kaufmann und die Handelsgesellschaften

Nach dem deutschen Handelsgesetzbuch (= HGB) ist Kaufmann derjenige, der ein Handelsgewerbe betreibt. Als Handelsgewerbe gilt jeder Gewerbebetrieb, der Sachen (Waren) oder Wertpapiere anschafft, bearbeitet oder verarbeitet und weiterveräußert, der Versicherungen übernimmt, Bankgeschäfte betreibt, der Beförderungen von Gütern oder Reisenden übernimmt, ein kaufmännisches Hilfsgewerbe (z. B. Handelsvertreter oder Spediteur) betreibt, eine Druckerei, einen Buch- oder Kunsthandel oder ein Verlagsgeschäft führt.

Die Kaufleute betreiben ihre Handelsgeschäfte unter ihren Geschäftsnamen, d. h. unter ihrer Firma. Wenn ein Kaufmann sein Geschäft ohne Mitgesellschafter betreibt, ist er ein Einzelkaufmann und die Firma eine Einzelfirma. Betreiben zwei oder mehrere Kaufleute eine Firma, so ist dies eine Handelsgesellschaft.

Jeder Kaufmann ist verpflichtet, seine Firma im zuständigen Handelsregister eintragen zu lassen. Ebenso müssen alle wesentlichen Veränderungen bis zur freiwilligen Liquidierung oder bis zum Konkurs der Firma eingetragen werden.

Eine Handelsgesellschaft, deren Gesellschafter unbeschränkt gegenüber den Firmengläubigern haften, heißt offene Handelsgesellschaft (= OHG). Haftet nur einer oder nur ein Teil der Gesellschafter unbeschränkt (= Komplementäre) und die anderen beschränkt (= Kommanditisten), so sprechen wir von einer Kommanditgesellschaft (= KG).

OHG und KG werden als Personengesellschaften bezeichnet. In der KG haftet der Kommanditist nur mit seiner Einlage. Wenn wir uns eine Gesellschaft vorstellen, in der alle Gesellschafter (= Aktionäre) nur mit ihrer Einlage haften, so haben wir eine Aktiengesellschaft (=AG). Das Grundkapital (= Aktienkapital) der Gesellschaft ist in gleiche Teile (= Aktie) zerlegt, die im Besitz der Gesellschafter (= Aktionäre) sind. Der Mindestbetrag des Grundkapitals ist 100 000 DM. In jeder Aktie ist das Recht auf eine Stimme in der Gesellschaftsversammlung (= Hauptversammlung = HV) verbrieft. Die Hauptversammlung bestellt den Aufsichtsrat, der nach der Größe des Grundkapitals aus 3, 6, 9, 12 oder 15 Aufsichtsratsmitgliedern besteht. Ein Drittel der Mitglieder (des AR) werden von den Arbeitnehmern in den Aufsichtsrat entsandt.

Der Aufsichtsrat bestellt den Vorstand, der aus einem oder mehreren Vorstandsmitgliedern bestehen muß. Die Aufgabe des Vorstandes ist die Führung der Geschäfte, während der Aufsichtsrat eine kontrollierende Funktion hat.

Eine AG im kleinen ist die Gesellschaft mit beschränkter Haftung (= GmbH). Das Kapital der Gesellschaft (= Stammkapital) muß mindestens 20 000 DM betragen. Die Gesellschafterversammlung muß einen oder mehrere Geschäftsführer zur Führung der Geschäfte bestellen.

AG und GmbH sind Kapitalgesellschaften, weil nur das Kapital der Gesellschafter für die Verbindlichkeiten der Firma haftet.

Eine Zwischenstellung zwischen den Personen- und Kapitalgesellschaften nehmen die Genossenschaften ein. Es sind dies Gesellschaften von nichtgeschlossener Mitgliederzahl, welche die Förderung des Erwerbs oder der Wirtschaft ihrer Mitglieder mittels gemeinschaftlichen Geschäftsbetriebes bezwecken. Die Gesellschafter nennt man Genossen. In der Gesellschafterversammlung (= Generalversammlung) wird nach Köpfen und nicht nach dem Kapitalanteil abgestimmt.

Kaufleute sind auch diejenigen, die ein kaufmännisches Hilfsgewerbe ausüben: Der Handelsvertreter vermittelt auf Grund eines ständigen Auftrages gegen Provision Geschäfte für andere Unternehmer in deren Namen, während der Handelsmakler diese Vermittlung ohne ständigen Auftrag übernimmt.

Der Kommissionär kauft oder verkauft im eigenen Namen, aber für fremde Rechnung. Kommissionäre führen oft im Ausland ein Konsignationslager für ihre Auftraggeber. Der Spediteur übernimmt die Güter zum Versand, er kümmert sich um die Verzollung und Versicherung der Ware usw.

Der Kaufmann ist der Unternehmer in der Marktwirtschaft. Er ist der Arbeitgeber, er hat die Verantwortung für den Betrieb, er übernimmt das Geschäftsrisiko und haftet den Gläubigern für die Verbindlichkeiten. Die Mitarbeiter des Kaufmanns sind entweder leitende Angestellte wie Prokuristen, Vorstandsmitglieder von AGs oder Geschäftsführer von GmbHs oder Angestellte mit ausführender Tätigkeit (Verkäufer, Kassier, Lagerist, Buchhalter usw.).

Das Dienstverhältnis beginnt mit der Unterzeichnung des Dienstvertrages und endet mit der Kündigung. Die Kündigungsfrist kann *vertraglich* sein (d. h. zum Ende eines Kalendermonats) oder *gesetzlich* (d. h. 42 Tage vor Quartalsende). Das deutsche Betriebsverfassungsgesetz (1952) sichert die Rechte der Arbeitnehmer im Betrieb.

Übung 1: Formulieren Sie die folgenden Sätze um:

1. Als Handelsgewerbe gilt jeder Gewerbebetrieb, der Waren oder Wertpapiere anschafft und weiterveräußert.
2. Die Kaufleute betreiben ihre Geschäfte unter ihrer Firma.
3. In der KG haftet der Kommanditist nur mit seiner Einlage.
4. Jede Aktie präsentiert eine Stimme in der Hauptversammlung.
5. Die Aktionäre bestellen den Aufsichtsrat, der wiederum den Vorstand bestellt.

6. In den Kapitalgesellschaften haftet nur das Kapital für Verbindlichkeiten der Firma.
7. Die Genossenschaften bezwecken die Förderung des Erwerbs oder der Wirtschaft ihrer Mitglieder mittels gemeinschaftlichen Geschäftsbetriebs.
8. Der Handelsmakler übernimmt die Vermittlung von Geschäften ohne ständigen Auftrag.
9. Der Kommissionär kauft oder verkauft im eigenen Namen, aber für fremde Rechnung.
10. Das Dienstverhältnis endet mit der Kündigung.

---

Der Mitteilungswert und die Stellung der Satzglieder

Je wichtiger ein Satzglied innerhalb des Sprachzusammenhanges ist, um so weiter rückt es ans Ende des Satzfeldes. Einige Satzglieder beanspruchen jedoch immer ihren festen Platz: Dieses sind die Prädikatsergänzungen und die Präpositionalobjekte. Das Dativ- und Akkusativobjekt konkurrieren um ihre Stellung. Das Objekt mit dem höheren Mitteilungswert rückt ans Ende.
... daß der junge Angestellte der Sekretärin *die Blumen* geschenkt hat
... daß der junge Angestellte die Blumen *der Sekretärin* geschenkt hat
Indeterminierte Dativ- und Akkusativobjekte werden auch nach ihrem Mitteilungswert ihren Platz einnehmen, wobei die indeterminierten Objekte stets einen höheren Mitteilungswert haben als die determinierten.
... daß der junge Angestellte der Sekretärin *Blumen* geschenkt hat.
... daß der Firmeninhaber den Angestellten *einen freien Tag* gegeben hat.
... daß der junge Angestellte die Blumen *einer Sekretärin* geschenkt hat..
... daß der Firmeninhaber den freien Tag nur *einem* Angestellten gegeben hat.
Auch die Angaben konkurrieren mit dem Dativ- und dem Akkusativobjekt um ihre Stellung, wenn sie einen höheren Mitteilungswert beanspruchen:
... daß der junge Angestellte gestern der Sekretärin *die Blumen* geschenkt hat.
... daß der junge Angestellte der Sekretärin gestern *die Blumen* geschenkt hat.
... daß der junge Angestellte die Blumen gestern *der Sekretärin* geschenkt hat.
... daß der junge Angestellte der Sekretärin die Blumen *gestern* geschenkt hat.
Eine freie Angabe muß jedoch immer vor dem indeterminierten Objekt bleiben:
... daß der junge Angestellte der Sekretärin gestern *Blumen* geschenkt hat.
... daß der junge Angestellte die Blumen gestern *einer Sekretärin* geschenkt hat.
In Passivsätzen verzichtet man im allgemeinen auf die Beschreibung des Urhebers oder der Ursache. Sind diese jedoch wichtig für die Mitteilung, erscheinen sie als Kausalangaben.
    Die Bank ist *von einem ihrer Kunden* um Rat gebeten worden.

Diese Versicherung ist uns *durch einen Versicherungsvertreter* vermittelt worden.
An Geschäftstagen werden diese Aufträge *von Banken* zweimal täglich abgerechnet.
In der Nacht werden viele Geschäfte *von Sicherungsvorrichtungen* geschützt.
In diesen Passivsätzen konkurriert das Subjekt (als Kausalangabe) mit den Dativ- und Akkusativobjekten und den Angaben um den letzten Platz.

---

Übung 2: Erklären Sie mit eigenen Worten und in vollständigen Sätzen folgende Wörter in der Bedeutung, die sie im Text haben:

1. gilt (Zeile 2)
2. Handelsgesellschaft (Zeile 11)
3. zuständig (Zeile 13)
4. wesentlich (Zeile 14)
5. unbeschränkt haften (Zeile 17)
6. Firmengläubiger (Zeile 18)
7. Einlage (Zeile 23)
8. zerlegt (Zeile 27)
9. Führung der Geschäfte (Zeile 35)
10. Zwischenstellung (Zeile 43)
11. mittels (Zeile 46)
12. ausüben (Zeile 49)
13. Marktwirtschaft (Zeile 57)
14. ausführende Tätigkeit (Zeile 62)
15. Dienstverhältnis (Zeile 63)

Übung 3: Ergänzen Sie die Präposition und – wenn nötig – den Artikel!

1. Der Kaufmann ist . . . Handelsgesetzbuch.
2. Verkehrsbetriebe übernehmen die Beförderung . . . Güter . . . oder . . . Reisenden.
3. Mein Freund betreibt sein Geschäft . . . dieser Firma.
4. Jeder Kaufmann muß seine Firma . . . Handelsregister eintragen lassen.
5. Der Kommanditist haftet nur . . . seiner Einlage.
6. Das Grundkapital ist . . . gleiche Teile zerlegt.
7. Der Vorstand besteht . . . mehreren Mitgliedern.
8. Die Gesellschafterversammlung bestellt den Geschäftsführer . . . Führung der Geschäfte.

9. Der Erwerb wird ... gemeinschaftlichen Geschäftsbetrieb gefördert.
10. Es wird ... Köpfen abgestimmt.
11. Der Handelsmakler vermittelt ... ständigen Auftrag.
12. Der Spediteur übernimmt die Güter ... den Versand.
13. Er kümmert sich ... die Verzollung.
14. Du haftest ... die Verbindlichkeiten.
15. Die Kündigungsfrist ist ... das Ende des Kalendermonats.

---

Kaufmann – Handelsgesetzbuch – Handelsgewerbe – Gewerbebetrieb

anschaffen – weiterveräußern – ein Hilfsgewerbe betreiben – ein Verlagsgeschäft führen

Firma – Einzelfirma – Einzelkaufmann – Handelsgesellschaft

Handelsregister – Liquidierung – Konkurs

unbeschränkt haften – Gesellschafter – offene Handelsgesellschaft (OHG)

Komplementär – Kommanditist – Kommanditgesellschaft (KG)

Personengesellschaften – Kapitalgesellschaften

Einlage – beschränkt haften

Aktie – Aktionär – Aktienkapital – Aktiengesellschaft (AG)

Hauptversammlung (HV) – Aufsichtsrat (AR) – Vorstand

Gesellschafter – Aufsichtsratmitglieder – Vorstandsmitglieder

Stammkapital – Gesellschaft mit beschränkter Haftung (GmbH) – Geschäftsführer

Genossenschaften – Genossen – Generalversammlung

Abstimmung nach Köpfen – Abstimmung nach Kapital

Hilfsgewerbe – Handelsvertreter – Handelsmakler – Kommissionär – Spediteur

Marktwirtschaft – Geschäftsrisiko – Verbindlichkeiten

leitende Angestellte – Angestellte mit ausführender Tätigkeit

Dienstverhältnis – Dienstvertrag – Kündigung – gesetzlich – vertraglich

Betriebsverfassungsgesetz – Mitbestimmung

---

# Abschnitt B

### Betriebsklima, Gastarbeiter und Vorschlagswesen

Mit Recht gilt „die Anmeldung" als die Visitenkarte des Betriebes. Eben deshalb sollte der Besucher mit wirklicher Freundlichkeit empfangen werden. Dies

wird aber bei kleineren Firmen kaum möglich sein, wenn sie dem „Empfang"
gleichzeitig die Führung von Karteien und die Bedienung der Telefonzentrale
übertragen.

Unter Betriebsklima versteht man die Art der Beziehungen zwischen dem Chef,
den leitenden Angestellten und den übrigen Angestellten. Ein Industrieunter-
nehmen, das einen Katalog der Reibungsflächen zwischen Kollegen zusammenstellen ließ, beklagt vor allem die mangelnde Hilfsbereitschaft. Man wird sich
also Gedanken machen müssen, wie das „Betriebsklima" zu verbessern ist.

Bei einem gleichbleibenden wirtschaftlichen Wachstum wird die Bundesrepublik
bald 2,5 Mill. ausländische Arbeitnehmer – sogenannte Gastarbeiter – benötigen. Schon jetzt fehlen unserer Wirtschaft Arbeitskräfte für eine halbe Million Arbeitsplätze, die nicht besetzt werden können. Von den derzeitigen
2,3 Mill. ausländischen Arbeitnehmern haben ungefähr $1/10$ einen Jahresvertrag, während im Baugewerbe und in der Landwirtschaft für jedes Jahr Saisonkräfte angeworben werden, die im letzten Quartal des Jahres in die Heimat
zurückkehren. Alle übrigen ausländischen Arbeitskräfte – etwa eine Million –
haben wie jeder deutsche Arbeitnehmer einen Arbeitsvertrag mit den tariflichen
Kündigungsfristen.

Bei etwa 100 deutschen Industriefirmen, Dienstleistungsbetrieben und Ver-
waltungsstellen wurden innerhalb eines Jahres 5,3 Mill. DM als Prämien für
betriebliche Verbesserungsvorschläge ausgezahlt. Die höchsten Einzelprämien
waren dabei knapp über 20 000 DM. Schon 1872 wurde bei Krupp ein derarti-
ges Vorschlagswesen eingeführt, das hauptsächlich Rationalisierungszwecken
diente. Heute kommt es darauf an, den Mitarbeitern den Blick für Verlustquellen und Unfallgefahren zu schärfen. Es muß darauf hingewiesen werden,
daß in einigen anderen Industrieländern dieses Vorschlagswesen viel besser
funktioniert. So werden z. B. in den Vereinigten Staaten Höchstprämien von
etwa 100 000 DM bezahlt. Alle diese guten Ideen machen sich bezahlt: Die
Prämie beträgt im Durchschnitt an die 15% des so realisierten Nutzens im
ersten Jahr.

Beantworten Sie die folgenden Fragen mit mehreren Sätzen:

1. Warum sollten die Besucher einer Firma mit wirklicher Freundlichkeit empfangen werden?
2. Wie kann man einen freundlichen Empfang gewährleisten?
3. Was versteht man unter Betriebsklima?
4. Was für Dienstverträge haben die Gastarbeiter in der Bundesrepublik?
5. In welchen Wirtschaftszweigen sind ausländische Arbeiter in der Bundesrepublik meistens beschäftigt?
6. Welche Vorteile hat das betriebliche Vorschlagswesen?
7. In welchem Industrieland funktioniert das Vorschlagswesen am besten?

Anmeldung – Visitenkarte – Empfang
Führung von Karteien – Bedienung der Telefonzentrale
Betriebsklima – Reibungsflächen – Hilfsbereitschaft
Gastarbeiter – Arbeitsplätze – Jahresvertrag – Saisonkräfte
Arbeitsvertrag mit tariflichen Kündigungsfristen
betriebliche Verbesserungsvorschläge – betriebliches Vorschlagswesen –
Prämien
Rationalisierung – Verlustquellen – Unfallgefahren

## Abschnitt C

### Stellenangebot, Bewerbung und Lebenslauf

**Modell für eine Anzeige**

Für das im Raum Metz gelegene Zweigwerk mit ca. 500 Mitarbeitern eines
führenden deutschen Maschinenbau-Unternehmens

suchen wir eine
kaufmännische Führungskraft
französischer Nationalität

für die Arbeitsgebiete Finanzen, Steuern, Einkauf und kaufmännische Verwaltung.
Wir denken hierbei an einen Diplomkaufmann (oder gleichwertige Ausbil-
dung) mit gründlicher Erfahrung auf den genannten Gebieten, im Umgang
mit Banken und der Zulieferindustrie. Der Bewerber sollte nach Möglichkeit
einige Jahre in Deutschland tätig gewesen sein und die deutsche Sprache beherrschen.
Die Position verspricht in absehbarer Zeit Übernahme der Geschäftsleitung.
Wir bitten um Zuschriften qualifizierter Bewerber unter Beifügung eines hand-
geschriebenen tabellarischen Lebenslaufes, Zeugnisabschriften, Angabe der Einkommenswünsche und des frühesten Eintrittstermines unter Nr. 38723 an
Agentur RASAG, 66 Saarbrücken, Postfach 732, Deutschland.

Bewerben Sie sich um die ausgeschriebene Stelle und fügen Sie Ihren tabellarischen Lebenslauf bei!

130

(Geburtsdaten – Ort, Tag)
Eltern –
Beschäftigung der Eltern –
Staatsbürgerschaft

Schulbesuch:

Volksschule von ... bis ... in –
Oberschule von ... bis ... in –
Reifeprüfung am ... in –
Hochschulstudium von ... bis ... in –
Abschlußprüfung am ... in –
Staatsprüfung am ... in –

Berufliche Tätigkeit:

bei der Firma ... in ... als ...
bei der Firma ... in ... als ...

Gründe für den beabsichtigten Stellenwechsel:

...

---

Mitarbeiter – Führungskraft – Arbeitsgebiet
Finanzen – Steuern – Einkauf – Kaufmännische Verwaltung
qualifizierter Bewerber – handgeschriebener Lebenslauf
Zeugnisabschrift – Einkommenswünsche – Eintrittstermin
Geburtsdaten – Staatsbürgerschaft – Schulbesuch – berufliche Tätigkeit
Volksschule – Oberschule – Hochschule
Reifeprüfung – Abschlußprüfung – Staatsprüfung

# Kapitel 14
## Abschnitt A

### Die Gründung der Europäischen Wirtschaftsgemeinschaft

Als Folge des Ersten Weltkrieges zeigten sich Ansätze zu einer europäischen Einigung, die jedoch erst nach den verheerenden Auswirkungen des Zweiten Weltkrieges unter dem Zwang der wirtschaftlichen Notwendigkeiten zu ersten greifbaren Ergebnissen führten. Mit Hilfe der Vereinigten Staaten wurde ein europäisches Wiederaufbauprogramm (E.R.P.) festgelegt, das von der zu diesem Zweck gegründeten Organisation für Europäische Wirtschaftliche Zusammenarbeit (OEEC) (Europäischer Wirtschaftsrat) durchgeführt wurde. Die Tätigkeit dieser Organisation sollte die Grundlagen für einen europäischen Binnenmarkt ohne mengenmäßige Beschränkungen des Warenverkehrs, für einen freien Zahlungsverkehr und schließlich für den Abbau aller Zölle in Europa schaffen. Von diesen Zielsetzungen konnten jedoch nur die Liberalisierung des Warenverkehrs (= Abbau der mengenmäßigen Einfuhrbeschränkungen) und (eine Befreiung) des Zahlungsverkehrs erreicht werden. Der erste Schritt zu einem wirtschaftlichen Zusammenschluß wurde im Jahre 1951 durch die Errichtung der Europäischen Gemeinschaft für Kohle und Stahl getan. Zwischen Italien, Frankreich, den Benelux-Staaten (Belgien, Niederlande, Luxemburg) und der Bundesrepublik Deutschland wurde für zwei wichtige Grundstoffe, nämlich Kohle und Stahl, ein einheitlicher Markt geschaffen, d. h. ein freier Warenverkehr dieser Produkte zwischen den Mitgliedstaaten. Den Organen dieser Gemeinschaft wurden Befugnisse zur Ausübung von Hoheitsrechten der Mitgliedstaaten übertragen. Diese sogenannte Montanunion sollte der Kern für einen politischen Zusammenschluß Europas sein. Auf Grund des Memorandums der Benelux-Staaten vom Frühjahr 1955 faßten die sechs Mitgliedstaaten der Montanunion auf der Konferenz von Messina (1.–2. Juni 1955) den Beschluß, gemeinsame Institutionen zu errichten, um die nationalen Volkswirtschaften zusammenzuschließen, einen gemeinsamen Markt zu schaffen und die Sozialpolitik zu harmonisieren. Es sollten gemeinsam bessere Verkehrswege entwickelt werden, größere Energiemengen zu niedrigen Kosten bereitgestellt werden und die Atomenergie für friedliche Zwecke verwendet werden. Dieser Beschluß wurde durch die Unterzeichnung der Verträge zur Gründung der Europäischen Wirtschaftsgemeinschaft und der europäischen Atomgemeinschaft am 25. März 1957 in Rom in die Tat umgesetzt. Die Verträge traten am 1. Januar 1958 in Kraft. Auf Grund des Euratom wurde ein gemeinsamer Markt für alle Güter und Erzeugnisse geschaffen, die in direkter Beziehung zur Gewinnung von Atomenergie stehen. Alle Verbraucher haben nun gleichen Zugang zu den Kernbrennstoffen.

Der Vertrag zur Gründung der Europäischen Wirtschaftsgemeinschaft (EWG) soll die Volkswirtschaften der sechs Mitgliedstaaten zu einem großen Wirtschaftsraum, zu einem Gemeinsamen Markt, vereinigen. Dies sollte zunächst durch eine Zollunion, d. h. durch die Abschaffung der Zölle und mengenmäßigen Beschränkungen bei der Ein- und Ausfuhr von Waren zwischen den Mitgliedstaaten sowie die Einführung eines gemeinsamen Zolltarifs gegenüber allen anderen Staaten verwirklicht werden.

Gleichlaufend damit soll auch die Freizügigkeit der Arbeitnehmer und der selbständigen Berufstätigen, des Kapital-, Zahlungs- und Dienstleistungsverkehrs hergestellt werden. Um einen echten gemeinsamen Markt zu schaffen, sollen gleiche Wettbewerbsbedingungen gesichert werden, und zwar durch Harmonisierung der Steuern, der Löhne und der Sozialleistungen sowie durch die Angleichung der Rechtsvorschriften. Das Endziel des Vertrages ist die Einführung einer gemeinsamen Politik auf den verschiedensten Gebieten der Wirtschaft.

Die Verwirklichung dieser Ziele ist sowohl den Mitgliedstaaten als auch den durch den Vertrag eingesetzten Organen (Kommission, Rat, Gerichtshof) der Gemeinschaft übertragen worden. Die Durchführung und Anwendung des Vertrages wird von der Kommission wahrgenommen, die ein von den Regierungen unabhängiges Organ ist. Sie besteht aus neun Mitgliedern und ist die eigentliche Exekutive der Gemeinschaft. Die wichtigsten Beschlüsse werden vom Rat gefaßt, der sich aus Vertretern der Mitgliedstaaten zusammensetzt. Kommission und Rat werden vom „Europäischen Parlament" beraten, das aus Mitgliedern der nationalen Parlamente gebildet wird. Für die Wahrung des Rechts bei der Anwendung und Auslegung des Vertrages sorgt schließlich der Gerichtshof.

Übung 1: Formulieren Sie die folgenden Sätze um:

1. Die verheerenden Auswirkungen des Zweiten Weltkriegs führten unter dem Zwang der wirtschaftlichen Notwendigkeit zu den ersten greifbaren Ergebnissen.
2. Den Organen der Gemeinschaft wurden Befugnisse zur Ausübung von Hoheitsrechten von den Mitgliedsstaaten übertragen.
3. Dieser Beschluß wurde durch die Unterzeichnung der Verträge in die Tat umgesetzt.
4. Alle Verbraucher haben gleichen Zugang zu den Kernbrennstoffen.
5. Die Zollunion soll durch die Abschaffung der Zölle und mengenmäßigen Beschränkung bei der Ein- und Ausfuhr von Waren verwirklicht werden.
6. Die Freizügigkeit des Kapital-, Zahlungs- und Dienstleistungsverkehrs soll hergestellt werden.
7. Es sollen gleiche Wettbewerbsbedingungen durch die Harmonisie-

rung der Steuern, der Löhne und der Sozialleistungen gesichert werden.

8. Die Durchführung und Anwendung des Vertrages wird von der Kommission wahrgenommen.

9. Der Gerichtshof sorgt für die Wahrung des Rechts bei der Anwendung und Auslegung des Vertrages.

---

## Gebrauch des Konjunktivs

Der Konjunktiv bezeichnet einen angenommenen Sachverhalt. Die Verwendung des Konjunktivs ist im Deutschen nicht an bestimmte Konjunktionen oder Verben gebunden. Sie ist der ausschließliche Ausdruck dafür, wie der Sprecher zum Sachverhalt steht.

Ich habe gehört, daß der Direktor nach Hannover gefahren *ist*.
(ich zweifle nicht daran)
Ich habe gehört, daß der Direktor nach Hannover gefahren sei.
(ich kann es aber bezweifeln)

Der Konjunktiv I drückt im Hauptsatz:

1. einen Wunsch aus, dessen Erfüllung möglich erscheint:
   Mögen Sie mit Ihrer Betriebsgründung viel Erfolg haben!
2. eine Imperativbedeutung aus:
   Man nehme für dieses Auto nur Superbenzin!
   Sprechen wir nicht mehr von diesem Geschäft!

steht in Nebensätzen:

1. in Konzessivsätzen (oft mit mögen)
   Was immer mit diesem Kunden geschehen möge, wir werden es mit Gelassenheit tragen.
2. in Finalsätzen, besonders nach der Konjunktur *damit* (der übergeordnete Vorgang steht meist in der Vergangenheit)
   Er erteilte seinem ausländischen Geschäftspartner schon frühzeitig den Auftrag, damit er rechtzeitig beliefert *werde*.

## Der Konjunktiv II

bezeichnet einen Vorgang, den man sich nur denkt, der aber noch nicht eingetreten ist oder nicht eintreten kann.

Zur Bezeichnung der Zeit eines Vorgangs hat der Konjunktiv II folgende Bildungen:

| Die Handlung ist in der | Im Konjunktiv II steht |
|---|---|
| 1. Gegenwart, Zukunft | Hauptverb oder Modalverb |
| 2. Vergangenheit | haben oder sein + Partizip Perfekt des Hauptverbs oder Infinitiv des Modalverbs |

1. Wenn ich Geld *hätte, ginge* ich heute ins Kino.
   Wenn ich Zeit *hätte, führe* ich jetzt in Urlaub.
2. Wenn er genügend Kapital für ein eigenes Geschäft *gehabt hätte, wäre* er nicht als Angestellter in eine fremde Firma eingetreten.

Bei allen schwachen Verben und bei starken Verben, die keinen Umlaut bilden können, sind die Formen des Konjunktivs II und die Formen des Präteritums gleich. Deshalb gebraucht man für den Konjunktiv II *werden + Infinitiv des Hauptverbs* (nicht notwendig, wenn im Satz ein anderer erkennbarer Konjunktiv II steht).

Ich habe nicht geglaubt, daß er das Akzept *einlösen würde*.
Ich *kaufte* mir einen Anzug, wenn der Briefträger das Geld von meinem Vater *brächte*.

Man gebraucht den Konjunktiv II

1. in irrealen Konditionalsätzen; wenn anstelle des Konditionalsatzes eine Angabe steht, wird der Konjunktiv II in alleinstehenden Hauptsätzen gebraucht:
   Mit einer besseren Berufsausbildung *könnte* er die Firma allein führen.
2. in irrealen Wunschsätzen (meistens mit dem Adverb *doch*):
   Wenn die Urlaubszeit *doch* endlich *käme!*
3. in irrealen Vergleichssätzen (nach der Konjunktion als, als ob, als wenn):
   Er arbeitet *so* nachlässig, *als ob* er es nicht nötig *hätte*.
   Wenn der Vergleichssatz von einem Adjektiv oder einem Adverb abhängt, hat er die Konjunktion *als daß* und steht im Konjunktiv II.
   Er ist viel zu *jung, als daß* er die Firma übernehmen könnte.
4. für die Unterscheidung von Realität und Irrealität:
   Er hätte ihn anstellen können, aber er wollte nicht.
5. in sehr höflichen Fragen werden + Infinitiv des Hauptverbs:
   Würden Sie mir bitte die Waren noch heute schicken?
6. wenn man seine Meinung sehr vorsichtig und zurückhaltend ausdrücken will, gebraucht man den Konjunktiv II von *dürfen*:
   Die Sendung ist gestern als Expreßgut von Hamburg abgegangen. Sie dürfte heute hier eintreffen.
7. Konjunktiv II der Vergangenheit mit *beinahe* oder *fast* drückt aus, daß ein Vorgang im letzten Augenblick nicht eingetreten ist:
   Ich *hätte* die Prüfung beinahe nicht *bestanden*.

Übung 2: Erklären Sie mit eigenen Worten und in vollständigen Sätzen folgende Wörter in der Bedeutung, die sie im Text haben:

1. zeigten sich Ansätze (Zeile 1)
2. Auswirkungen (Zeile 2)
3. mengenmäßige Beschränkung des Warenverkehrs (Zeile 9)
4. freier Zahlungsverkehr (Zeile 10)
5. Liberalisierung des Warenverkehrs (Zeile 11)
6. Befugnisse übertragen (Zeile 20)
7. Ausübung von Hoheitsrechten (Zeile 20)
8. die Sozialpolitik harmonisieren (Zeile 26)
9. Energiemengen bereitstellen (Zeile 28)
10. in die Tat umsetzen (Zeile 30)
11. gleichen Zugang haben (Zeile 34)
12. in Kraft treten (Zeile 31)
13. gemeinsamer Zolltarif (Zeile 40)
14. Freizügigkeit der Arbeitnehmer (Zeile 42)
15. gleiche Wettbewerbsbedingungen (Zeile 45)
16. Angleichung der Rechtsvorschriften (Zeile 47)
17. gemeinsame Politik auf dem Gebiet der Wirtschaft (Zeile 48)
18. wahrnehmen (Zeile 52)
19. Exekutive (Zeile 54)
20. Wahrung des Rechts (Zeile 57)

Übung 3: Beschreiben Sie die Sachverhalte, die möglich gewesen wären, wenn andere Umstände eingetreten wären!

1. Erst die verheerenden Auswirkungen des Zweiten Weltkriegs haben zu einer Einigung Europas geführt. Nach dem Zweiten Weltkrieg...
2. Die römischen Verträge wurden am 25. März 1957 unterzeichnet. Mit gutem Willen...
3. Der freie Warenverkehr ohne Zollabgaben ist in der Gemeinschaft gesichert. Ohne Zollunion...
4. Die Wettbewerbsbedingungen innerhalb der Gemeinschaft sind noch immer nicht gleich. Durch Angleichung der Rechtsvorschriften...
5. Die Anwendung und Auslegung des Rechts wird vom Gerichtshof wahrgenommen. Ohne Gerichtshof...

Übung 4: Verneinen Sie die vorliegenden Sachverhalte in Wunschform!

1. Innerhalb von 30 Jahren hat es 10 Jahre Krieg gegeben.
2. Es konnte kein einheitlicher Markt geschaffen werden.

3. Die Montanunion war nicht der Kern für den Zusammenschluß Europas.
4. Die Sozialpolitik ist noch immer nicht harmonisiert.
5. Die Atomenergie wird nicht nur zu friedlichen Zwecken ausgebaut.

Übung 5: Stellen Sie die folgenden Fragen in höflicher Form:
1. Schicken Sie mir meine Bestellung noch heute?
2. Kann ich Sie morgen eine Stunde lang sprechen?
3. Verbinden Sie mich mit dem Chef?
4. Melden Sie mich bei der Einkaufsabteilung an?
5. Können Sie dieses Mal am Sonnabend arbeiten?

---

das Europäische Wiederaufbauprogramm – Organisation für Europäische Zusammenarbeit
mengenmäßige Beschränkung des Binnenverkehrs – freier Zahlungsverkehr – Abbau der Zölle
die Europäische Gemeinschaft für Kohle und Stahl – Montanunion
die Europäische Wirtschaftsgemeinschaft – die römischen Verträge
Gewinnung von Atomenergie – Euratom
Gemeinsamer Markt – Zollunion – freier Warenverkehr – gemeinsamer Zolltarif
freier Kapital-, Zahlungs- und Dienstleistungsverkehr
gleiche Wettbewerbsbedingungen – Angleichung der Rechtsvorschriften
Harmonisierung der Steuern, der Löhne und der Sozialleistungen
Organe der Gemeinschaft – Kommission – Rat – Europäisches Parlament – Gerichtshof

---

# Abschnitt B

**Die Zielsetzungen der EWG und das Mehrwertsteuersystem**

Die Regierungen der neun Mitgliedstaaten haben sich entschlossen, die Grundlagen für einen immer engeren Zusammenschluß der europäischen Völker zu schaffen und durch gemeinsames Handeln den wirtschaftlichen und sozialen Fortschritt ihrer Länder zu sichern, indem sie die Europa trennenden Schranken beseitigen. Sie streben die stetige Verbesserung der Lebens- und Beschäftigungsbedingungen ihrer Völker als wesentliches Ziel an. Sie wollen durch gemeinsames Vorgehen die bestehenden Hindernisse beseitigen, um eine beständige Wirtschaftsausweitung, einen ausgewogenen Handelsverkehr und einen redlichen Wettbewerb zu gewährleisten. Sie sind bestrebt, ihre Volkswirtschaften zu einigen und deren harmonische Entwicklung zu fördern, indem sie den Abstand in der wirtschaftlichen Entwicklung zwischen einzelnen Gebieten und den Rückstand weniger Gebiete verringern wollen. Sie wünschen, durch eine gemeinsame Handelspolitik zur fortschreitenden Beseitigung der Beschränkungen im zwischenstaatlichen Wirtschaftsverkehr beizutragen. Sie haben die Absicht, die Verbundenheit Europas mit den überseeischen Ländern zu bekräftigen, und wünschen, entsprechend den Grundsätzen der Satzung der Vereinten Nationen, den Wohlstand der überseeischen Länder zu fördern. Sie sind entschlossen, durch diesen Zusammenschluß ihrer Wirtschaftskräfte Frieden und Freiheit zu wahren und zu festigen und fordern alle anderen Völker Europas auf, die sich zu dem gleichen hohen Ziel bekennen, sich diesen Bestrebungen anzuschließen. Deshalb haben sie beschlossen, eine Europäische Wirtschaftsgemeinschaft zu gründen.

Die französische Regierung hat durch ein neues Gesetz die Ausdehnung der Mehrwertbesteuerung auf den Einzelhandel eingeführt. Bisher wurde dieser nach seinem Umsatz von den Gemeinden mit 4% pauschal besteuert. Für den dadurch entstehenden Steuerausfall der Gemeinden werden diese vom Staat entschädigt, was etwa einen Betrag von 3 Mrd. F pro Jahr ausmachen wird. Diese Steuerreform, die auf Grund der EWG-Verträge durchgeführt wird, bedeutet eine große Vereinfachung des französischen Steuersystems. Der Satz von 16,66% entspricht jedoch noch lange nicht dem europäischen Einheitssatz, der innerhalb der EWG angestrebt wird, der 12% nicht überschreiten sollte. Für viele Waren, wie Luxuserzeugnisse, Filme, Magnetophone, Rundfunk- und Fernsehempfänger, Schallplatten, Personenkraftwagen, Pelze, Pelzbekleidungen bleibt die Mehrwertsteuer jedoch auf dem bisherigen Satz von 20%, mit dem diese Produkte, die zum größten Teil aus dem Ausland kommen, bei ihrer Einfuhr versteuert werden. Dadurch wird gegenüber den anderen Ländern der EWG, die eine niedrigere Umsatzbesteuerung haben, bis zur endgültigen Harmonisierung ein protektionistischer Effekt erzielt.

Beantworten Sie jede folgende Frage mit mehreren Sätzen:

1. Wie sollen die Schranken der europäischen Länder beseitigt werden?
2. Was ist das wesentliche Ziel der EWG?
3. Was soll durch eine gemeinsame Handelspolitik erreicht werden?
4. Welche Absicht hat die EWG gegenüber den überseeischen Ländern?
5. Welches ist das letzte Ziel der EWG?
6. Welche große Steuerreform wurde innerhalb der EWG durchgeführt?

7. Wie hoch soll der endgültige Mehrwertsteuersatz innerhalb der EWG sein?
8. Welche Wirkung hat ein höherer Mehrwertsteuersatz eines EWG-Landes gegenüber den anderen EWG-Staaten?

---

wirtschaftlicher Fortschritt – sozialer Fortschritt
Besserung der Lebensbedingungen – Besserung der Beschäftigungsbedingungen
beständige Wirtschaftsausweitung – ausgewogener Handelsverkehr – redlicher Wettbewerb
gemeinsame Handelspolitik – Beseitigung der Beschränkungen im zwischenstaatlichen Wirtschaftsverkehr
Satzung – Vereinte Nationen – überseeische Völker
Zusammenschluß der Wirtschaftskräfte – Frieden – Freiheit

---

# Abschnitt C

Eine Briefreihe: Ausfuhr von elektrischen Haushaltsgeräten

1. Fa. Frigoral, Turin, via Garibaldi 15
   an Fa. Walter Kühn, Friedrich-Ebert-Str. 3, 6000 Frankfurt/M.:

   1. März Angebot der neuesten Serie  |  a) von Kühlschränken:
   Rauminhalt 125 l .........................  |  200 DM frei Brenner
                                                |  b) von Waschmaschinen:
   Typ „Mondo" ...........................  |  450 DM frei Brenner
                                                |  c) Elektroherden:
   Typ „Luce" ...........................  |  200 DM frei Brenner
                                                |  d) Geschirrspülmaschinen:
   Typ „Nive" ...........................  |  1050 DM frei Brenner

   Alle Apparate in Kisten verpackt, Verpackung im Preis inbegriffen, Mindestbestellung 25 Stück je Artikel, Lieferzeit 3 Wochen, Zahlungsbedingungen 50% per Akkreditiv an unsere Bank „Banco di Torino", Torino, via Manzoni 11, Akkreditiv unwiderruflich, Laufzeit ein Monat.
   50% 2 Monate Ziel netto oder 4 Monate auf Akzept.

2. Walter Kühn an Frigoral
   15. März Bestellung:
   45 Kühlschränke (125 l)

25 Waschmaschinen „Mondo"
30 Elektroherde „Luce"
25 Geschirrspülmaschinen „Nive"
Heute Akkreditiv – 50% des Rechnungsbetrages beim Bankhaus „Bass und Hertz" Ffm. eröffnet (zu Ihren Gunsten per Banco di Torino), Rest auf Akzept.

3. 5. April Lieferung und Rechnung + Wechsel zum Akzept.

4. von Kühn:

Beanstandung: nur 40 Kühlschränke, aber 30 Waschmaschinen geliefert, bitte Nachlieferung von 5 Kühlschränken, stelle 5 Waschmaschinen zur Verfügung.

5. von Frigoral:

Beanstandung berechtigt, ist Übernahme möglich, wenn 15% Nachlaß auf Waschmaschinen – Kühlschränke bei der nächsten Bestellung erst zu liefern?

6. (Kühn) Einverstanden! Akzeptierte Wechsel mit endgültigem Rechnungsbetrag anbei.

# Kapitel 15

## Abschnitt A

### Die Marktorganisation der EWG

Die ersten wichtigsten Maßnahmen der Kommission bestanden in der Senkung der Zölle und der Erweiterung der Kontingente zwischen den Mitgliedstaaten. Dies gilt auch für die mit der Gemeinschaft assoziierten überseeischen Länder. Für diese hat der Entwicklungsfonds die Finanzierung sozialer und wirtschaftlicher Vorhaben aufgenommen. In den ersten Jahren der Gemeinschaft wurden außerdem die Grundlagen für die endgültige Regelung der gemeinsamen Agrarpolitik gelegt. Demzufolge wurde der gemeinsame Markt für Agrarprodukte durch den freien Warenverkehr und durch ein gemeinsames Preisniveau geschaffen. Dadurch will man zu einem Gleichgewicht zwischen Angebot und Nachfrage gelangen. Der Schutz der agrarischen Erzeugnisse der Gemeinschaft soll durch ein System von Abschöpfungen an den Grenzen des Gemeinsamen Marktes gewährleistet werden. Die Abschöpfungen sind die Folge der Präferenz, die die Mitgliedsländer im Handel untereinander genießen. Nach langwierigen Verhandlungen wurden zuerst für Getreide und anschließend für andere landwirtschaftliche Erzeugnisse gemeinsame Marktorganisationen geschaffen. Anschließend wurde mit Griechenland ein Assoziierungsvertrag von 12–22 Jahren abgeschlossen. (Griechenlands Landwirtschaft hat einen Anteil von 30% am Sozialprodukt.) Des weiteren wurde mit dem Iran ein Handelsvertrag von 3 Jahren (kann jeweils um ein Jahr verlängert werden) geschlossen. Auf Grund dessen können Wollteppiche, getrocknete Weintrauben und Aprikosen sowie Kaviar zu einem besonders günstigen Zollsatz eingeführt werden. Ein ähnliches Handelsabkommen wurde mit Israel geschlossen, mit Begünstigungen auch für bestimmte gewerbliche Erzeugnisse. Danach folgte die Assoziierung der Türkei mit der EWG, die nach einer Reihe von Jahren (etwa 17) zu einer Zollunion führen wird.

Im Jahre 1965 wurde der Vertrag über die Fusion der europäischen Institutionen von EWG, Euratom und Montanunion unterzeichnet. Die Frage der Rechte und Befugnisse des Europäischen Parlaments, insbesondere in Haushaltsfragen, wurde offengelassen. Danach konnte eine Einigung darüber erzielt werden, daß die Zollunion und der Gemeinsame Markt schrittweise bis zum 1. 7. 1968 – also 1½ Jahre vor Ablauf der im Vertrag festgesetzten Übergangszeit, verwirklicht werden wird. Mit Wirkung vom 1. 1. 1973 sind Großbritannien, Irland und Dänemark der EWG beigetreten.

Für den Großteil der Produkte, die bereits einer gemeinsamen Marktordnung unterliegen, wurde vom 1. 7. 1967 an die Finanzierung sämtlicher Ausgaben übernommen. Für den Bereich „Ausrichtung" wird ein Höchstbetrag festgesetzt.

Übung 1: Formulieren Sie die folgenden Sätze um:

1. Die ersten wichtigsten Maßnahmen der Kommission waren die Senkung der Zölle und die Erweiterung der Kontingente zwischen den Mitgliedsstaaten.
2. Für die assoziierten überseeischen Länder hat der Entwicklungsfonds die Finanzierung sozialer und wirtschaftlicher Vorhaben aufgenommen.
3. Durch den freien Warenverkehr und ein gemeinsames Preisniveau will man zu einem Gleichgewicht zwischen Nachfrage und Angebot kommen.
4. Der Schutz der agrarischen Erzeugnisse der Gemeinschaft soll durch ein System von Abschöpfungen an den Grenzen des Gemeinsamen Marktes gewährleistet werden.
5. Die Abschöpfungen sind die Folge der Präferenz, die die Mitgliedsländer im Handel untereinander genießen.
6. Griechenlands Landwirtschaft hat einen Anteil von 30% am Sozialprodukt.
7. Die Frage über die Rechte und Befugnisse des Europäischen Parlaments, insbesondere in Haushaltsfragen, wurde offengelassen.
8. Der Großteil der Produkte unterliegt einer gemeinsamen Marktorganisation.

---

Die Konjunktion als Kennzeichen für Inhalte

1. Einfache Verbindungen zweier Sachverhalte:
   a) *und:* Handel *und* Industrie stellen viele Güter her.
   b) *nicht nur . . . sondern auch:*
   *Nicht nur* die Gewerbebetriebe, *sondern* auch die Landwirtschaft sind für das Sozialprodukt sehr wichtig.

2. Einer von zwei beschriebenen Sachverhalten kommt zustande:
   a) *oder:* Wir fahren nach Hannover *oder* nach Hamburg.
   b) *entweder . . . oder:*
   Wir fahren *entweder* zur Hannover-Messe *oder* sofort in Urlaub an die Nordsee.

3. Verbindung zweier gegensätzlicher Sachverhalte:

*aber, dagegen, hingegen, indessen* reiht zwei gegensätzliche Sachverhalte aneinander und hebt sie voneinander ab:
Die Herstellungsbetriebe erzeugen Sachgüter für die Wirtschaft, *dagegen* stellen die Dienstleistungsbetriebe Dienstleistungsgüter zur Verfügung.

4. Anschluß einer Einschränkung, eines Widerspruchs oder einer Berichtigung:

a) *(zwar)* ... *aber, doch, jedoch* schränken ein, berichtigt oder stellt den Widerspruch zur vorangegangenen Mitteilung auf:
Die Versicherungen ersetzen *zwar* die Unkosten eines Unfalls, können *jedoch* die Gesundheit der Geschädigten nicht wieder herstellen.
Die EWG hat die Zollschranken abgebaut, *aber* die politische Einigung läßt noch auf sich warten.

b) *nur, allerdings* führt die einzige Einschränkung des vorher mitgeteilten Sachverhaltes an:
Wir kaufen diesen Farbfernsehapparat, *allerdings* können wir ihn nur in Raten bezahlen.

c) *wenigstens, zumindest* schwächt eine Feststellung ab:
Die Mehrwertsteuer wird einige Jahre lang den Kaufleuten viele Schwierigkeiten bereiten. *Zumindest* wird sie zu einer einheitlichen Versteuerung auf dem Gemeinsamen Markt führen.

d) *sondern* stellt etwas richtig:
Für eine Übergangszeit hat die Mehrwertsteuer die Verbrauchsgüter nicht verbilligt, *sondern* zum Teil empfindlich verteuert.

5. Ein Sachverhalt hat keinen Einfluß auf den anderen:

*trotzdem, dennoch, doch, gleichwohl* fügt den Sachverhalt an, der ohne Einfluß des Vorhergehenden zustande kommt:
Der Sommerschlußverkauf findet am Anfang der Urlaubszeit statt, *trotzdem* werden sehr hohe Umsätze in Textilien erzielt.

6. Ein Sachverhalt begründet das Zustandekommen eines anderen Sachverhaltes:

a) *denn* schließt eine Begründung für den vorherigen Sachverhalt an:
Viele Geschäfte schließen zwischen Weihnachten und Neujahr, *denn* nach den Steuervorschriften muß der Jahresabschluß fertiggestellt werden.

b) *nämlich* schließt eine begründende Erklärung des Vorhergehenden an:
Lassen Sie mich Ihnen diese Angelegenheit erklären, ich bin *nämlich* Fachmann.

7. Ein Sachverhalt ist die Folge eines anderen Sachverhaltes:

*deshalb, deswegen, darum, daher, infolgedessen* schließt die Beschreibung des Sachverhaltes an, der durch das Vorhergehende zustande gekommen ist:

Die Werbung muß auch beim Nachlassen der Konjunktur betrieben werden, *deshalb* haben wir unseren Werbeetat erhöht.

8. Ein Sachverhalt wird aus einem anderen Sachverhalt gefolgert:
*also, folglich, demnach, somit, mithin* stellt einen Sachverhalt fest, der aus dem vorher Mitgeteilten gefolgert wird.
Wir haben in unserem Geschäft auch im Januar hohe Umsätze erzielt, *demnach* scheint die Konjunktur nicht abzufallen.

---

Übung 2: Erklären Sie mit eigenen Worten und in vollständigen Sätzen folgende Wörter in der Bedeutung, die sie im Text haben:

1. Kontingent (Zeile 2)
2. Agrarpolitik (Zeile 6)
3. Gleichgewicht zwischen Angebot und Nachfrage (Zeile 9)
4. Abschöpfung (Zeile 11)
5. Präferenz (Zeile 12)
6. gemeinsame Marktorganisation (Zeile 15)
7. Anteil am Sozialprodukt (Zeile 17)
8. Begünstigung für bestimmte gewerbliche Erzeugnisse (Zeile 22)
9. Assoziierung (Zeile 23)
10. Fusion der europäischen Institutionen (Zeile 26)
11. Rechte und Befugnisse des Europäischen Parlaments in Haushaltsfragen (Zeile 28)
12. schrittweise (Zeile 30)
13. einen Höchstbetrag festsetzen (Zeile 38)

Übung 3: Schließen Sie den zweiten mitgeteilten Sachverhalt mit der geeigneten Konjunktion an!

1. Die Einigung Europas ist noch nicht verwirklicht. Die EWG ist ein erster Schritt für den Zusammenschluß der europäischen Staaten (Einschränkung).
2. Die Parlamente üben ihre gesetzgebende Macht besonders in Fragen des Staatshaushaltes aus. Das Europäische Parlament hat keine derartigen Befugnisse (Einschränkung).
3. Die Zollunion ist innerhalb der EWG verwirklicht. Die Abschaffung der Zölle hat nicht zur Aufhebung der Abgaben beim Grenzübergang der Waren geführt (Berichtigung).
4. Überseeische Länder sind mit der EWG assoziiert. Sie können ihre

Erzeugnisse im freien Warenverkehr auf den Gemeinsamen Markt bringen (Folgerung).

5. Innerhalb der Gemeinschaft wird sehr viel Wein aus anderen Ländern, besonders aus Spanien und Algerien, gekauft. Diese Weine sind sehr billig (Begründung).

6. Der Iran hat einen Handelsvertrag mit der EWG. Wollteppiche und Kaviar können zu einem besonders günstigen Zollsatz eingeführt werden (Folge).

---

Senkung der Zölle – Erweiterung der Kontingente – assoziierte Länder gemeinsame Agrarpolitik – gemeinsamer Markt für Agrarprodukte – gemeinsames Preisniveau
Abschöpfung – Präferenz – gemeinsame Marktorganisation
Fusion der europäischen Institutionen – Rechte und Befugnisse des Europäischen Parlaments
Haushaltsfragen – Finanzierung der Ausgaben – Höchstbetrag für „Ausrichtung"

---

# Abschnitt B

## Marktregelung für Apfelsinen

In der Gemeinschaft werden mehrere Sorten Apfelsinen erzeugt. Für die einzelnen Sorten werden auf dem Markt verschiedene Notierungen festgestellt. Für den betreffenden Zeitraum sind die Orangensorten Sanguinello, Güteklasse 1, und Biondo commune, Güteklasse 1, hinreichend repräsentativ. Im Hinblick auf die Anwendung des Interventionssystems empfiehlt es sich daher, diese Sorten und diese Güteklassen auszuwählen. Für die Zeit vom 1. Januar bis zum 30. April 1967 werden der Grundpreis und der Ankaufspreis für Apfelsinen, ausgedrückt in Rechnungseinheiten je 100 kg Eigengewicht, wie folgt festgesetzt:

|          | Grundpreis | Ankaufspreis |
|----------|-----------|--------------|
| Januar   | 13,7 $    | 9,5 $        |
| Februar  | 15,0 $    | 10,5 $       |
| März     | 17,5 $    | 11,5 $       |
| April    | 10,8 $    | 6,5 $        |

Die genannten Preise beziehen sich auf Orangen der Sorte Sanguinello, Güteklasse 1, Größe 67/81 mm, im Januar, Februar und März und auf Orangen der Sorte Biondo commune, Güteklasse 1, Größe 61/76 mm, im April, in Kisten oder in einer anderen für das betreffende Erzeugnis üblichen, einfachen Verpackung.

Beantworten Sie jede folgende Frage mit mehreren Sätzen:

1. Für welchen Zeitraum sind die angeführten Orangensorten hinreichend repräsentativ?
2. Welche Preisfestsetzungen zur Marktregelung werden von diesen Sorten bestimmt?
3. Für welchen Zeitraum gilt diese Marktregelung?
4. Wie werden die beiden Preise ausgedrückt?
5. Welche näheren Angaben werden zu diesen Preisen noch gemacht?

---

Notierung – Zeitraum – repräsentative Sorten
Interventionssystem – Grundpreis – Ankaufspreis
Rechnungseinheit – Eigengewicht – Güteklasse – Größe – Verpackung

---

## Abschnitt C

Eine Briefreihe: Einfuhr von Apfelsinen aus Italien

1. Fa. Karl Wirth, 8 München, Oberländerstr. 9, an
   Fa. Giuseppe Giuliano, Messina, Via Veneto 7:

   Am 15. 12.
   Benötigen für Mitte Februar und Mitte März je 10 Waggon Apfelsinen, Güteklasse 1, erbitten Angebot mit neuesten Liefer- und Zahlungsbedingungen.

2. Giuliano an Wirth:

   Am 20. 12.
   Bieten an frei Bahnhof Messina für Anfang Februar Sorte Sanguinello, Güteklasse 1, zu 13,5 $/100 kg Eigengewicht, und für Anfang März Sorte Biondo commune, Güteklasse 1, zu 8 $ %/okl netto, Ziel 2 Monate nach Übernahme, innerhalb 15 Tagen 2% Skonto, Mindestabnahme 5 Waggon – erwarte Bestellung.

3. Wirth an Giuliano:

27. 12.

Bestelle für den 2. 2. 73 2 Waggon Apfelsinen Sanguinello, Güteklasse 1
       5. 2. 73   „      „      „      „
       8. 2. 73   „      „      „      „
     10. 2. 73   „      „      „      „
     14. 2. 73   „      „      „      „
      2. 3. 73 2 Waggon Apfelsinen Biondo commune, Güteklasse 1
       4. 3. 73   „      „      „      „
       6. 3. 73   „      „      „      „
       9. 3. 73   „      „      „      „
     12. 3. 73   „      „      „      „
     15. 3. 73   „      „      „      „

Alles frei Bahnhof Messina, Zahlungs- und Lieferbedingungen wie im Angebot.

4. Auftragsbestätigung.

5. Lieferschein und Rechnung.

6. Zahlungsausgleich am . . .? (ohne Skonto).

# Kapitel 16

## Abschnitt A

**Die Lebensmittelversorgung, die Bekleidungsindustrie und das Bauwesen in Industriestaaten**

Die Quelle der Lebensmittelversorgung eines Landes ist seine Landwirtschaft. Reicht die eigene Lebensmittelerzeugung nicht mehr aus, muß der Rückstand durch vermehrten Anbau oder durch Einfuhren aus anderen Ländern aufgeholt werden. In dieser und vielen anderen Beziehungen scheinen sich Angebot und Nachfrage nach den gleichen Marktregeln wie in anderen Wirtschaftszweigen zu richten. Die Erfahrung zeigt jedoch, daß bei Agrarprodukten sinkende Preise nicht automatisch die Nachfrage beleben, während schon geringe Versorgungslücken die Preise schnell klettern lassen. Aus dieser unelastischen Nachfrage haben die Regierungen die Konsequenzen gezogen und die Agrarmärkte geregelt. So gibt es im Bundesgebiet Einfuhr- und Vorratsstellen, die bei Getreide, Fleisch, Zucker und Fetten als Nachfrager auftreten, wenn das Angebot die Nachfrage übersteigt, und die ihre Vorräte abstoßen, wenn das Angebot nicht genügend ist. Im gemeinsamen Agrarmarkt wird Angebot und Nachfrage ähnlich ins Gleichgewicht gebracht. Für die wichtigsten Agrarprodukte sind Richtpreise vorgesehen, die mit Hilfe von Importen gesichert werden.
Allerdings bliebe für unsere Ernährung kein Acker übrig, wenn wir uns, wie unsere Vorfahren, nur mit Wolle oder Leinen bekleiden würden. Denn vor 100 Jahren lebten in Deutschland auf einem Quadratkilometer 74 Menschen, während es heute 238 sind. Wir bräuchten also heute zur Erzeugung der natürlichen Textilrohstoffe dreimal mehr Bauernland als damals. Dabei konnten sich die Deutschen zu dieser Zeit nur wenig an Kleidung leisten, etwa 2 Anzüge der Mann und drei Kleider die Frau. Mäntel waren für Arbeiterfamilien kaum erschwinglich, und für das Wohnen wurden wenig Textilien verwendet. Diese Probleme haben in der Erfindung und Verwendung der chemischen und synthetischen Fasern für die Textilindustrie ihre Lösung gefunden. Den Chemiefasern liegt als Rohstoff vorwiegend Holz (d. h. Zellstoff) und Baumwolle zugrunde, während die synthetischen Fasern aus den Rohstoffen Kohle und Erdöl hergestellt werden. Zur Deckung unseres Textilbedarfes sind uns Kunstseide, Perlon, Nylon, Cupresa, Dralon, Dolan, Orlon, Diolen, Trevira, Tergal, Terylene ebenso bekannt wie unseren Vorfahren die Wolle.
Das Problem der Bekleidung hat für die heißen Klimazonen nicht dieselbe Bedeutung wie für die Gebiete mit gemäßigtem oder kaltem Klima, dafür ist hier mit der ständigen Hitze meistens der Nachteil mangelnden Trinkwassers verbunden. Deshalb versuchen Forschung und Technik das Meer- oder Brackwasser

für den Verbrauch zu entsalzen, d. h. trinkbar zu machen. Es gibt heute fast zwei Dutzend Entsalzungsanlagen in den Wüstengebieten am Persischen Golf, in Italien, Israel, Südafrika, Venezuela, auf Kuba und in den USA mit einer Tageskapazität von jeweils etwa 4 Mill. Litern. In ständigen neuen Versuchen bemühen sich die einzelnen Firmen, das beste Wasser zum niedrigsten Preis zu liefern, womit die Trinkwasserversorgung der Trockengebiete der Erde, zumindest in Meeresnähe, sehr bald gelöst sein dürfte.

Durst äußert sich jedoch nicht nur im Trinkwasserverbrauch, wie man am Alkoholkonsum der kalten Länder feststellen kann. Die landschaftlichen Unterschiede bei der Bevorzugung von Bier, Wein oder Schnaps gelten nicht für den Verbrauch von Fruchtsäften und Mineralwasser, zu deren Erzeugung und Vertrieb sich blühende Wirtschaftszweige entwickelt haben.

Unvergleichlich größer ist der Umfang und die Produktionskapazität jener Firmen, die sich mit dem industrialisierten Bauwesen befassen, um zur Serienfertigung aller Bauelemente zu gelangen. Wenn die Handarbeit im Baugewerbe noch immer einen gewichtigen Platz einnimmt, so ist dennoch durch die industrielle Fließbandfertigung und durch steigende Rationalisierung mit Hilfe von Baumaschinen auf dem Bauplatz das Eigenheim für viele Wirklichkeit geworden. Diese Entwicklung wird die Handarbeit zunehmend ablösen und zum Bau mit großformatigen Fertigteilen führen.

Wenn auch die überhitzte Konjunktur von 1959 und die Produktionssteigerungen der folgenden Jahre sich nicht wiederholen dürften, wird das Bauwesen für Deutschland im Rahmen der Gesamtwirtschaft immer eine Schlüsselstellung einnehmen.

Übung 1: Formulieren Sie die folgenden Sätze um:

1. Die fehlenden Mengen müssen durch vermehrten Anbau oder durch Einfuhren aus anderen Ländern wettgemacht werden.
2. Bei Agrarprodukten lassen schon geringe Versorgungslücken die Preise hochschnellen.
3. Die Vorratsstellen stoßen ihre Vorräte ab, wenn das Angebot nicht ausreicht.
4. Diese Probleme haben mit der Erfindung und Verwendung der chemischen und synthetischen Fasern für die Textilindustrie ihre Lösung gefunden.
5. Mit der ständigen Hitze ist meistens der Nachteil mangelnden Trinkwassers verbunden.
6. Durst äußert sich nicht nur im Trinkwasserverbrauch.
7. Durch steigende Rationalisierung mit Hilfe von Baumaschinen und

industrieller Fließbandfertigung auf dem Bauplatz ist das Eigenheim für viele Wirklichkeit geworden.

---

Die Konjunktion als Kennzeichen zeitlicher Beziehungen

Wenn bei der Mitteilung eines Sachverhaltes ein anderer Sachverhalt zur zeitlichen Orientierung dient, so steht dieser im Satz als Temporalangabe. Die den temporalen Gliedsatz einleitende Konjunktion kennzeichnet die zeitliche Beziehung, die der Gliedsatz ausdrücken soll. Die Konjunktionen kennzeichnen folgende zeitliche Beziehungen:

1. Zeitpunkt

   *„als"* für einen bestimmten (einmaligen), in der Vergangenheit liegenden Sachverhalt.

   *Als die EWG gegründet wurde,* hatte sich Europa kaum von den Folgen des Weltkrieges erholt.

   *„wie"* wird in gleicher Weise gebraucht, doch bereitet es auf etwas Unerwartetes vor (oft mit „da" verdeutlicht).

   *Wie der Nachtwächter den Kassenraum kontrollierte,* steht da ein Mann mit der Pistole vor ihm.

   Nach beiden Konjunktionen steht das Verb im Prätertium.

   *„wenn"* für einen bestimmten in der Zukunft zu erwartenden Sachverhalt.

2. Zeitraum

   *„als"* und *„wenn"* wie unter 1.

3. Zeitdauer

   *„während"* – der mitgeteilte Sachverhalt fällt in eine Zeit, in welcher der im Gliedsatz beschriebene Sachverhalt bereits besteht.

   *Während der Kaufmann in Hannover war,* besuchte er mehrmals die Ausstellung.

   *„solange"* – der mitgeteilte Sachverhalt erstreckt sich über die gleiche Zeitdauer wie der im Satz beschriebene.

   *Solange Zölle bestehen,* wird es keinen freien internationalen Handel geben.

4. Wiederholung

   *„sooft"* oder *„wenn"* – der im Gliedsatz beschriebene Sachverhalt trifft wiederholt mit dem mitgeteilten Sachverhalt zeitlich zusammen.

   *Sooft (wenn) Waren die Grenze überschreiten,* wird Zoll erhoben.

5. Beginn

„seitdem" oder „seit" – der im Gliedsatz beschriebene Sachverhalt ist der zeitliche Beginn für den mitgeteilten Sachverhalt.

*Seitdem der alte Kaufmann einen jungen Teilhaber hat,* geht das Geschäft viel besser.

6. Ende

„bis" – der im Gliedsatz beschriebene Sachverhalt ist das Ende des mitgeteilten Sachverhaltes.

*Bis die Völker Europas zu einer politischen Einigung gelangen,* werden noch viele Jahre vergehen.

7. Vorher und nachher

„bevor" (= ehe) – der mitgeteilte Sachverhalt geht dem im Gliedsatz beschriebenen Sachverhalt zeitlich voraus.

*Bevor wir ins Ausland fahren,* müssen wir uns Reisedevisen beschaffen.

„nachdem" – der mitgeteilte Sachverhalt folgt dem im Gliedsatz beschriebenen Sachverhalt.

*Nachdem über die Agrarpolitik eine Einigung erzielt wurde,* sind die Zollschranken auch für die Industrieerzeugnisse gefallen.

Werden die Sachverhalte, die zur zeitlichen Orientierung dienen, nicht beschrieben, sondern nur bezeichnet, stehen einfache Satzglieder. Präpositionen weisen dann auf Funktion und Inhalt hin.

1. Zeitpunkt: *„bei"* anstelle von „als" und „wenn"
2. Zeitraum: *„bei"* anstelle von „als" oder „wenn"
3. Zeitdauer: *„während"* für „während" und „solange"
4. Wiederholung: *„bei"* für „wenn" oder „sooft"
5. Beginn: *„seit"* statt „seit" oder „seitdem"
6. Ende: *„bis zu"* anstelle von „bis"
7. Vorher und nachher: *„vor"* anstelle von „bevor" und „ehe"
         *„nach"* anstelle von „nachdem"

---

Übung 2: Erklären Sie mit eigenen Worten und in vollständigen Sätzen folgende Wörter in der Bedeutung, die sie im Text haben:

  1. Lebensmittelversorgung (Zeile 1)
  2. vermehrter Anbau (Zeile 3)
  3. die Nachfrage beleben (Zeile 6)
  4. Versorgungslücken (Zeile 7)
  5. die Konsequenzen ziehen (Zeile 9)

6. Vorräte abstoßen (Zeile 12)
7. Richtpreis (Zeile 14)
8. sich leisten (Zeile 21)
9. erschwinglich (Zeile 23)
10. chemische und synthetische Fasern (Zeile 25)
11. gemäßigte Klimazone (Zeile 32)
12. Brackwasser (Zeile 34)
13. Tageskapazität (Zeile 38)
14. landschaftliche Unterschiede (Zeile 43)
15. Serienfertigung (Zeile 49)
16. Fließbandfertigung (Zeile 52)
17. Eigenheim (Zeile 53)
18. zunehmend (Zeile 54)
19. überhitzte Konjunktur (Zeile 56)
20. Schlüsselstellung (Zeile 58)

Übung 3: Formen Sie die kursiv gedruckten Gliedsätze in Satzglieder um!

1. *Als die EWG gegründet wurde,* hatte sich Europa kaum von den Folgen des Weltkrieges erholt.
2. *Als die Bücher kontrolliert wurden,* stellten die Steuerbeamten nur regelmäßige Steuerzahlungen fest.
3. *Während die Exportkaufleute in Hamburg waren,* besuchten sie mehrere Male die Börse und den Seehafen mit den Werften.
4. *Sooft Waren verkauft werden,* muß die Mehrwertsteuer erhoben werden.
5. *Seitdem der Gemeinsame Markt eingerichtet wurde,* steht den Mitgliedsstaaten ein sehr großer Verbrauchermarkt zur Verfügung.
6. *Bevor wir nach Afrika fahren,* müssen wir uns Tropenbekleidung besorgen.
7. *Nachdem der Großkaufmann sein Geschäft verkauft hatte,* setzte er sich zur Ruhe.

Übung 4: Ergänzen Sie die Sätze durch die fehlenden Verben!

1. Die Verkehrsunfälle . . . in den Industriestaaten.
2. Diese wertvollen Erzeugnisse werden ins Ausland . . .
3. Die Einfuhren haben einen merklichen Rückgang . . .
4. Die im Inland entrichtete Mehrwertsteuer wird beim Export . . .
5. Leicht verderbliche Güter werden mit dem Flugzeug . . .
6. Für den von Ihnen verursachten Verlust . . . Schadenersatzanspruch.

7. Das Konto wurde mit diesem Betrag . . .
8. Der Aufsichtsrat konnte monatelang keinen Vorstand . . .
9. Wegen des Streiks der Zollbeamten konnten die Güter nicht . . .
10. An der Effektenbörse werden nicht alle Wertpapiere . . .

**Übung 5:** Ergänzen Sie die Sätze durch die fehlenden Nomen!

1. Ein Handelsvertrag ist ein . . . zwischen zwei Staaten, um den . . . vertraglich festzulegen.
2. Ein Einzelhändler, der keine . . . betreibt, wird große Umsätze erzielen.
3. Für das kommende Wirtschaftsjahr haben die Fachleute keine günstige . . . vorausgesagt
4. Wer regelmäßig jahrelang Beiträge zur Rentenversicherung entrichtet, hat . . . auf eine monatliche Rente.
5. Auch die geringsten Beiträge müssen . . . gutgeschrieben werden.

---

Lebensmittelversorgung – Lebensmittelerzeugung – Landwirtschaft
Angebot – Nachfrage – Marktregel – Nachfrage beleben – Preise klettern
Einfuhr- und Vorratsstellen – Vorräte abstoßen – Richtpreis
natürliche Textilrohstoffe – Chemiefasern – synthetische Fasern
Wolle – Baumwolle – Zellstoff – Kunstseide – Perlon – Nylon – Dralon –
Trevira
Trinkwasser – Meer- oder Brackwasser – Entsalzungsanlage
Bier – Wein – Schnaps – Fruchtsaft – Mineralwasser
Baugewerbe – Handarbeit – Baumaschinen – Fertigteile – Fließbandfertigung auf dem Bauplatz
Eigenheim – Bauwesen – Schlüsselstellung

---

# Abschnitt B

## Überproduktion und Absatzsorgen

Die Buttervorräte steigen in den Vorratsstellen der Bundesrepublik ständig an. Dies ist immer der Fall, wenn das Frühjahr vorzeitig anbricht. Im Monatsdurchschnitt werden in der Bundesrepublik zwischen 37 000 und 45 000 t verzehrt, d. h. etwa 750 g pro Kopf der Bevölkerung. Die Buttervorräte sollten annähernd einen Monatsvorrat ausmachen. Steigt jedoch die Milcherzeugung infolge der Weidefütterung kräftig an, muß damit gerechnet werden, daß der Butterberg in den folgenden Wochen auch anwachsen wird. Die Verbraucherverbände wollen darauf einwirken, daß die Butterpreise gesenkt werden, weil dadurch die Nachfrage belebt wird und nicht weiterhin unverkaufte Überschüsse eingelagert und später mit Subventionen aus dem öffentlichen Haushalt verkauft werden. Andernfalls wäre der Preis als Steuerungsmittel auf diesem Markt ausgeschaltet, und die Folgen müßte die Staatskasse d. h. der Steuerzahler, tragen.

Manche Textilfabrikanten machen für die gegenwärtige Krise der Textilwirtschaft den Minirock verantwortlich. Dabei behaupten sie, daß Minikleider rund 30% weniger Stoff beanspruchen. Nach fachmännischen Abmessungen ist es jedoch sicher, daß selbst ein echter Minirock, der 20 cm über dem Knie endet, diese Stoffersparnis nicht erreicht. Bei einem entsprechenden Minikleid wäre dann der eingesparte Anteil noch erheblich geringer. Auch spielt der Minirock im Gesamtangebot der Damenkonfektion nur eine geringe Rolle, die auf etwa 3% geschätzt wird. Andererseits werden durch Schockfarben zusätzliche Käufer angelockt. Letztlich wird jedoch das bewährte Mittel einer modischen Senkung des Rocksaumes den Textilverbrauch der Damenwelt wieder kräftig ansteigen lassen und die Absatzsorgen der Textilindustrie vermindern.

Weniger Sorgen hat die Damenoberbekleidungsindustrie im Winter, wo das vielseitige Angebot der Rauchwarenwirtschaft sämtliche Oberbekleidungsstücke erobert hat. Der wachsende Wohlstand hat konkretes Kaufinteresse vor allem für hochwertige Edelpelze wie Persianer, Nerz, Ozelot, Zobel, Hermelin und Chinchilla ausgelöst.

Wachsender Wohlstand ist auch die Erklärung für den immer größer werdenden Alkoholkonsum. Berufstätige trinken eher Alkohol als Nichtberufstätige; Selbständige, freie Berufe, Angestellte, Beamte und Facharbeiter mehr als Ungelernte und Landwirte. In den Klein- und Mittelstädten wird mehr getrunken als in Großstädten und auf dem Lande. Am meisten wird Bier getrunken, gefolgt von Weißwein, Rotwein, Sekt, Weinbrand, Whisky, Wacholder und Likören.

Die Konsumenten nichtalkoholischer Getränke bevorzugen Sprudel und Mineralwasser (mit und ohne Geschmack), Limonaden, Cola-Getränke, Fruchtsäfte und Gemüsesäfte. Insgesamt werden jährlich an die 30 Mrd. DM zur Stillung des Durstes der Bundesbürger ausgegeben.

Wie wichtig der Wohnungsbau für die allgemeine Wirtschaftsentwicklung ist, läßt sich bei der Drosselung des Auftragsvolumens für Hochbauten in kurzer Zeit erkennen. Wenn auch der Anstieg der Grundstückspreise und die Verknappung am Kapitalmarkt dem Bauwesen nicht förderlich sind, kann ein vorübergehendes Abkühlen einer überhitzten Baukonjunktur auf die weitere Ausweitung dieses Industriezweiges keinen entscheidenden Einfluß ausüben.

Durch stärkeren Einsatz rationeller Baumethoden versucht man, die Steigerung der Baukosten abzufangen und Kapital einzusparen.

Die Bautätigkeit zur Erstellung von Eigenheimen, Eigentumswohnungen mit dazugehörigen Garagen, von Krankenhäusern und Kliniken, von Universitäts- und Hochschulbauten, von Schulen- und Gewerbebauten (Einkaufszentren, Hotels und private Verwaltungsbauten) hält weiterhin an. Die Auftraggeber für solche Bauten sind für diese Schlüsselindustrien die wichtigsten Kunden.

Beantworten Sie die Fragen jeweils mit mehreren Sätzen:

1. Warum werden Buttervorräte von der Bundesregierung eingelagert?
2. Welche finanziellen Probleme entstehen aus wachsenden Buttervorräten?
3. Welche Rolle spielt die Damenmode für den Absatz der Textilindustrie?
4. Welche Wintermode wird sehr stark vom Wohlstand beeinflußt?
5. Wie verteilt sich der Alkoholismus nach Berufen und nach dem Wohnort?
6. Welche Alkoholsorten werden besonders bevorzugt?
7. Welche nichtalkoholischen Getränke haben sich den Markt erobert?
8. Welche Faktoren beeinflussen den Wohnungsbau?
9. Womit kann man die Kostensteigerung im Baugewerbe ausgleichen?
10. Auf welche Hochbauten erstreckt sich die Tätigkeit der Bauindustrie?

---

Buttervorräte – Vorratsstellen – Monatsvorrat – Weidefütterung
Verbraucherverbände – die Nachfrage beleben – Überschüsse einlagern
Subventionen – öffentlicher Haushalt – Preis als Steuerungsmittel – Staatskasse
Textilwirtschaft – Damenkonfektion – Absatzsorgen
Damenoberbekleidungsindustrie – Rauchwarenwirtschaft – Edelpelze
Wohlstand – Alkoholkonsum – nichtalkoholische Getränke
Hochbauten-Grundstückspreis – Verknappung am Kapitalmarkt
Baukonjunktur – Einsatz rationeller Baumethoden – Baukosten
Eigenheim – Eigentumswohnung – Krankenhaus – Klinik
Universität – Hochschule – Schulbau – Garage – Verwaltungsbau

---

# Abschnitt C

## Aufsatz

Auf welchen Gebieten hat der technische Fortschritt Ihrer Meinung nach das Leben der Menschen erleichtert?

# Kapitel 17

# Abschnitt A

**Lebenserleichterungen für den Menschen durch die Technik**

Die Bevölkerungszunahme und das steigende Einkommen der Arbeitnehmer sind die Voraussetzungen für das Anwachsen des Wagenparks in den Industriestaaten. Daneben spielen aber auch psychologische Beweggründe, wie das Bedürfnis, unabhängig von den anderen zu sein, eine große Rolle. Für viele Menschen ist das Auto ihre Visitenkarte, gewissermaßen der Ausdruck ihrer Stellung innerhalb der Gesellschaft. Dieses Prestigedenken führt viele Autofahrer dazu, jedesmal, wenn ein neues Modell ihres Wagens auf dem Markt erscheint, möglichst unter den ersten zu sein, die mit lässiger Zufriedenheit ihren Geschäftsfreunden den Neuerwerb vorführen. Umgekehrt hat die Autoindustrie dieses Geltungsbedürfnis bisher immer zur sicheren Abnahme ihrer Produktion auszunützen verstanden. Unter den jedes Jahr neu auf den Markt geworfenen Modellen sind es hauptsächlich die zwei- oder viertürigen Limousinen, die den größten Käufermarkt vorfinden. Aber auch Coupés und Kabrioletts werden gern gekauft, sind jedoch wegen des viel höheren Kaufpreises nur für höhere Einkommensklassen erschwinglich.

Ein wesentliches Problem der weiteren Überfüllung der Straßen in Wohnorten ist die damit verbundene zunehmende Verpestung der Luft. Technisch gelöst ist das elektrisch betriebene Auto für den Stadtverkehr, doch wird es noch einige Jahre dauern, bis es allgemein eingeführt wird.

Die Elektrizität nimmt dagegen schon jetzt als Energiespender in den Haushalten eine einzigartige Rolle ein. So wird für das Badezimmer der sehr billige Nachtstrom zum Wasserwärmen verwendet; Kochherde, Kühlschränke, Geschirrspülmaschinen, Küchenmaschinen, Haartrockner, Rundfunk- und Fernsehgeräte werden elektrisch betrieben. Auch die vollautomatische Küche, nicht nur für Kantinen, sondern auch für private Haushalte, hat der Hausfrau die Rolle eines Technikers zugewiesen. Allerdings können damit nur Standardessen und einfache Getränke zubereitet werden. Ob dies nach jedermanns Geschmack ist, erscheint wenig wahrscheinlich.

Von der fortschreitenden Automatisierung hat natürlich nicht nur die Hausfrau den Vorteil des geringeren Arbeitsaufwandes und der Zeitersparnis. Der Fortschritt bei Maschinen und Werkzeugen ermöglicht heute Arbeitsgeschwindigkeiten, die zweihundertmal größer sind als zur Jahrhundertwende. Dabei spielt die Meßtechnik eine wesentliche Rolle, vor allem für weitere Steigerungen der Arbeitsgeschwindigkeit. Die Konstruktionen werden mit Computern berechnet und dann automatisch gesteuert. Dadurch haben die Werkzeugmaschinen in ihrer technischen Entwicklung und Bedeutung sprunghaft zugenommen, wie das Luft- und Raumfahrtprogramm der USA und der Sowjetunion beweist. Deshalb werden die Raumschiffe als bleibenden Erfolg die technische Anwendung aller technologischen Erkenntnisse für die revolutionäre Weiterentwicklung der Maschinenindustrie sichern.

In ähnlicher Weise steht zu erwarten, daß die friedliche Nutzung der Atomenergie die Rohstoffbestände unseres Planeten schonen wird, gleichzeitig jedoch durch die heute schon bestehenden Anwendungsmöglichkeiten, wie z. B. das Entsalzen des Meerwassers, auch andere äußerst lebensnotwendige Probleme der gesamten Menschheit einer Lösung zugeführt werden.

Übung 1: Formulieren Sie die folgenden Sätze um:

1. Für viele Menschen ist das Auto die Visitenkarte, gewissermaßen der Ausdruck ihrer Stellung innerhalb ihrer Gesellschaft.
2. Das Prestigegedenken verführt viele Autofahrer, mit lässiger Zufriedenheit ihren Geschäftsfreunden den Neuerwerb vorzuführen.
3. Coupés und Kabrioletts sind nur für höhere Einkommensklassen erschwinglich.
4. Die vollautomatische Küche hat die Hausfrau in die Rolle eines Technikers versetzt.
5. Mit der vollautomatischen Küche können nur Standardessen und einfache Getränke zubereitet werden.
6. Von der fortschreitenden Automatisierung hat nicht nur die Hausfrau den Vorteil des geringen Arbeitsaufwandes und der Zeitersparnis.
7. Die Konstruktionen werden mit Computern berechnet und dann automatisch gesteuert.
8. Die Raumschiffahrt wird als bleibenden Erfolg die Anwendung aller technologischen Erkenntnisse für die revolutionäre Entwicklung der Maschinenindustrie sichern.
9. Es steht zu erwarten, daß die friedliche Nutzung der Atomenergie äußerst lebensnotwendige Probleme der gesamten Menschheit einer Lösung zuführen wird.

---

Die Inhalte der Gliedsätze

1. In Gliedsätzen werden Sachverhalte beschrieben, die vom Sprecher als Grund oder Ursache für den mitgeteilten Sachverhalt angesehen werden. Diese Gliedsätze sind deshalb als Kausalangaben anzusehen. Die folgenden Konjuktio-

nen kennzeichnen die verschiedenartigen Gründe oder Ursachen, die zu dem mitgeteilten Sachverhalt führen oder geführt haben:

a) der wirkliche Grund:

*weil, da:* Der Gliedsatz beschreibt den wirklichen oder den logischen Grund, die Ursache oder das Motiv. Gehört die Beschreibung des Grundes zur Information, gebraucht man „weil".

Unser Zug ist mit Verspätung angekommen, *weil* die Strecke durch Schneefälle blockiert war.

Ist der im Gliedsatz beschriebene Sachverhalt allgemein bekannt, gebraucht man „da".

*Da* die Mehrwertsteuer nach der Werterhöhung eines Gutes behoben wird, sind die Dienstleistungen empfindlich teurer geworden.

b) der mögliche Grund:

*wenn, falls, im Falle daß, vorausgesetzt daß:* Der im Gliedsatz beschriebene Sachverhalt ist die Voraussetzung für das Zustandekommen des mitgeteilten Sachverhaltes.

*Falls* das schöne Wetter auch diesen Sommer so lange anhält, werden die Fremdenverkehrsbetriebe wieder Rekordeinnahmen haben.

c) der ausschlaggebende Grund:

*zumal:* der im Gliedsatz beschriebene Sachverhalt ist ausschlaggebend für das Zustandekommen des mitgeteilten Sachverhaltes.

Wir kaufen immer gern italienische Pullover, *zumal* diese billiger als andere modische Textilien sind.

d) der mitwirkende Grund:

*insofern als:* Der im Gliedsatz beschriebene Sachverhalt dient dem Verständnis für den mitgeteilten Sachverhalt.

Sie haben *insofern* recht, als Sie mit diesem Kunden immer gute Erfahrungen gemacht haben.

e) der unzureichende Grund:

*obwohl, obgleich, obschon:* Der im Gliedsatz beschriebene Sachverhalt ist nicht wirksam genug, den mitgeteilten Sachverhalt zu beeinflussen.

Die Außenhandelsfirma hat diesen Diplom-Kaufmann angestellt, *obwohl* er keine Fremdsprachen fließend spricht.

*wenn auch:* Der im Gliedsatz beschriebene Sachverhalt kann eintreten, hat aber keinen Einfluß auf den mitgeteilten Sachverhalt.

*Wenn* diese Lieferung *auch* mit Verspätung einträfe, kommt sie immer noch rechtzeitig zum Weihnachtsgeschäft.

2. Werden die Sachverhalte, die als Gründe für das Zustandekommen der mit-geteilten Sachverhalte angesehen werden, nicht beschrieben, sondern nur *be-zeichnet*, stehen sie als einfache Satzglieder. Präpositionen treten an die Stelle der Konjunktionen.

a) der wirkliche Grund:

*wegen* anstelle von „*weil*" und „*da*".
Wegen der erhöhten Gaststättenpreise hat der Besuch der Gäste merklich nachgelassen.

b) der mögliche Grund:

*bei* anstelle von „*wenn*", „*falls*".
Bei Zahlung innerhalb von 14 Tagen erhalten sie 3% Skonto.

c) der ausschlaggebende Grund:

*vor allem* wegen anstelle von „*zumal*".
Der Sommerschlußverkauf ist *vor allem wegen* der äußerst niedrigen Preise bei den Verbrauchern beliebt.

d) der mitwirkende Grund:

*mit* anstelle von „*insofern als*".
*Mit* Ihrer großartigen Erklärung haben Sie die Ursachen der Wirtschafts-krisen erklärt.

e) der unzureichende Grund:

*trotz* anstelle von „*obwohl, obgleich, obschon*".
Ich habe dieses Automodell *trotz* des Abratens der Fachleute gekauft.

---

Übung 2: Erklären Sie mit eigenen Worten und in vollständigen Sätzen folgende Wörter in der Bedeutung, die sie im Text haben:
   1. Anwachsen des Wagenparks (Zeile 2)
   2. psychologische Beweggründe (Zeile 3)
   3. der Ausdruck ihrer Stellung in der Gesellschaft (Zeile 5)
   4. Prestigedenken (Zeile 6)
   5. lässige Zufriedenheit (Zeile 8)
   6. den Neuerwerb vorführen (Zeile 9)
   7. die auf den Markt geworfenen Modelle (Zeile 11)
   8. den größten Käufermarkt vorfinden (Zeile 13)
   9. für höhere Einkommensklassen erschwinglich (Zeile 15)
   10. zunehmende Verpestung der Luft (Zeile 17)

11. technisch gelöst (Zeile 17)
12. einzigartige Rolle ... als Energiespender (Zeile 21)
13. der Hausfrau die Rolle eines Technikers zuweisen (Zeile 26)
14. zubereiten (Zeile 28)
15. der Vorteil des geringeren Arbeitsaufwandes (Zeile 31)
16. Meßtechnik (Zeile 34)
17. automatisch gesteuert (Zeile 36)
18. sprunghaft zugenommen (Zeile 37)
19. technologische Erkenntnisse (Zeile 40)
20. es steht zu erwarten (Zeile 42)
21. bestehende Anwendungsmöglichkeit (Zeile 44)
22. einer Lösung zuführen (Zeile 45)

Übung 3: Formen Sie die kursiv gedruckten Gliedsätze in Satzglieder um!

1. Unser Flugzeug ist mit Verspätung angekommen, *weil über dem Flugplatz dichter Nebel lag.*
2. *Falls dieser Abnehmer nicht pünktlich bezahlt,* werden wir ihn nicht mehr beliefern.
3. Französische Markenweine werden auf der ganzen Welt gekauft, *zumal sie von ausgezeichneter Qualität sind.*
4. *Sie haben insofern keinen Verlust erlitten,* als Sie noch einen geringen Gewinnzuschlag erzielen konnten.
5. Viele Sparer kaufen Aktien, *obwohl die Kurse seit Monaten ständig fallen.*

Übung 4: Ergänzen Sie die folgenden Sätze durch die fehlenden Verben!

1. Die Verträge, die zur Gründung der EWG geführt haben, wurden in Rom ...
2. Da Sie uns die bestellte Ware nicht rechtzeitig liefern konnten, müssen wir vom Vertrag ...
3. Die Einzelhandelsgeschäfte ... mit ihrer Werbung an die Vorübergehenden.
4. Wenn der Lieferer die bestellte Ware geliefert und der Abnehmer sie bezahlt hat, ist der Kaufvertrag von beiden Seiten ...
5. Versicherungen ... nur den aus dem Schadensfall entstandenen materiellen Schaden.
6. Dieser Großkaufmann ... immer den Skonto.
7. Wenn der Zollbeamte diese eingeführten Waren noch heute ... soll, muß er Überstunden machen.
8. Wir ... in unserer Bestellung auf Ihr Angebot.
9. Mit geringer Gewinnspanne kann man sehr große Umsätze ...

10. Durch die Selbstbedienung können die allgemeinen Geschäfts-kosten...
11. Wir haben Ihnen den Rechnungsbetrag durch unsere Bank... lassen.
12. Der Lieferant wird nicht immer und nicht jedem Abnehmer einen Kredit...
13. Säumige Zahler müssen nicht nur einmal...

Übung 5: Ergänzen Sie die folgenden Sätze durch die fehlenden Nomen:

1. Die von Ihnen gelieferten Waren entsprechen nicht meiner Bestellung, weshalb ich sie Ihnen zur... stelle.
2. Bei Seetransporten muß für die Waren... abgeschlossen werden.
3. Wir können Ihnen... erst nächsten Monat erteilen.
4. Wenn Sie diese Waren bestellen wollen, müssen Sie zuerst bei Ihrer Bank... eröffnen.

---

Bevölkerungszunahme – Anwachsen des Wagenparks
psychologische Beweggründe – Prestigedenken – Geltungsbedürfnis
Limousine – Coupé (Kabrio(lett)) – höhere Einkommensklasse
Überfüllung der Straßen – Verpestung der Luft – elektrisch betriebenes Auto
Energiespender – Elektrizität – vollautomatische Küche
Essen und Getränke zubereiten – Essen und Getränke ausfolgen
geringer Arbeitsaufwand – Zeitersparnis – Meßtechnik
Arbeitsgeschwindigkeiten – mit Computern berechnen – automatisch steuern
Raumfahrtprogramm – Luftfahrtprogramm – Raumschiffe – technologische Erkenntnisse
friedliche Nutzung der Atomenergie – Rohstoffbestände schonen

---

# Abschnitt B

### Technische Errungenschaften unserer Zeit

Die Produktionsprogramme der europäischen Autohersteller waren bis vor kurzem auf einige wenige Typen von Kleinwagen, Mittelklassewagen oder großen Wagen spezialisiert. Das Prestigedenken des Autofahrers verlangt jedoch bei jedem fühlbaren sozialen Aufstieg einen sichtbaren Ausdruck dieser beruflichen

Beförderung, d. h. ein größeres Auto. Wenn seine Stammfirma kein entsprechend größeres Modell herstellt, ist die Abwanderung dieses Kunden zur Konkurrenz unvermeidlich. Daher haben sich innerhalb der EWG oder auch nur auf dem nationalen Markt Autofabriken mit ergänzungsfähigen Programmen verbündet oder über eine gemeinsame Verkaufsorganisation auch einen Erfahrungsaustausch oder sogar gemeinsame Finanzplanungen durchgeführt. Durchgehend bei allen Modellen von klein bis groß stellt sich natürlich auch das Problem des Gebrauchtwagens. Die meisten Käufer von neuen Fahrzeugen müssen aus finanziellen Gründen ihren Gebrauchtwagen bei einer Neuanschaffung mindestens zum Schätzpreis in Zahlung geben. Die sich daraus ergebenden Probleme für den Gebrauchtwagenmarkt sind an dem riesigen Angebot von Gebrauchtwagen abzulesen.

Für die Verpflegung von Belegschaften, aber auch für den Einzelhandel und die Gastronomie wurde ein Automat für den Verkauf von heißen Würstchen entwickelt. Der Würstchenautomat arbeitet mit einem Mikrowellenstrahler. Die Ausgabe erfolgt in Sekundenschnelle. Zusammen mit der heißen Wurst wird eine Senfportion verabreicht. Der gleiche Automat verkauft auch Brötchen. Zum Betrieb wird kein Wasser benötigt, und der Automat kann auch bei tiefen Temperaturen im Freien arbeiten.

Zu den technischen Wundern unserer Zeit gehört auch der Computer. Er kann u. a. als eine Art Wörterbuch benutzt werden. Der Übersetzer gibt die benötigte Fachterminologie als Anfrage ein und erhält mit unwahrscheinlicher Geschwindigkeit der Reihe nach Wort für Wort in der gewünschten Sprache als Antwort. Auch für Übersetzungen kann der Computer verwendet werden, allerdings nur für das Übersetzen einfacher Sätze, die stilistisch gründlich überarbeitet werden müssen. Dadurch kann ein Fachmann in Wirtschaft, Wissenschaft und Technik Veröffentlichungen in einer Sprache, die er kaum beherrscht, lesen.

Die Datenverarbeitung durch Computer lohnt sich nicht nur für Riesenbetriebe. Kleinere und mittlere Kaufhaus-Filialunternehmen z. B. müssen jederzeit die richtige Fehlmenge in ihren Betrieben kennen; außerdem muß der Lagerbestand richtig mit dem Einkauf koordiniert werden. Auch dazu kann der Computer verwendet werden, wodurch viele überflüssige Personalkosten eingespart werden.

So spielen diese Elektronengehirne in unserem Alltag eine immer größere Rolle, nachdem sie es dem Menschen ermöglicht haben, eine begrenzte Eroberung des Weltraums zu wagen.

Beantworten Sie jede folgende Frage mit mehreren Sätzen:

1. Welche psychologischen Gründe sind für einen Wagenkauf ausschlaggebend?
2. Wie müssen die Autohersteller ihr Produktionsprogramm zusammenstellen?

3. Was geschieht mit dem Gebrauchtwagen bei der Anschaffung eines neuen Wagens?
4. Wie arbeitet der neueste Würstchenautomat?
5. Wie kann man Computer zu Übersetzungen benutzen?
6. Ist die Datenverarbeitung nur für Riesenbetriebe interessant?
7. Welche Rolle spielen die Computer außerdem?

---

Produktionsprogramm – Autohersteller – Kleinwagen – Mittelklassewagen – große Wagen
ergänzungsfähiges Programm – gemeinsame Verkaufsorganisation – Er-
frischungsautomat – gemeinsame Finanzplanung
Gebrauchtwagen – Schätzpreis – in Zahlung geben
Computer – Datenverarbeitung – Einsparung von Personalkosten
Elektrogehirn – Computer im Alltag – Eroberung des Weltraums

---

## Abschnitt C

### Aufsatz

In welchen Lebensgebieten hat die Technik die menschliche Arbeitskraft vollständig ersetzt?
Belegen Sie Ihre Meinung mit Beispielen aus Ihrer persönlichen Erfahrung!

# Kapitel 18

## Abschnitt A

### Wissenschaft und Technik in den nächsten Jahrzehnten

Fast unbemerkt von der Öffentlichkeit ist die Menschheit in einen dramatischen Wettlauf eingetreten. Mehr als der Griff nach den Sternen wird das unaufhörliche Wachstum der Weltbevölkerung die kommenden Jahrzehnte bestimmen. Werden wir künftig genug Güter produzieren, damit alle essen, sich kleiden und wohnen können? Wissenschaft und Technik rücken diesen großen Problemen zu Leibe. Wüsten sollen fruchtbar gemacht werden, neue Nahrungsmittel sollen aus Algen gezüchtet werden. Durch Synthese will die Chemie Kohlehydrate für die Ernährung gewinnen. Viel weiter sind wir mit der Lösung des Kleidungsproblems aus synthetischen Fasern. Die chemischen Produkte sind nicht einfach Ersatz für die natürlichen Rohstoffe, sondern Stoffe mit Eigenschaften, wie sie in der Natur nicht vorkommen. Im Kampf gegen den Hunger spielt die Chemie eine hervorragende Rolle durch die Kaliproduktion zur Herstellung von Kunstdünger, dessen Bedarf auf dem Weltmarkt ständig zunimmt. Die Schwergewichtsverlagerung der Entwicklungshilfe auf landwirtschaftliche Projekte wird für diese chemischen Produkte Märkte mit einem ungeheuren Aufnahmepotential schaffen, wie z. B. Indien, das seine Nachfrage an Kunstdünger in 3 Jahren verzehnfachen will.

Wenn nach dem zweiten Weltkrieg in Deutschland ernstlich von Wissenschaftlern die Frage gestellt wurde, ob man von der traditionellen Schwerindustrie zur Leichtmetallindustrie übergehen soll, dann hat die Chemie durch ihre stürmische Entwicklung im Bereich der Kunststoffe diese Frage in einer anderen Richtung entschieden. Die Eignung der Kunststoffe für tragende Konstruktionen, der Kunststoff-Maschinenbau, die unbegrenzte Elastizität mancher Kunststoffe und deren Wetterbeständigkeit hat einen neuen Werkstoff der verarbeitenden Industrie zur Verfügung gestellt, der alle praktischen Anwendungsmöglichkeiten gewährleistet.

Die chemischen Erzeugnisse, wie Farbstoffe, Textilhilfsmittel, Zwischenprodukte, Arzneimittel, neben den erwähnten Düngemitteln auch viele andere Erzeugnisse für den Bedarf der Landwirtschaft, die synthetischen Fasern und die Kunststoffe mit ihren Folien haben der Chemie in einem derartig rohstoffarmen Industrieland wie Deutschland eine beherrschende Rolle eingeräumt. Bekanntlich sind nur die Enderzeugnisse der Chemie genügend wertintensiv, um die Frachtkosten für große Entfernungen im Preis, ohne Schaden für den Wettbewerb, aufzunehmen. Deshalb bemüht sich die deutsche Großchemie heute, Fabrikationsstätten im Ausland zu errichten. Günstige Standorte erleichtern die Kosten- und Wettbewerbslage, die für das Bestehen der deutschen Firmen gegenüber den gigantischen ausländischen Weltfirmen entscheidend ist. Bemerkenswerte Vorteile in dieser Hinsicht bietet das Hafengebiet von Antwerpen mit seiner hervorragenden Verkehrslage, besonders für die Lieferung von petrol-chemischen Rohstoffen und die bereits erstellten Raffinerie- und Krackanlagen.

Übung 1: Formulieren Sie die folgenden Sätze um:

1. Mehr als der Griff nach den Sternen wird das unaufhörliche Wachstum der Weltbevölkerung die kommenden Jahrzehnte bestimmen.
2. Wissenschaft und Technik rücken diesen großen Problemen zu Leibe.
3. Die Schwergewichtsverlagerung der Entwicklungshilfe auf landwirtschaftliche Projekte wird für diese chemischen Produkte Märkte mit einem ungeheuren Aufnahmepotential schaffen.
4. Die Chemie hat durch ihre stürmische Entwicklung im Bereich der Kunststoffe diese Frage (Schwer- oder Leichtmetallindustrie) in einer anderen Richtung entschieden.
5. Dieser neue Werkstoff eröffnet der Technik alle praktischen Anwendungsmöglichkeiten.
6. Die chemischen Erzeugnisse haben der Chemie in einem derartig rohstoffarmen Industrieland wie Deutschland eine beherrschende Rolle eingeräumt.
7. Nur die Erzeugnisse der Chemie sind genügend wertintensiv, um die Fracht über große Entfernungen im Preis, ohne Schaden für den Wettbewerb, aufzunehmen.
8. Günstige Standorte erleichtern die Kosten- und Wettbewerbslage.

---

Die Inhalte der Gliedsätze (Fortsetzung)

1. In Gliedsätzen werden Sachverhalte beschrieben, die der Zweck oder die Folge des im Hauptsatz mitgeteilten Sachverhaltes sind.

a) Der Zweck: *damit, um – zu.* Der im Gliedsatz beschriebene Sachverhalt ist der Zweck des mitgeteilten Sachverhaltes.

Die Lieferfirma hat mir die Waren zugehen lassen, *damit* ich sie rechtzeitig zu den Weihnachtseinkäufen erhalte.

Die Kunden standen vor diesem Geschäft Schlange, *um* die einmalig billigen Waren einzukaufen (um-zu: in beiden Sachverhalten das gleiche Subjekt).

b) Die Folge: *(so) daß, weshalb, weswegen.* Der im Gliedsatz beschriebene Sachverhalt ist die Folge des mitgeteilten Sachverhaltes.

Die bestellten Waren kamen in einem derartig schlechten Zustand an, *daß* man nicht einmal ein einziges Stück zum Kauf anbieten konnte.

c) Die ausbleibende Folge: *ohne daß, ohne – zu.* Der im Gliedsatz beschriebene Sachverhalt tritt nicht, wie erwartet oder befürchtet, als Folge des mitgeteilten Sachverhaltes ein. Die Personalform steht im Konjunktiv II.

Der Kaufmann hat seine Firma verkauft, *ohne daß* er einen großen Gewinn daraus erzielt hätte.

Der Firmeninhaber arbeitet sehr viel, *ohne* auf seine Gesundheit Rücksicht *zu* nehmen (ohne – zu: in beiden Sachverhalten dasselbe Subjekt).

*als daß:* Der im Gliedsatz beschriebene Sachverhalt kann unmöglich als Folge des mitgeteilten Sachverhaltes eintreten.

Die Umsätze dieses Ladens sind viel zu gering, *als daß* die allgemeinen Geschäftskosten damit gedeckt wären.

2. Werden die Sachverhalte, die als Folge oder Zweck betrachtet werden, nicht beschrieben, sondern nur *bezeichnet,* stehen sie als einfache Satzglieder. Präpositionen treten an die Stelle der Konjunktionen.

a) Der Zweck: *zu* anstelle von „damit" oder „um – zu".

Der Staat muß oft *zur Sicherung* der Altersversorgung erhebliche Geldmittel zur Verfügung stellen.

b) Die Folge: *mit* anstelle von „(so) daß".

Er hat *mit* Erfolg diese Arbeit bewältigt.

c) Die ausbleibende Folge: *ohne.*

Diese Warenposten wurden *ohne Gewinn* verkauft.

3. In Gliedsätzen werden Sachverhalte beschrieben, mit denen der mitgeteilte Sachverhalt *verglichen* wird.

a) Der einfache Vergleich: *wie.* Der mitgeteilte Sachverhalt wird mit dem im Gliedsatz beschriebenen Sachverhalt verglichen.

Die Techniker arbeiten, *wie* sie es in den Werkstätten gelernt haben.

b) Der angenommene Vergleich: *als ob, als wenn.* Der mitgeteilte Sachverhalt wird mit einem angenommenen verglichen, der im Widerspruch zu den Tatsachen steht. Die Personalform im Gliedsatz steht im Konjunktiv II.

Er kauft so viel ein, *als ob* er viel Geld hätte.

*wie wenn:* Der mitgeteilte Sachverhalt wird mit einem angenommenen Sachverhalt verglichen, welcher der Situation entspricht.

Er fährt mit dem Auto, *wie wenn* er Rennfahrer wäre.

4. In Gliedsätzen beschriebene Sachverhalte stehen im Gegensatz zu dem mitgeteilten Sachverhalt.

a) Der nicht erwartete oder nicht gewünschte Gegensatz: *während, wohingegen.* Der im Gliedsatz beschriebene Sachverhalt steht in einem nicht zu erwartenden oder nicht erwünschten Gegensatz zu dem mitgeteilten Sachverhalt.

Die Angestellten sitzen und unterhalten sich, *während* die Kunden geduldig warten müssen.

b) Der erwartete oder gewünschte Gegensatz: *statt daß, (an)statt.* Der mitgeteilte Sachverhalt entspricht nicht dem im Gliedsatz beschriebenen erwarteten oder erwünschten Sachverhalt.

*Statt daß* der Inhaber sich um sein Geschäft kümmert, geht er jede Woche von Donnerstag bis nächsten Mittwoch zum Skilaufen.

5. In Gliedsätzen werden Sachverhalte beschrieben, die zu dem mitgeteilten Sachverhalt führen oder geführt haben.

a) Das Mittel, der Weg, die Methode, der Begleitumstand: *indem, dadurch daß.* Der im Gliedsatz beschriebene Sachverhalt ist der Weg, das Mittel, die Methode, mit denen man den mitgeteilten Sachverhalt erreicht. Er kann auch der Umstand sein, der den mitgeteilten Sachverhalt begleitet.

Sie können den Motor in Gang setzen, *indem* Sie hier auf den Knopf drükken.

b) Das nicht genutzte Mittel oder der nicht vorhandene Begleitumstand: *ohne, ohne daß.* Der mitgeteilte Sachverhalt ist nicht durch den im Gliedsatz beschriebenen Sachverhalt erreicht worden.

Sie können diese Umsätze erzielen, *ohne daß* viel Werbung nötig wäre.

6. In Gliedsätzen werden Sachverhalte beschrieben, die den Grad oder das Ausmaß des mitgeteilten Sachverhaltes erläutern.

a) Der Grad, das Ausmaß: *so . . . daß.* Der mitgeteilte Sachverhalt ist von Umständen begleitet, die den im Gliedsatz beschriebenen Sachverhalt fördern, hindern oder unmöglich machen.

Du mußt *so* arbeiten, *daß* du für dein Alter versorgt bist.

*soweit, soviel:* Der im Gliedsatz beschriebene Sachverhalt nennt das Ausmaß der Umstände, die zum Zustandekommen des mitgeteilten Sachverhaltes beitragen.

*Soweit* es uns möglich ist, werden wir Ihnen in unseren Zahlungsbedingungen entgegenkommen.

b) Das gleiche Ausmaß: *je . . . desto (je . . . um so), je nachdem.*

*Je* gründlicher man eine Arbeit beginnt und durchführt, *desto* mehr Erfolg wird man damit haben.

c) Das ungleiche Ausmaß: *als.* Das Ausmaß des mitgeteilten Sachverhaltes steht nicht im gleichen Verhältnis zu dem im Gliedsatz beschriebenen Sachverhalt.

Wir mußten *viel mehr* arbeiten, *als* es beim Beginn der Arbeit aussah.

Übung 2: Erklären Sie mit eigenen Worten und in vollständigen Sätzen die folgenden Wörter in der Bedeutung, die sie im Text haben:

1. in einen dramatischen Wettlauf eintreten (Zeile 1)
2. der Griff nach den Sternen (Zeile 2)
3. diesen Problemen zu Leibe rücken (Zeile 5)
4. Nahrungsmittel aus Algen züchten (Zeile 7)
5. durch Synthese Kohlehydrate gewinnen (Zeile 7)
6. Ersatz für die natürlichen Rohstoffe (Zeile 10)
7. ... Kunstdünger, dessen Bedarf auf dem Weltmarkt zusehends zunimmt (Zeile 13)
8. Schwergewichtsverlagerung (Zeile 14)
9. landwirtschaftliche Projekte (Zeile 14)
10. Aufnahmepotential (Zeile 15)
11. ... von der traditionellen Schwerindustrie zur Leichtmetallindustrie übergehen (Zeile 18)
12. diese Frage in einer anderen Richtung entscheiden (Zeile 20)
13. tragende Konstruktionen (Zeile 21)
14. Kunststoffmaschinenbau (Zeile 22)
15. Folien (Zeile 29)
16. beherrschende Rolle einräumen (Zeile 30)
17. wertintensiv (Zeile 31)
18. die Fracht im Preis, ohne Schaden für den Wettbewerb, aufnehmen (Zeile 33)
19. Standorte (Zeile 34)
20. Kosten und Wettbewerbslage (Zeile 35)

Übung 3: Formen Sie die kursiv gedruckten Gliedsätze in Satzglieder um!

1. Die chemische Industrie stellt aus Algen Nahrungsmittel her, *damit die Eiweißversorgung der Menschheit gesichert werden kann.*
2. Die Kaliproduktion hat in den armen Ländern merklich zugenommen, *ohne daß der erzeugte Kunstdünger die Ernährungsprobleme endgültig gelöst hätte.*
3. Die Kunststoffe spielen auch im Maschinenbau eine Rolle, *ohne die Schwerindustrie in ihrem Ausmaß zu beeinträchtigen.*
4. Die Rohstoffe Deutschlands sind viel zu gering, *als daß sie auch nur annähernd die Bedürfnisse der Industrie decken könnten.*

Übung 4: Ergänzen Sie die folgenden Sätze durch die fehlenden Verben!

1. Die Regierung ... als Nachfrager bei einer landwirtschaftlichen Überproduktion.

2. Großhändler . . . ihre Waren meistens vom Hersteller.
3. Die staatlichen Eisenbahnen . . . der Schwerindustrie einen großen Auftrag.
4. Die Bundesbank hat infolge der überhitzten Konjunktur den Diskontsatz . . .
5. Beim Grenzübergang der Waren muß zwischen den EWG-Ländern Zoll . . .
6. Firmen müssen die fälligen Wechsel . . .
7. Durch Subventionen können viel Industrien . . .
8. Diese gesetzlichen Bestimmungen . . . bis zum Ende des nächsten Jahres.
9. Mein Konto wurde mit dem Betrag der drei Überweisungen . . .
10. Große Firmen . . . ihre Nachrichten mit Fernschreibern.
11. Die Abwicklung dieses Geschäftes konnte nicht rechtzeitig . . .
12. Eilbriefe müssen zu jeder Zeit . . .
13. Der Lieferer . . . mit einer späteren Zahlung seiner Kunden.
14. Der Großhändler hat als Aussteller eine Tratte auf den Abnehmer . . .
15. Es ist bei großen Lieferungen sehr günstig, die Rechnung mit Skonto zu . . .

Übung 5: Ergänzen Sie die folgenden Sätze durch die fehlenden Nomen!

1. Für die eingeführten Waren besteht zwischen den EWG-Ländern . . .
2. Das Konto des Großhändlers weist durch die vielen Zahlungseingänge einen großen . . . auf.
3. Wir setzen Ihnen für die bisher nicht erfolgte Lieferung eine . . . von 10 Tagen.
4. Um die Währung eines Landes gesund zu erhalten, muß die Regierung rechtzeitig . . . eingreifen.
5. Die Bank des Exporteurs hat zur Finanzierung dieses Auftrags einen großen . . . eingeräumt.
6. Für den Eingang der Mehrwertsteuerrückerstattung hat die Bank der Ausfuhrfirma . . . erteilt.

---

Wachstum der Weltbevölkerung – Griff nach den Sternen
Kaliproduktion – Kunstdünger – Entwicklungshilfe – landwirtschaftliche Produkte
Aufnahmepotential – Schwerindustrie – Leichtmetallindustrie
Kunststoff – beherrschende Rolle – wertintensive Erzeugnisse
Standorte für Fabrikationsstätten – Kosten- und Wettbewerbslage

# Abschnitt B

## Das Hafengebiet von Antwerpen

Die chemische und petrol-chemische Industrie im Antwerpener Hafengebiet hat ihre Produktionskapazität innerhalb von 2 Jahren verzwanzigfacht. Diese Expansion wurde allerdings durch Investitionen in Höhe von rund 2 Mrd. DM ermöglicht. Dieses Hafengebiet bietet offenbar Garantien und Voraussetzungen, weshalb sich die internationale Chemie-Wirtschaft gerade nach Antwerpen orientiert. Vor allem wird das verständlich durch die überaus günstige Verkehrslage: Die Küstennähe, die gute Verbindung mit dem Hinterland, der rege Verkehr mit Übersee (etwa 17 000 Schiffe im Jahr) mit der dadurch verbundenen günstigen An- und Abfuhr von Rohstoffen bzw. Halb- und Fertigprodukten. Dazu kommen die Binnenschiffahrts-, Bahn- und LKW-Verbindungen. Wichtig ist außerdem, daß der Hafen stark auf „Chemie" spezialisiert ist. Die Hafenarbeiter haben Fachkenntnis im Umgang mit Chemikalien, und die im Hafen ansässigen Firmen sind für die Behandlung von Chemikalien bzw. chemischen Rohstoffen aufs modernste ausgerüstet.

Die zentrale Lage dieses ausgedehnten Gebietes gegenüber Holland, Belgien und Nordfrankreich wird die stürmische Aufwärtsentwicklung eines neuen „Ruhrgebiets" ermöglichen, dessen Schlagader der Kanal Gent-Terneuzen sein wird.

Beantworten Sie jede folgende Frage mit mehreren Sätzen:

1. Worauf ist die außerordentliche Ausweitung der chemischen Industrie im Hafen von Antwerpen zurückzuführen?
2. Welche Vorteile bietet die Verkehrslage dieses Hafens?
3. Über welche Kenntnisse verfügen die in diesem Hafen beschäftigten Arbeiter?
4. Zu welcher Entwicklung wird die geographische Lage dieses Industriegebietes führen?

---

chemische Industrie – petrol-chemische Industrie
Produktionskapazität – Expansion – Investitionen
Garantien – Voraussetzungen – Chemie – Wirtschaft
Küstennähe – Hinterland – Überseeverkehr
Binnenschiffahrtsverbindungen – Bahnverbindungen – LKW-Verbindungen
Fachkenntnis – Behandlung von Chemikalien – Behandlung von
chemischen Rohstoffen

---

# Abschnitt C

**Aufsatz**

Auf welchem Gebiet des täglichen Lebens spielt die Chemie eine besonders
große Rolle?

# Kapitel 19

## Die Entwicklungsländer und die Bundesrepublik

Einige der wenigen positiven Folgen des zweiten Weltkriegs ist die Erkenntnis, die sich seit zwanzig Jahren bei den Industrienationen in zunehmendem Maße durchsetzte, daß die Probleme der Menschheit jeden Staat und jedes Volk, jeden Kontinent und alle Wirtschaftsformen angehen. Der trostlose Zustand, in dem sich das vom Krieg so fürchterlich heimgesuchte Europa befand, konnte nur mit der wirtschaftlichen und moralischen Hilfe des Marshallplanes beseitigt werden, der „gegenüber Hunger, gegen Elend, gegen die Hoffnungslosigkeit und gegen das Chaos" gerichtet war. Während des Wiederaufbaus in Europa und der Entkolonialisierung wurde den Industrienationen ihre eigenen und die fremden Probleme in ihrer Verzahnung offenbart, wodurch sie sich zu finanziellen Hilfeleistungen veranlaßt sahen. Man wollte den Entwicklungsländern, die häufig mit einer primitiven Landwirtschaft, mit einer kümmerlichen oder fehlenden Industrie, mit Analphabetismus, unter der ständigen Angst vor einer Hungersnot und unter dem ständig sich erhöhenden Bevölkerungsdruck sich entwickeln müssen, eine ähnliche Starthilfe geben, wie es die 80 Mrd. DM des Marshallplans für 15 europäische Nationen waren. Wenn man heute jedoch die Bilanz dieser Entwicklungshilfe aufstellt, so wird man mit Erschrecken gewahr – was übrigens Fachleute seit Jahren vorausgesagt hatten – daß die Kluft zwischen den Besitzenden und den Besitzlosen noch tiefer und unüberbrückbarer geworden ist.

Man versucht deshalb die Gründe des katastrophalen Mißerfolges festzustellen und entsprechende Vorsorge für die Zukunft zu treffen. Man kann an Tatsachen, wie rückläufige Produktion in manchen Entwicklungsländern bei gleichzeitiger empfindlicher Steuererhöhung, Aufblähung des Verwaltungsapparates und maßlose Rüstungsausgaben, nicht vorbeigehen. Zugleich muß man jedoch auch den ständig wachsenden Preisunterschied zwischen Fertigwaren und Rohstoffen, die immer teurer werdenden hochspezialisierten Maschinen und die unerbittliche Konkurrenz von Kunstfasern und Kunststoffen für den wirtschaftlichen Verfall vieler Rohstoffländer verantwortlich machen. Nicht zuletzt scheinen auch die Mittel für die zwei Drittel der Menschheit, die man bisher aufgewendet hatte, völlig unzulänglich gewesen zu sein. Denn die 260 Mrd. DM, die in den 60er Jahren für die Entwicklungshilfe ausgegeben wurden, stehen in keinem Verhältnis zu den bisherigen Rüstungsausgaben sämtlicher Staaten der Welt im selben Zeitraum. Letzteres soll die tatsächliche finanzielle Leistungskapazität der Staaten veranschaulichen, weshalb auch auf eine Erhöhung der Entwicklungshilfe auf 4% des Sozialproduktes der unterstützenden Staaten abgezielt wird.

Durch jahrzehntelange Hilfe in dieser Höhe, durch technische Beratung, durch Stabilisierung der Rohstoffpreise, durch Zollbegünstigung für tropische Erzeugnisse und Abschaffung der Verbrauchersteuern für Kaffee und Tee könnte man diese kritische Lage zum Besseren wenden. Die Entwicklungsländer sollten ihrem derzeitigen Stand gemäß zu einem Höchstmaß an landwirtschaftlicher Produktion – auch wegen der eigenen Ernährung – verpflichtet werden, sie sollten das Hauptgewicht auf eine großangelegte Erziehungsarbeit legen und für eine Verlangsamung der Bevölkerungszunahme Sorge tragen. Sie sollten durch strenge Lebensdisziplin, durch das Ablegen von Sitten und Gebräuchen, die den Fortschritt hemmen, alle Anstrengungen planmäßig betreiben, um etwa in 50 Jahren zu dem erwünschten Wohlstand zu gelangen.

Das Beispiel Japans sollte für alle die Gewißheit bieten, daß jedes Land durch jahrzehntelange konsequente und zielbewußte Arbeit sich wirtschaftlich festigen und seiner Bevölkerung ein menschenwürdiges Dasein für die nächsten Generationen sichern kann.

Die Bundesrepublik Deutschland liegt in der Mitte Europas. Im Westen spielt für unsere Wirtschaft der Rhein eine besondere Rolle, da er wichtige Verkehrswege zu den hochstehenden Ländern des Westens, wie Frankreich und Belgien, die Niederlande und Großbritannien, miteinander verbindet. Das Gebiet der Bundesrepublik ist von rd. 58 Mill. Einwohnern bewohnt, von denen 2/3 in Städten wohnen. Diese Verstädterung ist die Folge der Industrialisierung, ohne die das deutsche Volk seinen Lebensunterhalt kaum bestreiten könnte. An Rohstoffen ist eigentlich nur die Steinkohle von großer Bedeutung wegen der großen Vorkommen und deren Förderung im Ruhrgebiet. In der Fördermenge steht Deutschland an vierter Stelle hinter England, den Vereinigten Staaten und der Sowjetunion. Mit der Steinkohlenförderung ist die Schwerindustrie als Grundlage der Maschinenindustrie gekoppelt. Desgleichen die elektrische Energieerzeugung, die unentbehrlich für die hochentwickelte chemische Industrie ist, die wiederum auf dem Rohstoff Kohle basiert.

Das deutsche Verkehrsnetz ist, was den Eisenbahnverkehr betrifft, nicht auf ein Zentrum ausgerichtet. Das Straßennetz ist sehr gut ausgebaut, vor allem mit den über 5000 km Autobahnen. Die Wasserstraßen sind untereinander durch Kanäle verbunden, ebenso die Nord- und Ostsee durch den Nord-Ostsee-Kanal, der von großen Seeschiffen befahren werden kann. Von den Wirtschaftsräumen der Bundesrepublik ist das Gebiet des Bundeslandes Nordrhein-Westfalen das wichtigste Industriegebiet. Dessen drei Schwerpunkte, Duisburg, Essen und Dortmund, sind die Zentren des Ruhrgebiets mit über 1000 Einwohnern pro Quadratkilometer, von denen die meisten in den 8 Großstädten leben. Das Bundesland Hessen hat als wirtschaftlichen Schwerpunkt das Rhein-Mainische Wirtschaftsgebiet mit weltbekannten Industrien für Maschinen, Chemie und optische Geräte. Rheinaufwärts liegt das Bundesland Baden-Württemberg, das durch den

Rhein in wechselseitiger Beziehung zum Ruhrgebiet steht, mit einer Reihe von Großbetrieben der Maschinenindustrie, der Uhrenindustrie und der chemischen Industrie. Für das Bundesland Rheinland-Pfalz gruppieren sich die wichtigsten Industrien (Chemie in Ludwigshafen) um den Rhein. Das Land Bayern, das früher hauptsächlich ein Fremdenverkehrsland war und auf Landwirtschaft und Agrarindustrie aufgebaut war, hat in den letzten Jahren eine tiefgreifende Industrialisierung erfahren mit einem Produktionsvolumen, das nahe bei demjenigen des Ruhrgebietes liegt. Das Bundesland Niedersachsen hat landwirtschaftlichen Charakter. Die Bundesländer Hamburg und Bremen sind infolge des Seehandels industrialisiert.

Schleswig-Holstein als das nördlichste Land der Bundesrepublik ist hauptsächlich landwirtschaftlich orientiert. Seine Industrie spielt nur eine geringe Rolle. Allerdings hat der Fremdenverkehr eine große Bedeutung für die landschaftlich schönen Nord- und Ostseebäder.

# Wörterverzeichnis

Die Reihenfolge der Wörter ist nach ihrem Auftreten im Text und im Grammatikteil festgelegt, und zwar in drei Gruppen:

Verben (mit Satzbeispielen), Nomen und andere Wortarten.

Wenn ein Wort im Text mit einer neuen Bedeutung gebraucht wird, so wird es in diesem Verzeichnis nochmals aufgeführt. Die Wörter mit Sternchen (*) beziehen sich auf den fremdsprachigen Text.

## 1 A

benötigen + A (= brauchen), benötigte, hat benötigt
    Ich benötige dieses Geld.
rollen, rollte, ist gerollt
    Die Güterzüge rollen in die Stadt.
bringen = D + A, brachte, hat gebracht
    Die Güterzüge bringen der Bevölkerung die Nahrungsmittel.
brauchen + A, brauchte, hat gebraucht
    Er braucht diesen Menschen. Du brauchst viel Nahrung.
sich ernähren, ernährte sich, hat sich ernährt
    Die Menschen ernähren sich mit Fleisch und Gemüse.
bleiben, blieb, ist geblieben
    Bleiben Sie hier!
am Leben bleiben, blieb, ist geblieben
    Wir wollen am Leben bleiben, deshalb ernähren wir uns.
sich schützen gegen + A, schützte sich, hat sich geschützt
    Wir schützen uns gegen die Witterung.
sich bekleiden mit + D, bekleidete sich, hat sich bekleidet
    Ich bekleide mich in der Hitze mit leichter Kleidung.
bauen + A, baute, hat gebaut
    Wir bauten uns dieses schöne Haus.
tragen + A, trug, hat getragen
    Er trug im Winter immer leichte Kleidung.
bilden + A, bildete, hat gebildet
    Diese Räume bilden eine Wohnung.
wohnen in + D, wohnte, hat gewohnt
    Er hat in einem großen Haus gewohnt.
leben, lebte, hat gelebt
    Viele Menschen haben nicht ihre tägliche Nahrung, deshalb leben sie nicht gut
nennen + A, nannte, hat genannt
    Wir nennen die Nahrung ein elementares Bedürfnis.
beachten + A, beachtete, hat beachtet
    Beachten Sie die Übungen!

fahren, fuhr, ist gefahren
  Die Züge sind in die Stadt gefahren.
nehmen + A, nahm, hat genommen
  Er hat viel Milch genommen.
(sich) vorbereiten + A, bereitete (sich) vor, hat (sich) vorbereitet
  Du bereitest deine Prüfung vor.
vergessen + A, vergaß, hat vergessen
  Ich habe meine Aufgaben vergessen.
beschreiben + A, beschrieb, hat beschrieben
  Sie will ihre Wohnung beschreiben.
essen, aß, hat gegessen
  Er aß viel Fleisch.
anziehen + A, zog an, hat angezogen
  Wir ziehen im Winter warme Kleidung an.

das Urbedürfnis, -ses, -se
die Stadt, -, die Städte
die Großstadt, -, die Großstädte
die Million, -, -en
der Einwohner, -s, -
das Jahr, -es, -e
die Tonne, -, -n
der Güterzug, -s, die Güterzüge
die Bevölkerung, -, -en
der Berg, -es, -e
das Nahrungsmittel, -s, -
das Lebensmittel, - (meist Plural)
das Brot, -es, -e
das Fleisch, -es
das Ei, -s, -er
der Zucker, -s
die Butter, -
die Milch, -
das Obst, -es
das Gemüse, -es, -e
der Käse, -es, -e
das Salz, -es, -e
die Menge, -, -en
das Wasser, -s
der Mensch, -en, -en
das Leben, -s, -
die Nahrung, -, -en
das Bedürfnis, -ses, -se

die Region, -, -en
die Erde, -
der Körper, -s, -
die Kälte, -
die Hitze, -
der Regen, -s
der Schnee, -s
das Haus, -es, die Häuser
der Schutz, -es
die Witterung, -, -en
das Klima, -s, -s (-te)
das Kleid, -es, -er
der Schuh, (e)s, -e
die Kleidung-, -, -en
der Raum, -s, die Räume
die Wohnung, -, -en
der Lastzug, -s, die Lastzüge
der (Fern)Laster, -s, -
das Ende, -s, -en
die Angelegenheit, -, -en
die Prüfung, -, -en
die Sorge, -, -n
der Kellner, -s, -
der Nebensatz, -es, die Nebensätze
der Gliedsatz, -es, die Gliedsätze
das Frühstück, -s, -e
der Mittag, -s

| | | | |
|---|---|---|---|
| Ur- | Tag für Tag | deshalb | das erste |
| nötig | riesig | täglich | elementar |

| meist | ständig | gleicherweise | nachlässig |
| die meisten | ungünstig | unentbehrlich | zu Abend |
| Gegenden | die ungünstige | gründlich | je |
| darum | Witterung | | |
| auf diese Weise | unabhängig | | |

## 1 B

sich beschäftigen mit + D, beschäftigte sich, hat sich beschäftigt
  Sie beschäftigen sich jetzt mit dem Fischfang.
dauern, dauerte, hat gedauert
  Unsere Arbeit dauert sehr lange.
züchten + A, züchtete, hat gezüchtet
  Er züchtet Hunde.
bebauen + A, bebaute, hat bebaut
  In manchen Gegenden der Erde wird viel Land bebaut.
beginnen + A, begann, hat begonnen
  Dieses Land beginnt seine Industrie zu entwickeln.
sich spezialisieren, spezialisierte, hat sich spezialisiert
  Er beginnt sich zu spezialisieren.
ausüben + A, übte aus, hat ausgeübt
  Du übst keine bestimmte Tätigkeit aus.
herstellen + A, stellte her, hat hergestellt
  Die Handwerker stellen Werkzeuge her.
entstehen, entstand, ist entstanden
  Wo Bauern das Land bebauen, entstehen Dörfer.
tauschen gegen + A, tauschte, hat getauscht
  Ihr tauscht eure Erzeugnisse gegen andere aus.
verdrängen + A, verdrängte, hat verdrängt
  Die Industrie verdrängt das Handwerk.
entwickeln + A, entwickelte, hat entwickelt
  Diese Industrie hat sich sehr schnell entwickelt.
bestehen in + D, bestand in, hat in ... bestanden
  Die Tätigkeit der Handwerker besteht z. B. in der Herstellung bestimmter Werkzeuge.
*einladen + A, lud ein, hat eingeladen
  Sie luden den Fischer ein.
*versammeln, versammelte, hat versammelt
  Hier versammeln sich viele Menschen.
*ausschließen + A, schloß aus, hat ausgeschlossen
  Der Wettbewerb ist oft ausgeschlossen.
*ausstellen + A, stellte aus, hat ausgestellt
  Sie werden ihre Erzeugnisse ausstellen.
*anbieten + D, bot an, hat angeboten
  Dieses Land bietet sein Gemüse an.
*unterrichten über + A, unterrichtete, hat unterrichtet
  Wir werden über die Konservenfabriken unterrichtet.

die Tätigkeit, –, -en
das Jahrhundert, -s, -e
der Fisch, -s, -e
der Wald, -s, Pl. Wälder
die Beschäftigung, –, -en
das Sammeln, -s
die Jagd, –, -en
der Fischfang, -s
der Jäger, -s, –
der Fischer, -s, –
das Tier, -s, -e
die Umgebung, –, -en
das Land, -es (= das Feld = Acker)
    Ich bebaue das Land. Wir bebauen die
    Felder (= Äcker).
das Futter, -s
das Getreide, -s, -e
das Vieh, -s
die Haut, –, Häute
das Fell, -s, -e
das Jahrtausend, -s, -e
der Ackerbau, -s
der Bauer, -s, -n
der Landwirt, -s, -e
die Viehzucht, –
die Grundlage, –, -n
die Lebensgrundlage, –, -n
das Altertum, -s
die Herstellung, –, -en

das Mittelalter, -s
die Landwirtschaft, –, -en
das Werkzeug, -s, -e
die Gruppe, –, -n
der Handwerker, -s, –
das Erzeugnis, -ses, -se
die Anzahl, –
die Neuzeit, –
das Handwerk, -s
das Land, -es, die Länder
die Industrie, –, -n
*die Ausstellung, –, -en
*die Erforschung, –
*die Welt, –, -en
*der Wettbewerb, -s
*Belgien, -s (ohne Artikel) das ganze
    Belgien
*das Bier, -s, -e
*die Süßwaren (nur Plural)
*die Niederlande, der Niederlande
    (nur Plural)
*der Keks, -es, -e
*die Schokolade, –, -n
*die Bundesrepublik, –, -en
*die Bierbrauerei, –, -en
*die Konservenfabrik, –, -en
*der Geschmack, -s, die Geschmäcke
*der Schinken, -s, –

| | | | |
|---|---|---|---|
| im Laufe | mancher | ausschließlich | *derart |
| hauptsächlich | einige | allmählich | *europäisch |
| wild | schon | innerhalb | |
| einzig | notwendig | *mannigfaltig | |

## 1 C

bekommen + A, bekam, hat bekommen
    Er bekam einen Brief.
schreiben + A, schrieb, hat geschrieben
    Ich schreibe Dir einen Brief.
anrufen + A, rief an, hat angerufen
(= anrufen bei + D)
    Ich werde Sie morgen anrufen (oder = ich werde morgen bei Ihnen anrufen).
führen + A, führte, hat geführt
    Du führst nicht viele Ferngespräche.

austauschen + A, tauschte aus, hat ausgetauscht
  Kaufleute tauschen häufig Informationen aus.
erhalten + A, erhielt, hat erhalten
  Wir haben diesen Brief erhalten.
sich unterscheiden von + D, unterschied sich, hat sich unterschieden
  Diese Farbe unterscheidet sich von den anderen.
übermitteln + A, übermittelte, hat übermittelt
  Das Telefon übermittelt uns persönliche Nachrichten.
mitteilen + A, teilte mit, hat mitgeteilt
  Er hat uns diesen Preis mitgeteilt.
einkaufen + A, kaufte ein, hat eingekauft
  Der Kaufmann muß für sein Geschäft neue Waren einkaufen.
beliefern + A, belieferte, hat beliefert
  Nur diese Kaufleute können ihn beliefern.
aussuchen + A, suchte aus, hat ausgesucht
  Du suchst die besten Lieferanten aus.
sich eindecken bei + D, deckte (sich) ein, hat (sich) eingedeckt
  Er deckt sich immer bei denselben Lieferern ein.
anfragen (= anfragen bei + D), fragte an, hat angefragt
  Wir fragen bei neuen Lieferern an.
antworten (antworten auf + A, antworten mit + D), antwortete, hat geantwortet
  Ich antworte auf Ihr Schreiben.
beantworten + A, beantwortete, hat beantwortet
  Ich beantworte Ihren Brief.
angeben + A, gab an, hat angegeben
  Geben Sie immer den Betreff an.
bedeuten, bedeutete, hat bedeutet
  Das bedeutet, daß er kaufen will.
wünschen + A, wünschte, hat gewünscht
  Sie wünschen diese Ware zu kaufen.
annehmen + A, nahm an, hat angenommen
  Der Käufer hat die Bedingungen angenommen.
einverstanden sein mit + D, war, ist gewesen
  Der Kunde ist mit den Lieferbedingungen einverstanden.
verkaufen + A, verkaufte, hat verkauft
  Der Lieferer verkauft seinen Kunden viel Ware.
erklären + A, erklärte, hat erklärt
  Er erklärt, daß er mit den Bedingungen einverstanden ist.
genügen, genügte, hat genügt
  Es genügt, wenn Sie morgen anrufen.
bestellen + A, bestellte, hat bestellt
  Ich bestelle jeden Montag neue Ware.
sich beziehen auf + A, bezog (sich), hat (sich) bezogen
  Wir beziehen uns auf Ihr Angebot.

(ab)schließen + A, schloß (ab), hat (ab)geschlossen
  Diesen Vertrag haben wir gestern (ab)geschlossen.
zustande kommen, kam zustande, ist zustande gekommen
  Es ist noch kein Vertrag zustande gekommen.
verpflichtet sein zu + D, war, ist gewesen
  Wir waren zur Lieferung noch nicht verpflichtet.
abnehmen + A, nahm ab, hat abgenommen
  Der Käufer hat die bestellten Waren nicht abgenommen.
bezahlen + A, bezahlte, hat bezahlt
  Wir bezahlen die Rechnung in einigen Tagen.
erfüllen + A, erfüllte, hat erfüllt
  Der Käufer hat den Kaufvertrag erfüllt.
liefern + A, lieferte, hat geliefert
  Der Lieferer hat die bestellte Ware heute geliefert.
vereinbaren + A, vereinbarte, hat vereinbart
  Wir vereinbaren für die Lieferung einen neuen Zeitpunkt.
ausgleichen + A, glich aus, hat ausgeglichen
  Diese Rechnung haben wir noch nicht ausgeglichen.
erledigen + A, erledigte, hat erledigt
  Dieser Geschäftsvorgang ist erledigt.
beziehen + A, bezog, hat bezogen
  Du beziehst immer nur gute Waren.

| | |
|---|---|
| der Kaufmann, -s, die Kaufleute | das Angebot, -s, -e |
| der Brief, -s, -e | die Güte, – |
| die Person, –, -en | der Preis, -es, -e |
| die Privatperson, –, -en | die Lieferbedingung, –, -en |
| das Gespräch, -s, -e | die Zahlungsbedingung, –, -en |
| der Ort, -(e)s, -e | die Lieferung, –, -en |
| das Ferngespräch, -s, -e | die Bezahlung, – |
| das Telefon, -s, -e | die Bedingung, –, -en |
| der Verkehr, -s | die Bestellung, –, -en |
| die Nachricht, –, -en | der Vertrag, -s, die Verträge |
| die Information, –, -en | der Kaufvertrag, -s, die Kaufverträge |
| das Geschäft, -s, -e | der Käufer, -s, – |
| der Geschäftsbrief, -s, -e | der Zeitpunkt, -es, -e |
| der Partner, -s, – | der Lieferschein, -s, -e |
| der Absender, -s, – | die Rechnung, –, -en |
| der Empfänger, -s, – | der Gesamtpreis, -es, -e |
| die Ware, –, -n | der Betrag, -s, die Beträge |
| der Kunde, -n, -n | der Rechnungsbetrag, -s, die Rechnungs- |
| der Lieferer, -s, – | beträge |
| der Lieferant, -en, -en | der Zahlungsausgleich, -s, – |
| der Zweck, -s, -e | der Verrechnungsscheck, -s, -s(e) |
| die Anfrage, –, -n | die Benachrichtigung, –, -en |

das Geschäft, -s, -e  
der Vorgang, -s, die Vorgänge

der Geschäftsvorgang, -s, die Geschäfts-  
   vorgänge

| | | | |
|---|---|---|---|
| häufig | kurz | derjenige (das- | eben |
| oft | klar | jenige, diejenige) | ebenso |
| telefonisch | überflüssig | günstig | dazu |
| demzufolge | geschäftlich | bisherig | zusammen |
| rege | ständig | ausdrücklich | meistens |
| privat | immer | auf Grund | gesamt |
| | | (= aufgrund) | |

## 2 A

zu sich nehmen + A, nahm, hat genommen  
   Er nimmt viel Nahrung zu sich.  
decken + A, deckte, hat gedeckt  
   Er kann den Bedarf an Nahrung für seine Familie nicht mehr decken.  
versuchen + A, versuchte, hat versucht  
   Versuche dieses Obst!  
erklären + A, erklärte, hat erklärt  
   Erklären Sie den Bedarf!  
finden + A, fand, hat gefunden  
   Wir finden diese Nahrungsmittel in unserem Geschäft.  
ausmachen, machte aus, hat ausgemacht  
   Was macht eine gesunde Ernährung aus?

| | |
|---|---|
| die Fortsetzung, –, -en | der Hut, -(e)s, die Hüte |
| die Tropen, – (nur Plural) | das Hemd, -(e)s, -en |
| die Lebensweise, –, -n | der Mindestbedarf, -s |
| der Arbeiter, -s, – | die Größe, –, -n |
| die Kraft, –, die Kräfte | der Wohnraum, -s, die Wohnräume |
| das Olivenöl, -s | die Menschheit, – |
| der Speck, -s | das Regenwetter, -s |
| das Eiweiß, -es, -e | die Hose, –, -n |
| die Hülsenfrucht, –, die Hülsenfrüchte | die Steigerung, –, -en |
| die Bohne, –, -n | die Wortstellung, –, -en |
| die Linse, –, -n | die Vorbereitung, –, -en |
| die Erbse, –, -n | der Verlauf, -s |
| das Kohlenhydrat, -s, -e | die Hochzeit, –, -en |
| die Menge, –, -n | die Feier, –, -n |
| der Bedarf, -s | das Gramm, -s, -e |
| der Anzug, -s, die Anzüge | das Fett, -s, -e |
| der Mantel, -s, die Mäntel | |

| | | | |
|---|---|---|---|
| je nach | eiweißreich | mindestens | usw. (= und so |
| verschieden | reichlich | z. B. (= zum | weiter) |
| fettreich | bestimmt | Beispiel) | jedoch |
| | | | anders |

verzehren + A, verzehrte, hat verzehrt
Du verzehrst das Essen immer sehr rasch.

gut tun, tat gut, hat gut getan
Das tat gut!

anpassen + A + D, paßte an, hat angepaßt
Wir müssen unsere Ernährung unserer Arbeit anpassen.

sich beklagen über + A, beklagt sich, hat sich beklagt
Ihr beklagt euch über das zu fette Essen.

verlangen + A, verlangte, hat verlangt
Er hat frisches Gemüse verlangt.

bieten + A, bot, hat geboten
Die Reisegesellschaften bieten ihren Kunden sehr viel.

servieren + A, servierte, hat serviert
Obst und Gemüse werden heutzutage in Gaststätten mehr serviert.

mitbringen + A, brachte mit, hat mitgebracht
Sie bringen immer Butterbrote auf die Reise mit.

kochen + A, kochte, hat gekocht
Viele Nahrungsmittel müssen vor dem Essen gekocht werden

kühlen + A, kühlte, hat gekühlt
Diese Getränke sollen gekühlt werden.

sich leisten + A, leistete sich, hat sich geleistet
Dieser reiche Mensch leistet sich nichts.

einlegen + A, legte ein, hat eingelegt
Ihr habt eine kurze Pause eingelegt.

reisen, reiste, ist gereist
Wir reisen nie mit dem Flugzeug.

überraschen + A, überraschte, hat überrascht
Die Fluggesellschaft hat die Reisenden mit einem warmen Essen überrascht.

verwöhnen + A, verwöhnte, hat verwöhnt
Diese Schiffsgesellschaft verwöhnt immer ihre Kunden.

versorgen, versorgte, hat versorgt
Die Reisegesellschaft versorgt uns mit Imbissen.

*in Versuchung bringen + A, brachte, hat in Versuchung gebracht
Das erstklassige und reichliche Essen bringt die Reisenden in Versuchung.

*gebühren + D, gebührte, hat gebührt
Der erste Platz gebührt dem Vater.

*zusammenfassen + A, faßte zusammen, hat zusammengefaßt
Wir haben mehrere Firmen zusammengefaßt.

*erlauben + D, erlaubte, hat erlaubt
*(= gestatten + D, gestattete, hat gestattet)
Das Tiefkühlgemüse gestattet der Reisegesellschaft, den Reisenden ein gutes Esssen anzubieten.

zubereiten + A, bereitete zu, hat zubereitet
Diese Mahlzeit wurde schnell zubereitet.

*ankommen von + D ⎫
*ankommen in + D ⎬ kam an, ist angekommen
Wir sind gestern in Münster angekommen.

*erzielen + A, erzielte, hat erzielt
Ihr habt keinen Erfolg erzielt.

*überfüllen mit + D, überfüllte, hat überfüllt
Der Markt ist mit diesen Erzeugnissen überfüllt.

*warten auf + A, wartete, hat gewartet
Wir warten auf diese erstklassigen Erzeugnisse.

*sich fügen + D, fügte sich, hat sich gefügt
Du fügst dich seinen Wünschen.

*öffnen + A, öffnete, hat geöffnet
Europa öffnet seinen Markt für die Erzeugnisse aus Amerika.

der Großvater, -s, die Großväter
die Automatisierung, –, -en
die Kiste, –, -n
der Sack, -(e)s, die Säcke
der Grund, -es, die Gründe
der Vorfahr, -s, -en
der Staat, -s, -en
die Ernährung, –
die Gaststätte, –, -n
das Tiefkühlgemüse, -s, –
die Form, –, -en
das Milchprodukt, -s, -e
die Versuchung, –, -en
die Reise, –, -n
die Schiffahrt, –, -en
die Gesellschaft, –, -en
die Speise, –, -n
das Getränk, -s, -e
das Festland, -(e)s, die Festländer
der Proviant, -s
die Fahrt, –, -en
die Eisenbahn, –, -en
der Beginn, -s
das Ziel, -s, -e
die Mahlzeit, –, -en
der Speisewagen, -s, –
die Bar, –, -s
die Autobahn, –, -en
die Pause, –, -n

der Rasthof, -es, -höfe
  (= die Raststätte, –, -n)
der Flug, -s, die Flüge
die Fluggesellschaft, –, -en
der Bus, -ses, -se
der Reisende, -n, -n
die Reisegesellschaft, –, -en
der Imbiß, Imbisses, Imbisse
die Gelegenheit, –, -en
der Wunsch, -es, die Wünsche
*der Markt, -(e)s, die Märkte
*der Fachmann, -s, die Fachleute
*der Besucher, -s, –
*die Vereinigten Staaten, –
*der Pavillon, -s, -s
*die Firma, –, die Firmen
*die Kolonialwaren, –
*das Kolonialwarengeschäft, -s, -e
*die Feinkost, –
*(= die Delikatesse, -n, -n)
*das Feinkostgeschäft, -s, -e
*das Delikatessengeschäft, -s, -e
*die Konserve, –, -n
*die Köchin, –, -nen
*das Publikum, -s
*die Minute, –, -n
*das Gericht, -s, -e
*(= das Essen)
*das Flugzeug, -s, -e

*das Sonderflugzeug, -s, -e　　　　　*der Wodka, -s
*Australien, -s　　　　　　　　　　*Rußland, -s
*das Krebstier, -s, -e　　　　　　　*Rumänien, -s
*der Erfolg, -s, -e　　　　　　　　*Ungarn, -s
*Neu-Seeland, -s　　　　　　　　　*Polen, -s
*Schweden, -s　　　　　　　　　　*China, -s
*Norwegen, -s　　　　　　　　　　*die Verfeinerung, –
*der Osten, -s　　　　　　　　　　*Europa, -s
*der Kaviar, -s, -e　　　　　　　　*die Grenze, –, -n

| heutzutage | teuer | *amerikanisch | *geräuchert |
| die meisten | besonders | *fein | *zahlreich |
| genug | reichlich | *tiefgekühlt | *im Wettbewerb |
| früher | selbst | *außerdem | *chinesisch |
| berufstätig | ratsam | *herrlich | *wert |
| zu wenig | dabei | *frisch | *landwirtschaft- |
| zu viel | erstklassig | *getrocknet | lich |
| ziemlich | dazu | *außer | *Lebensmittel – |
|  |  |  | in der Regel |

## 2 C

betragen, betrug, hat betragen
　　Der Tagesumsatz beträgt 1232,– DM.
den Bedarf decken bei + D, deckte, hat gedeckt
　　Er deckte seinen Lebensmittelbedarf bei diesem Kaufmann.
zusammenzählen + A, zählte zusammen, hat zusammengezählt
　　Ihr müßt noch die Einnahmen zusammenzählen!
entnehmen + A, entnahm, hat entnommen
　　Der Inhaber hat Waren aus dem Lager entnommen.
auffüllen + A, füllte auf, hat aufgefüllt
　　Wir füllen die Regale auf.
(als nützlich) erscheinen, erschien, ist erschienen
　　Muster beizufügen erscheint uns als nützlich.
hineinstellen + A, stellte hinein, hat hineingestellt
　　Wir sollen neue Waren ins Geschäft hineinstellen.
befriedigen + A, befriedigte, hat befriedigt
　　Der Einzelhändler muß die Wünsche seiner Kunden befriedigen.
feststellen + A, stellte fest, hat festgestellt
　　Stellen Sie den Lagerbestand fest!
(sich) besorgen + A, besorgte, hat besorgt
　　Besorgen Sie sich neue Waren!
erneuern + A, erneuerte, hat erneuert
　　Morgen müssen wir den Warenbestand erneuern!
sich wenden an + A, wendete sich, hat sich gewendet
　　Der Kunde wendet sich an den Geschäftsinhaber.

richten an + A, richtete, hat gerichtet
  Du mußt deine Anfrage an den Großhändler richten.
(sich) ändern + A, änderte sich, hat sich geändert
  Die Preise haben sich geändert.
kennen + A, kannte, hat gekannt
  Wir kennen Ihre Firma sehr gut.
(sich) interessieren für + A, interessierte, hat interessiert
  Er interessiert sich für Waren von erstklassiger Qualität.
bitten um + A, bat, hat gebeten
  Wir bitten um Preislisten und Kataloge.
beifügen + D + A, fügte bei, hat beigefügt
  Wir fügen unserem Schreiben zwei Muster bei.
enthalten + A, enthielt, hat enthalten
  Die Verpackungskosten sind im Preis enthalten.
klären + A, klärte, hat geklärt
  Wir müssen die Lieferbedingungen klären.
bestimmen + A, bestimmte, hat bestimmt
  Der Lieferer muß die Zahlungsbedingungen bestimmen.
verstehen + A, verstand, hat verstanden
  Wir verstehen dieses Angebot nicht.

die Geschäftszeit, –, -en
der Einzelhandel, -s
der Geschäftsschluß, -schlusses
der Geschäftsinhaber, -s, –
die Einnahme, –, -en
der Umsatz, -es, die Umsätze
der Erlös, -es, -e
das Lager, -s, –
das Regal, -s, -e
die Kundschaft, –
die Warenart, –, -en
die Warenmenge, –, -n
der Warenbestand, -(e)s, die Waren-
  bestände
der Lagerbestand, -(e)s, die Lagerbestände
der Einzelhändler, -s, –
der Großhändler, -s, –
die Qualität, –, -en
die Zwischenzeit, –, -en

die Geschäftsverbindung, –, -en
der Fall, -s, die Fälle
der Katalog, -s, -e
die Preisliste, –, -n
der Besuch, -s, -e
der Vertreter, -s, –
das Muster, -s, –
die Einheit, –, -en
das (der) Meter, -s, –
die Verpackung, –, -en
die Kosten, – (nur Plural)
die Warenlieferung, –, -en
die Fracht, –, -en
die Frachtkosten
der Vermerk, -s, -e
der Transport, -(e)s, -e
die Lieferzeit, –, -en
der Abzug, -s, die Abzüge
die Angabe, –, -n

während
zugleich
nächst
gewöhnlich
letzt
jetzt

woher
selbstverständlich
höflich
verfügbar
genau
nützlich

handelsüblich
ferner
ansonsten
frei Haus
zu Lasten
desgleichen

verbindlich
innerhalb von
zahlbar
jeder

umfassen + A, umfaßte, hat umfaßt
Diese Stadt umfaßt einen großen Raum.
mögen + A, mochte, hat gemocht
Wir möchten immer mit dem Flugzeug reisen.
besitzen + A, besaß, hat besessen
Man ist nicht immer glücklich, wenn man viele Güter besitzt.
lesen + A, las, hat gelesen
Wir haben diese schönen Bücher nie gelesen.
einrichten + A, richtete ein, hat eingerichtet
Er hat sich eine prächtige Wohnung eingerichtet.
zufriedenstellen + A, stellte zufrieden, hat zufriedengestellt
Er konnte schon mit wenig Nahrung zufriedengestellt werden.
verbrauchen + A, verbrauchte, hat verbraucht
Er hatte sein gesamtes Geld verbraucht.
beschaffen + A, beschaffte, hat beschafft
Beschaffen Sie mir, bitte, dieses Gemälde!
verfügen über + A, verfügte, hat verfügt
Wir verfügen nur über wenig Geld.
aufzehren + A, zehrte auf, hat aufgezehrt
Das wenige Geld, das er bekommt, hat er bald aufgezehrt.
aufbrauchen + A, brauchte auf, hat aufgebraucht
Er hat alles aufgebraucht.
dienen + D, diente, hat gedient
Die Busse dienen zum Fahren.
gebrauchen + A, gebrauchte, hat gebraucht
Wir gebrauchen unser Auto täglich.
unterschreiben + A, unterschrieb, hat unterschrieben
Diesen Vertrag unterschreiben wir nicht!
holen + A, holte, hat geholt
Wir holen uns etwas zum Trinken.
erkennen + A, erkannte, hat erkannt
Er erkennt sofort die besten Waren.
abhängen von + D, hing ab, hat abgehangen
Was ich mir kaufe, hängt von meinem Geld ab.
sorgen für + A, sorgte, hat gesorgt
Er sorgt zuerst für die primären Lebensbedürfnisse.
denken an + A, dachte, hat gedacht
Denken Sie nicht immer an die Zukunft!
formulieren + A, formulierte, hat formuliert
Formulieren Sie diesen Satz anders!

| | |
|---|---|
| die Art, –, -en | das Theater, -s, – |
| die Existenz, –, -en | das Kino, -s, -s |
| die Schallplatte, –, -n | die Kultur, –, -en |

die Deckung, –, -en
der Gegenstand, -es, die Gegenstände
das Ding, -s, -e
das Möbel, -s, –
das Gemälde, -s, –
der Luxus, –
das Mittel, -s, –
das Gut, -es, die Güter
die Sache, –, -n
das Sachgut, -(e)s, die Sachgüter
der Dienst, -es, -e
das Haar, -s, -e
das Gesicht, -s, -er
die Pflege, –, -n
die Übernachtung, –, -en
das Hotel, -s, -s
die Fahrt, –, -en
die Straßenbahn, –, -en
die Untergrundbahn, –, -en
das Schiff, -es, -e
die Leistung, –, -en

die Dienstleistung, –, -en
das Entgelt, -es, -e
der Verbrauch, -es
der Verbraucher, -s, –
das Geld, -es, -r
das Genußmittel, -s, –
der Brennstoff, -s, -e
das Kosmetikum, -s, die Kosmetika
die Investion, –, -en
das Investionsgut, -s, -güter
das Produktionsgut, -s, die Produktionsgüter
das Kapitalgut, -s, -güter
die Einrichtung, –, -en
der Gebrauch, -(e)s, –
der Lebensabend, -s, -e
die Rede, –, -n
die Notwendigkeit, –, -en
die Zukunft, –
die Miete, –, -n

| | | | |
|---|---|---|---|
| primär | sekundär | wertvoll | entgeltlich |
| zufrieden | eigentlich | kaum | richtig |
| obwohl | glücklich | prächtig | unmittelbar |
| unbedingt | wahrscheinlich | gern | sofort |

## 3 B

führen + A, führte, hat geführt
  Der Modesalon führt kein Obst und Gemüse.
besorgen + A, besorgte, hat besorgt
  Die Verkäuferinnen besorgen ihre Einkäufe in ihrer Freizeit.
zur Verfügung stehen + D, stand, hat gestanden
  Es steht uns heute sehr viel Ware zur Verfügung.
vorfinden + A, fand vor, hat vorgefunden
  Vor zwanzig Jahren konnte man beinahe gar nichts in den Geschäften vorfinden.
begeistern + A, begeisterte, hat begeistert
  Diese Qualität hat uns begeistert.
(auf sich) lenken + A, lenkte auf sich, hat auf sich gelenkt
  Die Werbung lenkt die Aufmerksamkeit aller Menschen auf sich.
gelten für + A, galt, hat gegolten
  Die Preise der Waren gelten für alle Käufer.
treiben, trieb, hat getrieben
  Er läßt sich im Strom der Käufer treiben.

ansehen + A, sah an, hat angesehen
Diese Schuhe will ich mir gut ansehen.
(sich) erholen, erholte sich, hat sich erholt
Wir haben uns während unserer Ferien prächtig erholt.
ausruhen von + D, ruhte aus, hat ausgeruht
Wir haben uns am Sonntag von der Arbeit ausgeruht.
unterbringen + A, brachte unter, hat untergebracht
Er konnte nicht alle Waren in dieser Abteilung unterbringen.
vorsehen + A, sah vor, hat vorgesehen
Diese Tür ist für Lieferanten vorgesehen.
(sich) aufdrängen + D, drängte auf, hat aufgedrängt
Diese Verkäuferin hat sich oft den Kunden aufgedrängt.
sich anbieten + D, bot sich an, hat sich angeboten
Die Verkäuferinnen bieten sich den Kunden zur Hilfe an.
(sich) zurechtfinden, fand, hat gefunden
Manche Menschen können sich in den Kaufhäusern nicht zurechtfinden.
in Wettbewerb stehen mit + D, stand, ist gestanden
Die Einzelhandelsgeschäfte stehen im Wettbewerb mit den Supermärkten.
zustellen + A, stellte zu, hat zugestellt
Wir können Ihnen diese Ware am Montag zustellen.
buchen + A, buchte, hat gebucht
Den Flug Paris–Berlin haben wir schon vor zwei Wochen gebucht.
*Rücksicht nehmen auf + A, nahm Rücksicht auf, hat auf . . . Rücksicht genommen
Sie nehmen keine Rücksicht auf den Geschmack ihrer Kunden.
*schaffen + A, schuf, hat geschaffen
Eine neue Mode ist geschaffen worden.
*vorlegen + A, legte vor, hat vorgelegt
Diese Kleider werden den Kunden im Modesalon vorgelegt.
*auswählen + A, wählte aus, hat ausgewählt
Nach einigen Stunden hat sich der Kunde etwas ausgewählt.
*darstellen + A, stellte dar, hat dargestellt
Der Lebensmittelhandel stellt etwas Wichtiges für den Verbraucher dar.
*(nicht) wissen
*verrichten + A, verrichtete, hat verrichtet
Ein großer Teil der Arbeit wird von Maschinen verrichtet.
*ersetzen + A, ersetzte, hat ersetzt
Die Maschinen können beinahe jede menschliche Arbeit ersetzen.
*drücken auf + A, drückte auf, hat aufgedrückt
Drücken Sie auf den Knopf, wenn Sie die Haustür öffnen wollen!
*erhalten + A, erhielt, hat erhalten
Er hat keine gute Nachricht erhalten.
*herausgeben + A, gab heraus, hat herausgegeben
Der Einzelhandel hat nicht immer genügend Kleingeld, um bei Einkäufen herausgeben zu können.
*beweisen + A, bewies, hat bewiesen

Der Versuch beweist, daß von zwei Waren gleicher Güte aber verschiedenen Preises die teurere gekauft wird.

*überschreiten + A, überschritt, hat überschritten
Wenn der Einzelhandel bestimmte Preise überschreitet, kann er die Waren nicht verkaufen.

*zeigen + A, zeigte, hat gezeigt
Die Verkäuferin zeigt nicht immer die besten Waren.

*folgen + D, folgte, hat gefolgt
Der Einzelhandel folgt dem Verbraucher auch in kleine Stadtbezirke.

die Hast, –
das Kaufhaus, -es, die Kaufhäuser
der Stadtbezirk, -es, -e
die Textilware, –, -n
der Elektroapparat, -s, -e
die Abteilung, –, -en
das Eßgeschirr, -s
das Besteck, -(e)s, -e
der Ofen, -s, die Öfen
die Glasware, –, -n
der Hausrat, -es
die Schmuckware, –, -n
der Fotoartikel, -s, –
das Gerät, -es, -e
das Reinigungsmittel, -s, –
die Auswahl, –
der Urlaub, -s, -e
das Sortiment, -s, -e
der Koffer, -s, –
das Material, -s, die Materialien
das Camping, -s
die Freizeit, –
die Gestaltung, –, -en
der Urlauber, -s, –
die Schreibmaschine, –, -n
die Schreibware, –, -n
die Lederware, –, -n
die Werbung, –
die Aufmerksamkeit, –, -en
das Sonderangebot, -es, -e
der Schlußverkauf, -s, die Schlußverkäufe
das Gefallen, -s, –
das Untergeschoß, -geschosses, -geschosse
die Selbstbedienung, –
das Geschoß, Geschosses, Geschosse
das Bild, -es, -er

der Strom, -s, Ströme
die Reihe, –, -n
das Dach, -es, die Dächer
der Ausblick, -s, –
der Supermarkt, -es, die Supermärkte
die Verkäuferin, –, -nen
die Hilfe, –, -n
der Bewohner, -s, –
der Riese, -n, -n
der Einkauf, -es, die Einkäufe
der Abschluß, Abschlusses, die Abschlüsse
der Großhandel, -s
die Versicherung, –, -en
das Kraftfahrzeug, -s, -e
die Ferienreise, –, -n
*der Geschmack, -s
*die Sonderabteilung, –, -en
*der Modesalon, -s, -s
*die Oberfläche, –, -n
*das Quadrat, -s, -e
*der Laden, -s, die Läden
*der Vertrieb, -s
*die Ausstattung, –, -en
*die Elektronik, –
*das Inkasso, -s
*das Personal, -s
*der Apparat, -es, -e
*die Taste, –, -n
*der Automat, -en, -en
*der Verkaufsautomat, -en, -en
*das Kleingeld, -es
*der Versuch, -(e)s, -e
*der Warenartikel, -s, –
*die Statistik, –, -en
*das Milchgeschäft, -es, -e
*die Konditorei, –, -en

| | | | |
|---|---|---|---|
| modern | verbraucht | hart | *während |
| optisch | beinahe | sperrig | *was ... (betrifft) |
| kosmetisch | unendlich | besonders | *vollständig |
| ebenfalls | vielfältig | *weiblich | *automatisch |
| typisch | müde | *begrenzt | *Tag und Nacht |
| geschickt | alles in allem | *schlicht | *sogar |
| verringert | mäßig | *höher | |
| appetitlich | normalerweise | *gegenwärtig | |

## 3 C

prüfen + A, prüfte, hat geprüft
Sie prüfen das Angebot eines neuen Lieferers.
entsprechen + D, entsprach, hat entsprochen
Dieses Angebot entspricht ihm nicht.
festlegen + A, legte fest, hat festgelegt
Er hat den Lieferweg noch nicht festgelegt.
ankündigen + D + A, kündigte an, hat angekündigt
Ich muß meinem Lieferer die Art der Bezahlung ankündigen.
in Anspruch nehmen + A, nahm, hat genommen
Ihr habt den Skonto immer in Anspruch genommen.
ausnützen + A, nützte aus, hat ausgenützt
Wir nützen den Skonto aus.
begleichen + A, beglich, hat beglichen
Wir wollen den Rechnungsbetrag mit einem Wechsel begleichen.
ziehen + A + auf A, zog, hat gezogen
Du hast eine Tratte auf deinen Kunden gezogen.
ausstellen + A, stellte aus, hat ausgestellt
Diese Tratte ist nicht richtig ausgestellt.
akzeptieren + A, akzeptierte, hat akzeptiert
Er hat unsere Tratte nicht akzeptiert.
zurückschicken + D, schickte zurück, hat zurückgeschickt
Das Akzept wird dem Lieferer zurückgeschickt.
vorlegen + D + A, legte vor, hat vorgelegt
Der Wechsel wird dem Kunden am Fälligkeitstag vorgelegt.
ausführen + A, führte aus, hat ausgeführt
Sie haben diesen Auftrag ohne Sorgfalt ausgeführt.
auf den Weg bringen + A, brachte, hat gebracht
Ihr Auftrag wurde gestern auf den Weg gebracht.
abgehen an + A, ging ab, ist abgegangen
Die Lieferanzeige ist noch nicht an den Kunden abgegangen.
ausschreiben + A, schrieb aus, hat ausgeschrieben
Die Faktura konnte noch nicht ausgeschrieben werden.
zusenden + D, sandte zu, hat zugesandt
Die Rechnung wird dem Kunden morgen zugesandt.

zur Kenntnis bringen + D, brachte, hat gebracht
    Wir haben Ihnen den Rechnungsbetrag zur Kenntnis gebracht.
nennen + A, nannte, hat genannt
    Die Menge wird genannt.
mitteilen + A, teilte mit, hat mitgeteilt
    Du hast ihm den Gesamtbetrag mitgeteilt.
hinweisen auf + A, wies hin, hat hingewiesen
    Wir möchten noch einmal auf die vereinbarte Zahlungsfrist hinweisen.
zugehen + D, ging zu, ist zugegangen
    Der Verrechnungsscheck ist Ihnen schon vor einer Woche zugegangen.
abwickeln + A, wickelte ab, hat abgewickelt
    Es wird einige Monate dauern, bis wir dieses Geschäft abwickeln.
abschließen + A, schloß ab, hat abgeschlossen
    Dieser Geschäftsvorgang ist jetzt abgeschlossen.

der LKW (= *Lastkraftwagen*), -s, -s
die Zahlungsfrist, –, -en
der (= das) Skonto, -s, -s (i)
der Wechsel, -s, –
die Tratte, –, -n
die Unterschrift, –, -en
das Akzept, -(e)s, -e
der Fälligkeitstag, -s, -e
die Einlösung, –, –
die Sorgfalt, –
der Auftrag, -s, die Aufträge
die Bestätigung, –, -en
die Auftragsbestätigung, –, -en
die Lieferanzeige, –, -n

die Faktura, –, die Fakturen
der Vordruck, -s, -e
der Versand, -s
die Versandart, –, -en
das Zeichen, -s, –
das Beförderungsmittel, -s, –
die Stückzahl, –, -en
das Expreßgut, -es, die Expreßgüter
der Einzelpreis, -es, -e
der Gesamtbetrag, -s, die Gesamtbeträge
der Ablauf, -s, die Abläufe
die Höhe, –, -n
das Begleitschreiben, -s, –

unverändert
d. h. (= das heißt)
voll
üblich

wichtig
entsprechend
hingegen
bar

bargeldlos
manchmal
ordentlich
sobald

lieferbereit
versandbereit
gleichzeitig

## 4 A

gewinnen + A, gewann, hat gewonnen
    In unserer Zeit werden oft zu viele Bodenschätze gewonnen.
umgestalten + A, gestaltete um, hat umgestaltet
    Diese Güter müssen für den Verbrauch umgestaltet werden.
fertigstellen + A, stellte fertig, hat fertiggestellt
    Die meisten Güter müssen für den Verbrauch fertiggestellt werden.
vorhanden sein, war vorhanden, ist vorhanden gewesen
    Im günstigen Klima sind viele Rohstoffe vorhanden.

anbauen + A, baute an, hat angebaut
Wenn zuwenig Arbeiter sind, kann nicht genug angebaut werden.
veredeln + A, veredelte, hat veredelt
Viele landwirtschaftliche Erzeugnisse müssen für den Verbraucher veredelt werden.
abbauen + A, baute ab, hat abgebaut
In Deutschland sind manche Erze fast vollständig abgebaut.
fördern + A, förderte, hat gefördert
Kohle gehört zu den Bodenschätzen, die am meisten gefördert werden.
weiterverarbeiten + A, verarbeitete weiter, hat weiterverarbeitet
Die meisten Betriebe verarbeiten die Rohstoffe weiter.
verwenden + A, verwendete, hat verwendet
In Deutschland wird zur Eisenerzeugung fast immer Eisenerz aus Schweden verwendet.
verarbeiten + A, verarbeitete, hat verarbeitet
Das Leder wird zu Schuhen verarbeitet.
befördern + A, beförderte, hat befördert
Der Verkehr befördert viele Güter für die Industrie.
gelangen in + A, gelangte, ist gelangt
Dieser Brief ist nicht in meine Hände gelangt.
in Bewegung setzen + A, setzte, hat gesetzt
Die Bedürfnisse des Menschen setzen seine Hände in Bewegung.
auftreten, trat auf, ist aufgetreten
Der Betrieb tritt nach außen in einer bestimmten Rechtsform auf.
bezeichnen + A, bezeichnete, hat bezeichnet
Der Gewerbebetrieb kann als Unternehmen bezeichnet werden.
sich bezeichnen + A, bezeichnete sich, hat sich bezeichnet
Er bezeichnet sich als Gewerbetreibender.
(sich) widmen + D, widmete, hat gewidmet
Er hat sich ganz seiner Arbeit gewidmet.
ermöglichen, ermöglichte, hat ermöglicht
Der Reichtum ermöglicht ihm ein angenehmes Leben.
sich emporheben, hob empor, hat emporgehoben
Er hat sich allein durch seine Arbeit über die anderen emporgehoben.
leisten + A, leistete, hat geleistet
Er hat mir sehr viele Dienste geleistet.
ergänzen + A, ergänzte, hat ergänzt
Ergänzen Sie die Präpositionen!

| | |
|---|---|
| der Konsument, -en, -en | die Werkstatt, –, die Werkstätten |
| die Natur, – | = die Werkstätte, –, die Werkstätten |
| der Erzeuger, -s, – | das Werkzeug, -es, -e |
| die Fabrik, –, -en | die Forstwirtschaft, – |
| die Maschine, –, -n | der Gartenbau, -s |
| der Hersteller, -s, – | der Weinbau, -s |
| die Industrie, –, -n | die Veredelung, –, -en |

der Anbau, -s
die Zucht, –
die Ernte, –, -n
der Bergbau, -s
der Abbau, -s
die Bodenschätze, – (nur Plural)
die Kohle, –, –
das Erz, -es, -e
die Tiefe, –, -n
das Tageslicht, -s, –
die Gewinnung, –, –
der Rohstoff, -(e)s, -e
die Tierhaut, –, die Tierhäute
das Leder, -s, –
die Tasche, –, -n
das Halbfabrikat, -(e)s, -e
das Fertigfabrikat, -(e)s, -e
die Aufgabe, –, -n

der Handel, -s
der Weg, -(e)s, -e
die Verteilung, –, –
der Transport, -(e)s, -e
die Wirtschaft, –, –
die Knappheit, –, –
der Betrieb, -(e)s, -e
die Tätigkeit, –, -en
der Gewerbetreibende, -n, -n
der Unternehmer, -s, –
die Unternehmung, –, -en = das Unternehmen, -s, –
der Aufbau, -s, –
die Erfüllung, –, –
der Faktor, -s, -en
die Brille, –, -n
der Optiker, -s, –
das Dasein, -s

| | | | |
|---|---|---|---|
| wiederum | ob | wirtschaftlich | froh |
| knapp | organisiert | ansehnlich | geistig |
| dann | demnach | gewerblich | tierisch |
| danach | organisatorisch | tätig | anschließend |
| zuletzt | nach außen | körperlich | |
| mittels | kaufmännisch | gesund | |

## 4 B

sich zusammensetzen aus + D, setzte sich zusammen, hat sich zusammengesetzt
    Der Preis setzt sich aus vielen Kosten zusammen.
erscheinen, erschien, ist erschienen
    Dieses Buch ist gestern erschienen.
erzielen + A, erzielte, hat erzielt
    Dieses Geschäft erzielt keine hohen Umsätze.
entstehen aus + D, entstand, ist entstanden
    Aus diesem Verkauf sind uns viele Spesen entstanden.
vorsorgen für + A, sorgte vor, hat vorgesorgt
    Der Vater hat für seine Kinder vorgesorgt.
betrachten + A, betrachtete, hat betrachtet
    Wir wollen dieses Halbfabrikat genau betrachten.
zum Schluß gelangen, gelangte, ist gelangt
    Wir können nur zu diesem Schluß gelangen.
erleiden + A, erlitt, hat erlitten
    Er hat nicht nur Verluste im Geschäft erlitten.
umlegen auf + A, legte um, hat umgelegt
    Er muß seine Spesen auf seine Kunden umlegen.

sich die Mühe nehmen, nahm, hat genommen
  Du hast dir viel Mühe (für diesen) mit diesem Kunden genommen.
zurückführen auf + A, führte zurück, hat zurückgeführt
  Diese hohen Preise müssen wir auf die steuerliche Belastung zurückführen.
ersehen aus + D, ersah, hat ersehen
  Den Gewinn ersehen wir zum Teil aus dem Umsatz.
entrichten + A, entrichtete, hat entrichtet
  Für Waren aus dem Ausland müssen Zölle entrichtet werden.
aufwenden + A, wendete auf, hat aufgewendet
  Wer viel aufwendet, muß viel Geld haben.
berechnen + A, berechnete, hat berechnet
  Für diese Ware muß ich den Preis noch vor dem Verkauf berechnen.
betragen, betrug, hat betragen
  Der Umsatz hat in diesem Monat nicht viel betragen.
zuschlagen + D, schlug zu, hat zugeschlagen
  Diesen Verlust werde ich einer gängigen Ware zuschlagen.
verringern + A, verringerte, hat verringert
  In diesem Jahr hat sich der Umsatz verringert.
(sich) erhöhen, erhöhte, hat erhöht
  Wenn die Preise sich erhöhen, kaufen die Verbraucher weniger.
  (Wir haben unsere Preise noch nicht erhöht.)
(sich) ergeben aus + D, ergab, hat ergeben
  Diese Kosten ergeben sich aus den Löhnen der Arbeiter.
verdienen + A, verdiente, hat verdient
  Auch der Unternehmer muß für seine Familie den Lebensunterhalt verdienen.
ansetzen + A, setzte an, hat angesetzt
  Dieser Preis wurde viel zu hoch angesetzt.
investieren + A, investierte, hat investiert
  Er hat viel Kapital in dieses Unternehmen investiert.
verzinsen + A, verzinste, hat verzinst
  In diesem Geschäft kann das Kapital nicht verzinst werden.
Vorsorge treffen für + A, traf, hat getroffen
  Wir trafen Vorsorge für die schlechte Zeit.
schlagen auf + A, schlug, hat geschlagen
  Er schlägt den Risikozuschlag auf den Preis.
ausdrücken + A, drückte aus, hat ausgedrückt
  Wir drücken diesen Betrag in Prozenten der gesamten Kosten aus.
belasten mit + D, belastete, hat belastet
  Diese Ware ist mit vielen Kosten belastet.
beachten + A, beachtete, hat beachtet
  Wir müssen auch die Geschäftsverluste beachten.
berechnen + A, berechnete, hat berechnet
  Er kann den Preis dieses Warenartikels nicht berechnen.
kosten, kostete, hat gekostet
  Was hat diese Ware im Einkauf gekostet?

*festsetzen + A, setzte fest, hat festgesetzt
   Dafür müssen wir noch den Preis festsetzen.
*in Rechnung stellen + A, stellte, hat gestellt
   Alle Kosten müssen in Rechnung gestellt werden.
*auflegen + A, legte auf, hat aufgelegt
   Er legte diese Erzeugung auf.
*in Betracht ziehen + A, zog, hat gezogen
   Ich werde alles in Betracht ziehen.
*sich befinden in + D, befand sich, hat sich befunden
   Ihr befindet euch in großer Ungewißheit.
*verbreiten + A, verbreitete, hat verbreitet
   Diese Waren sind sehr verbreitet.
*planen + A, plante, hat geplant
   Sie planen jetzt die Herstellung anderer Waren.
*arbeiten mit + D, arbeitete, hat gearbeitet
   Wir arbeiten mit dieser Methode.
*ausstatten mit + D, stattete aus, hat ausgestattet
   Diese Fabrik ist mit neuen Maschinen ausgestattet.

die Berechnung, –, -en
die Unkosten, – *(nur Plural)*
die Miete, –, -n
die Beleuchtung, –, -en
die Heizung, –, -en
das Saubermachen, -s
der Lohn, -s, die Löhne
das Gehalt, -(e)s, die Gehälter
die Belastung, –, -en
die Mehrwertsteuer, –, -n
der Geschäftsgang, -es, –
die Klage, –, -n
der Verlust, -(e)s, -e
der Lebensaufwand, -(e)s, –
der Lebensunterhalt, -es
die Zusammensetzung, –, -en
die Einzelheit, –, -en
die Verteuerung, –, -en
die Beschädigung, –, -en
der Diebstahl, -s, die Diebstähle
das Feuer, -s, –
das Ausland, -(e)s
der Zoll, -s, die Zölle
die Spesen, – *(nur Plural)*
die Bezugskosten, – *(nur Plural)*
der Bezugspreis, -es, -e

der Einkaufspreis, -es, -e
der Selbstkostenpreis, -es, -e
die Führung, –, -en
das Personal, -s
der Satz, -es, die Sätze
die Geschäftskosten, – *(nur Plural)*
die Betriebskosten, – *(nur Plural)*
die Handlungskosten, – *(nur Plural)*
das Prozent, -(e)s, -e
die Gemeinkosten, – *(nur Plural)*
der Prozentsatz, -es, die Prozentsätze
der Zuschlag, -es, die Zuschläge
der Unternehmerlohn, -s, -löhne
das Kapital, -s, die Kapitalien
die Vorsorge, –, –
das Risiko, -s, die Risiken
die Prämie, –, -n
der Gewinnzuschlag, -s, -zuschläge
der Unterschied, -(e)s, -e
die Handelsspanne, –, -n
der Bruttoverkaufspreis, -es, -e
der Nettoverkaufspreis, -es, -e
*das Autorenrecht, -s, -e
*die Zusammenstellung, –, -en
*die Korrektur, –, -en
*die Bebilderung, –, -en

*der Verleger, -s, –    *die Methode, –, -n
*der Vertrieb, -s, –    *der Neudruck, -(e)s, -e
*die Auflage, –, -n    *die Organisation, –, -en
*die Ungewißheit, –, -en    *die Rechenmaschine, –, -n

| | | | |
|---|---|---|---|
| selten | fadenscheinig | gängig | *fix |
| unverständlich | nämlich | empfehlenswert | *gegebenenfalls |
| natürlich | angenehm | betreffend | *im allgemeinen |
| verständlich | zeitweilig | samt | *aufeinander- |
| steuerlich | vielerlei | dementsprechend | folgend |
| einzeln | des weiteren | gering | *kostspielig |
| schlecht | anteilig | inbegriffen | *mächtig |
| übertrieben | sämtlich | berechtigt | *elektronisch |

## 4 C

gehören zu + D, gehörte, hat gehört
   Die Angabe des Datums gehört zu einem Geschäftsbrief.
stehen, stand, gestanden
   Nach dem Ort (Düsseldorf) muß ein Komma stehen.
ausschreiben + A, schrieb aus, hat ausgeschrieben
   Schreiben Sie den Monat aus!
setzen + A, setzte, hat gesetzt
   Setzen Sie lieber kein Komma!
(sich) (kurz) fassen + A, faßte, hat gefaßt
   Fassen Sie den Brief kurz!
   Fassen Sie sich kurz!
betreffen + A, betraf, hat betroffen
   Dieser Brief betrifft uns nicht.
eingehen, ging ein, ist eingegangen
   Heute ist nur wenig Post eingegangen.
schließen + A, schloß, hat geschlossen
   Jetzt wollen wir unser Schreiben schließen.
nachsehen, sah nach, hat nachgesehen
   Ich will nachsehen, ob die Arbeit erledigt ist.
sich handeln um + A, handelte sich um, hat sich um ... gehandelt
   In diesem Brief hat es sich um eine Bestellung gehandelt.
bedeuten, bedeutete, hat bedeutet
   Dieses Zeichen bedeutet den Namen der Sekretärin.
erledigen + A, erledigte, hat erledigt
   Wir konnten diese Arbeiten nicht mehr erledigen.
anführen + A, führte an, hat angeführt
   Wir haben das Datum unseres letzten Briefes nicht angeführt.
vorbehalten + D, behielt vor, hat vorbehalten
   Die Beantwortung dieses Briefes ist dem Geschäftsinhaber vorbehalten.

(sich) orientieren nach + D, orientierte sich, hat sich orientiert
Wir orientieren uns in der Bearbeitung nach diesen Vermerken.
einfügen + A, fügte ein, hat eingefügt
Wir werden noch einige Werbetexte einfügen.
befolgen + A, befolgte, hat befolgt
Er befolgt nicht immer die Normung.
normen + A, normte, hat genormt
Sie normen wieder neue Industriegüter.
kennzeichnen + A, kennzeichnete, hat gekennzeichnet
Dieser Brief ist durch die Norm DIN A 4 gekennzeichnet.
hinterlegen + A, hinterlegte, hat hinterlegt
Wir hinterlegen gegen Gebühr unsere Telegrammadresse.
besuchen + A, besuchte, hat besucht
Die Kunden besuchen das Geschäft während der Geschäftszeit.

das Format, -(e)s, -e

die Anordnung, −, -en

das Datum, -s, -en

das Komma, -s, -s (= ta)

der Monat, -s, -e

der Punkt, -es, -e

die Zahl, −, -en

die Zeit, −, -en

der Briefwechsel, -s, −

die Formel, −, -n

die Höflichkeit, −, -en

die Höflichkeitsformel, −, -n

die Anrede, −, -n

die Anredeform, −, -en

der Buchstabe, -n, -n

der Anfangsbuchstabe, -n, -n

der Betreff, -(e)s, -e

der Inhalt, -s, -e

der Titel, -s, −

der Badeanzug, -s, -anzüge

das Büro, -s, -s

der Angestellte, -n, -n

die Sekretärin, −, -nen

die Numerierung, −, -en

die Zeile, −, -n

der Bezug, -s, die Bezüge

das Feld, -es, die Felder

die Anschrift, −, -en

die Adresse, −, -n

die Anmerkung, −, -en

die Notiz, −, -en

die Bearbeitung, −, -en

der Mitarbeiter, -s, −

der Name, -ns, -n

die Post, −

die Leitzahl, −, -en

die Postleitzahl, −, -en

die Straße, −, -n

die Nummer, −, -n

die Hausnummer, −, -n

die Postanschrift, −, -en

der Rest, -es, -e

das Belieben, -s

die Zeichnung, −, -en

das Foto, -s, -s

der Werbetext, -es, -e

die Gründung, −, -en

das Gründungsjahr, -s, -e

das Schriftstück, -s, -e

die Achtung, −, −

die Anlage, −, -n

die Länge, −, -n

die Breite, −, -n

die Normung, −, -en

die Norm, −, -en

die Geschäftsangabe, −, -n

der Draht, -s, die Drähte

das Drahtwort, -es, die Drahtwörter

die Telegrammadresse, −, -n

die Drahtanschrift, −, -en

die Gebühr, –, -en

die Fernsprechnummer, –, -n

die Telefonnummer, –, -n

der Fernschreiber, -s, –

der Telex, –, –

die Bankverbindung, –, -en

der Geldverkehr, -s, –

die Regel, –, -n

die Einzelfirma, –, -en

die Gesellschaftsfirma, –, -en

die Handelsgesellschaft, –, -en

das Modell, -s, -e

das Monatsende, -s, -n

| | | | |
|---|---|---|---|
| einzeln | eigen | vollständig | einheitlich |
| einfach | neben | oberst | obig |
| zuerst | hochachtungsvoll | nach Belieben | gegen Gebühr |
| geehrt | konventionell | derselbe (dasselbe, | |
| oberhalb | höchstens | dieselbe) | |

## 5 A

errechnen + A, errechnete, hat errechnet

Wir wollen jetzt unseren Jahresbedarf an Brot errechnen.

anliefern + A, lieferte an, hat angeliefert

Wir lassen uns das Obst jede Woche einmal anliefern.

sicherstellen + A, stellte sicher, hat sichergestellt

Für dieses Jahr ist der Fettbedarf nicht sichergestellt.

absetzen + A, setzte ab, hat abgesetzt

In manchen Jahren können die Landwirte ihre Erzeugnisse nicht absetzen.

sich richten nach + D, richtete sich, hat sich gerichtet

Man muß sich in seiner Bekleidung nach dem Wetter richten.

ermitteln + A, ermittelte, hat ermittelt

Wir hatten den Kleiderbedarf unserer Kunden für diesen Winter falsch ermittelt.

ansammeln, sammelte an, hat angesammelt

Durch die vielen Feiertage haben sich die Bestellungen angesammelt.

sich entscheiden für + A, entschied, hat entschieden

Wir müssen uns für den nächsten Monat für mehr Nahrung oder mehr Kleidung entscheiden.

Gefahr laufen zu + Inf., lief, ist gelaufen

Durch unser Interesse für schöne Bücher laufen wir Gefahr, zuviel Geld dafür auszugeben.

Statistik führen, führte, hat geführt

Es werden genaue Statistiken über die Krankheiten der Raucher geführt.

informieren über + A, informierte, hat informiert

Informieren Sie mich rechtzeitig über den Versand meiner Bestellung.

erforschen + A, erforschte, hat erforscht

Das Klima in manchen Gegenden der Erde muß noch erforscht werden.

begrenzen durch + A, begrenzte, hat begrenzt

Gliedsätze werden durch den Verbindungsteil und die Personenform im Prädikat begrenzt.

aufnehmen + A, nahm auf, hat aufgenommen
Eine wichtige Aufgabe des Nachfeldes ist es, Gliedsätze aufzunehmen.
heraustreten aus + D, trat heraus, ist herausgetreten
Der Kunde trat aus dem Laden heraus.
eindringen in + A, drang ein, ist eingedrungen
Der Einbrecher drang ins Lager ein.
sich bedienen + Gen., bediente, hat sich bedient
Man bedient sich verschiedener grammatischer Mittel.
anhaben + A, hatte an, hat angehabt
Sie hat ein besonders schönes Kleid angehabt.
aufhaben + A, hatte auf, hat aufgehabt
Wir hatten wegen des schönen Wetters keinen Hut auf.

der Kundenkreis, -es, –
der Geschäftsbeginn, –, –
der Abnehmer, –, –
die Belieferung, –, -en
die Milchwirtschaft, –, -en
die Erfahrung, –, -en
die Betätigung, –, -en
die Entscheidung, –, -en
die Sicherheit, –, -en
die Bedarfsermittlung, –, -en
die Konkurrenz, –, -en
der Schaden, –, die Schäden

die Schwankung, –, -en
der Bericht, -(e)s, -e
der Kundenbesuch, -s, -e
das Interesse, -s, -n
die Wirtschaftszeitung, –, -en
die Tageszeitung, –, -en
der Rundfunk, -s
das Fernsehen, -s
der Einbrecher, -s, –
die Lagerhalle, –, -n
das Messer, -s, –

erfahrungsgemäß
ungefähr
selber

entsprechend
im voraus
möglichst richtig

ihrerseits (meiner-
    seits usw.)
jeweilig

regelmäßig
systematisch
sog. (= sogenannt)

## 5 B

sich auskennen, kannte sich aus, hat sich ausgekannt
Als Kaufmann muß man sich auf diesen Märkten gut auskennen.
erfordern + A, erforderte, hat erfordert
Die Marktforschung erfordert große Mittel.
einsetzen + A, setzte ein, hat eingesetzt
Wir wollen für dieses Geschäft große Mittel einsetzen.
analysieren + A, analysierte, hat analysiert
Wir müssen die Marktveränderungen analysieren.
vorkommen, kam vor, ist vorgekommen
In dieser Abteilung sind viele Fehler vorgekommen.
sich ergeben aus + D, ergab sich, hat sich ergeben
Diese Verbesserungen ergeben sich aus einer langfristigen Planung.
rechnen mit + D, rechnete mit + D, hat mit + D gerechnet

geschehen, geschah, ist geschehen
Diese Fehlplanung geschieht häufig.
sich vorstellen + A, stellte sich vor, hat sich vorgestellt
Er stellt sich diese Analyse falsch vor.
erfordern + A, erforderte, hat erfordert
Die Marktforschung erfordert erhebliche Mittel.
werfen auf + A, warf, hat geworfen
Wir werden diesen Artikel auf den Markt werfen.
gefragt sein, war, ist gewesen
Diese Ware ist nicht sehr gefragt.
sich verändern, veränderte sich, hat sich verändert
Der Geschmack unserer Kunden hat sich sehr verändert.
bedingen durch + A, bedingte, hat bedingt
Diese Marktveränderungen sind durch den Geschmackswandel der Verbraucher bedingt.
eintreten, trat ein, ist eingetreten
Ein großer Wandel ist in den letzten Jahren eingetreten.
beibehalten + A, behielt bei, hat beibehalten
Wir wollen die bisherige Ausführung nicht mehr beibehalten.
sich eines Besseren (= Beßren) belehren lassen, ließ, hat gelassen
Er muß sich eines Beßren belehren lassen.
sich anpassen + D, paßte sich an, hat sich angepaßt
Diese Erzeugnisse sind den Veränderungen angepaßt.
erstellen + A, erstellte, hat erstellt
Dieser Bericht kann sofort erstellt werden.
durchführen + A, führte durch, hat durchgeführt
Diese Arbeiten sind noch nicht durchgeführt worden.
im klaren sein, war, ist gewesen
Du bist dir jetzt über diese Probleme im klaren.
unterrichtet sein über + A, war, ist gewesen
Man muß über die aktuellen Marktprobleme unterrichtet sein.
weitergeben + A, gab weiter, hat weitergegeben
Wir werden diesen Auftrag an unsere Lieferfirma weitergeben.
diktieren + A, diktierte, hat diktiert
Der Markt diktiert die Richtung für die Erzeugung.
betreiben + A, betrieb, hat betrieben
Er betreibt keine Marktforschung.
vermeiden + A, vermied, hat vermieden
Vermeiden Sie möglichst hohe Verluste!
*abschätzen + A, schätzte ab, hat abgeschätzt
Wir können die Chancen dieses Artikels nicht abschätzen.
*(sich) bewußt werden, wurde bewußt, ist bewußt geworden
Die Probleme des modernen Lebens müssen uns bewußt werden.
*anwenden + A, wandte an (hat angewandt), hat angewendet
Diese Methode muß ständig angewendet werden.

*nicht mitkommen, kam mit, ist mitgekommen
  Diese Waren kommen im Verkauf nicht mit.
*veranlassen, veranlaßte, hat veranlaßt
  Wir haben Verbesserungen für den Vertrieb veranlaßt.
*führen zu + D, führte, hat geführt
  Dieses Verfahren führt zu guten Ergebnissen.

die Voraussetzung, –, -en
der Zeitraum, -s, die Zeiträume
die Fehlplanung, –, -en
die Analyse, –, -n
die Öffentlichkeit, –
die Untersuchung, –, -en
der Zustand, -(e)s, die Zustände
die Gesundheit, –, –
die Erreichung, –, –
das Ziel, -s, -e
der Artikel, -s, –
der Augenblick, -s, -e
der Gesamteindruck, -s, -drücke
der Absatz, -es
der Wandel, -s
die Veränderung, –, -en
die Ausführung, –, -en
die Zielsetzung, –, -en
die Befriedigung, –, -en
die Erkennung, –
die Anpassung, –, -en
die Stufe, –, -n
die Abteilung, –, -en
die Produktion, –, -en
die Planung, –, -en
die Chance, –, -n
die Prognose, –, -n

die Verbesserung, –, -en
die Beobachtung, –, -en
die Richtung, –, -en
*die Methode, –, -n
*der Einsatz, -es, -sätze
*die Aufmachung, –, -en
*die Schutzverpackung, –, -en
*die Schaffung, –, -en
*das Lager, -s, –
*die Maßnahme, –, -n
*das Marketing, -s
*der Geist, -es
*die Geschäftsleitung, –, -en
*das Verfahren, -s, –
*die Bestimmung, –, -en
*das Mittel (= mittlerer Wert), -s, –
*das Kennzeichen, -s, –
*die Kette, –, -n
*die Ladenkette, –, -n
*die Abweichung, –, -en
*die Gegebenheit, –, -en
*die Kartei, –, die Karteien
*die Umfrage, –, -n
*die Warenprüfung, –, -en
*die Dokumentation, –, -en
*die Auswertung, –, -en

langfristig
je – desto
sorgfältig
ärztlich
bekanntlich
erheblich
irgendein

vielmehr
anhaltend
geringfügig
plötzlich
dreifach
wesentlich
allein

dreistufig
jeweils
leistungsfähig
daneben
jederzeit
aktuell
technisch

umgekehrt
*wünschenswert
*vorhanden
*wertvoll
*regelwidrig
*roh

## 5 C

Bedarf haben an + D, hatte Bedarf an, hat Bedarf an ... gehabt
  Dieses Geschäft hat großen Bedarf an Tiefkühlgemüse.

zusammenstellen + A, stellte zusammen, hat zusammengestellt
Jetzt wollen wir die Rechnung zusammenstellen.
empfehlen + A, empfahl, hat empfohlen
Diese Ware kann ich Ihnen nur zum baldigen Verbrauch empfehlen.
ankreuzen + A, kreuzte an, hat angekreuzt
Kreuzen Sie in der Warenliste die Waren an, die Sie besonders interessieren!
abgeben + A, gab ab, hat abgegeben
Noch heute wird diese Bestellung abgegeben.
erfolgen, erfolgte, ist erfolgt
Diese Zahlung ist erfolgt.
(einen Auftrag) erteilen + A, erteilte, hat erteilt
Dieser Auftrag ist zu spät erteilt worden.
überweisen + A, überwies, hat überwiesen
Der Rechnungsbetrag wurde rechtzeitig überwiesen.
besprechen + A, besprach, hat besprochen
Dieses Geschäft müssen wir gründlich besprechen.

| | |
|---|---|
| der Geschäftsfreund, -s, -e | der Erfüllungsort, -s, -e |
| der Nachweis, -es, -e | der Gerichtsstand, -s |
| die Bezugsquelle, –, -n | der Prospekt, -s, -e |
| die Geschäftsanzeige, –, -n | das Transportmittel, -s, – |
| der Firmenvertreter, -s, – | das Eilgut, -es, die Eilgüter |
| der Abschluß, Abschlusses, die Abschlüsse | die Mitteilung, –, -en |
| der Wortschatz, -es, – | die Überweisung, –, -en |
| die Farbe, –, -n | die Banküberweisung, –, -en |
| das Warenmuster, -s, – | der Ausgleich, -s |
| der Doppelzentner (= dz), -s, – | die Wintersaison, –, -s |
| das Werk, -s, -e | die Büchse, –, -n |
| das Ziel, -s, -e | der Spargel, -s, – |

| | | | |
|---|---|---|---|
| dauernd | netto | fristgerecht | diesjährig |
| dringend | baldig | gezeichnet | eventuell |
| demnächst | seefest | langjährig | |

## 6 A

begleiten + A, begleitete, hat begleitet
Die Werbung begleitet die Verkaufsförderung.
erhalten + A, erhielt, hat erhalten
Diesen Markt müssen wir für unseren Absatz erhalten.
erweitern + A, erweiterte, hat erweitert
Jedes Geschäft versucht seinen Kundenkreis zu erweitern.
einsetzen + A, setzte ein, hat eingesetzt
Für die Werbung muß man nicht immer große Mittel einsetzen.
heranziehen + A, zog heran, hat herangezogen
Zur Werbung werden viele Mittel herangezogen.

vorübergehen an + D, ging vorüber, ist vorübergegangen
An diesem schönen Laden kann man nicht vorübergehen, ohne die ausgestellten Waren zu bestaunen.
erregen + A, erregte, hat erregt
Die neue Mode erregt jedes Jahr die Aufmerksamkeit der Damen.
bewirken + A, bewirkte, hat bewirkt
Gute Qualität und niedrige Preise bewirken große Einkäufe.
anpreisen + A, pries an, hat angepriesen
Es sind nicht immer die besten Waren, die laut angepriesen werden.
anregen, regte an, hat angeregt
Durch die besondere Aufmachung soll zum Kauf angeregt werden.
abbilden + A, bildete ab, hat abgebildet
Sperrige Waren werden meistens für die Werbung abgebildet.
zwingen + A, zwang, hat gezwungen
Niemand kann durch Werbung zum Kauf gezwungen werden.
anhalten zu + D, hielt an, hat angehalten
Er möchte die Kunden zur Betrachtung seiner Waren anhalten.
entfalten + A, entfaltete, hat entfaltet
Für diese Verkaufswoche wird in allen Abteilungen des Kaufhauses eine große Tätigkeit entfaltet.
bestaunen + A, bestaunte, hat bestaunt
Nicht alle, die einen ausgestellten Wagen bestaunen, sind Käufer.
begutachten + A, begutachtete, hat begutachtet
Die Spitzenerzeugnisse werden von den Besuchern begutachtet.
bereit stehen für + A, stand bereit, hat bereit gestanden
Viele Angestellte stehen in den Kaufhäusern für die Kunden bereit.
fallen, fiel, ist gefallen
Meine Blicke fielen auf die schöne Tüte.
in Anspruch nehmen + A, nahm + A in Anspruch, hat in Anspruch genommen
Diese Angestellte wird zu sehr in Anspruch genommen.
abhängen von + D, hing ab, hat abgehangen
Der Erfolg unserer Werbung hängt von der Geldbörse des Verbrauchers ab.
sich überlegen + A, überlegte sich, hat sich überlegt
Wir müssen uns diesen Kauf noch überlegen.
sich herausstellen, stellte sich heraus, hat sich herausgestellt
Nach dem Einkauf hat es sich herausgestellt, daß wir vieles vergessen haben.
passen zu + D, paßte zu, hat zu + D gepaßt
Dieses Nomen paßt nicht zu diesem Verb.

| | |
|---|---|
| die Absatzmöglichkeit, –, -en | die Drucksache, –, -n |
| die Verkaufsförderung, –, -en | das Plakat, -es, -e |
| das Werbemittel, -s, – | die Kaufmöglichkeit, –, -en |
| das Schaufenster, -s, – | die Broschüre, –, -n |
| der Vorübergehende, -n, -n | die Lust, – |
| die Kauflust, – | die Betrachtung, –, -en |

das Inserat, -s, -e       der Kontakt, -es, -e
die Fachzeitschrift, –, -en       der Blick, -s, -e
der Farbdruck, -(e)s, -e       die Tüte, –, -n
der Leser, -s, –       der Firmenaufdruck, -s, -e
die Werbetätigkeit, –, -en       das Bewußtsein, -s
das Spitzenerzeugnis, -ses, -se       der Kurzfilm, -s, -e
die Fachkraft, –, die Fachkräfte       das Verhältnis, -ses, -se
die Erklärung, –, -en       die Geldbörse, –, -n

| | | | |
|---|---|---|---|
| laufend | vielleicht | allerdings | angeblich |
| zusätzlich | ganzseitig | stabil | überflüssig |
| planmäßig | großangelegt | wirtschaftlich | |
| beliebt | persönlich | schmal | |

## 6 B

sichern + A, sicherte, hat gesichert
    Die Marktforschung hilft den Absatz sichern.
verbinden mit + D, verband, hat verbunden
    Die Werbung ist mit vielen Anstrengungen verbunden.
vermindern + A, verminderte, hat vermindert
    Die Werbemittel sind für dieses Jahr vermindert worden.
verzichten auf + A, verzichtete, hat verzichtet
    Bei schwacher Nachfrage darf man auf kein Mittel der Absatzförderung verzichten.
bedürfen + Gen., bedurfte, hat bedurft
    Diese Ware bedarf einer besonderen Verkaufsförderung.
begründen + A, begründete, hat begründet
    Begründen Sie die Notwendigkeit der antizyklischen Werbung.
sich aufdrängen, drängte sich auf, hat sich aufgedrängt
    Diese Annahme drängt sich auf.
anwenden + A, wandte an (wendete an), hat angewandt (angewendet)
    Dieses Unternehmen weiß nicht, welche Mittel anzuwenden sind.
abjagen + D (Personen) + A (Sachen), jagte ab, hat abgejagt
    Unser Vertreter hat der Konkurrenz diese Firma abgejagt.
nachlassen, ließ nach, hat nachgelassen
    Wir dürfen in unseren Bemühungen niemals nachlassen.
einschränken + A, schränkte ein, hat eingeschränkt
    Wir schränken die Mittel für unsere Werbeabteilung ein.
abfallen, fiel ab, ist abgefallen
    Das Interesse für diese Waren ist sehr abgefallen.
wirken, wirkte, hat gewirkt
    Der Erfolg wirkt sehr beruhigend.
schließen aus + D, schloß, hat geschlossen
    Aus hohen Umsätzen schließt man, daß die Geschäfte gut gehen.
bestehen + A, bestand, hat bestanden
    Das Unternehmen muß auch den härteren Wettbewerb bestehen.

heraufsetzen + A, setzte herauf, hat heraufgesetzt
   Für viele Markenartikel sind die Preise heraufgesetzt worden.
andeuten, deutete an, hat angedeutet
   Können Sie mir andeuten, um welches Geschäft es sich handelt?
kontrollieren + A, kontrollierte, hat kontrolliert
   Die Umsätze müssen ständig kontrolliert werden.
auslösen + A, löste aus, hat ausgelöst
   Das Heraufsetzen der Preise hat einen starken Rückgang der Einkäufe ausgelöst.
beitragen zu + D, trug bei, hat beigetragen
   Kleine Geschenke können zur Umsatzsteigerung beitragen.
wecken + A, weckte, hat geweckt
   Die Kauflust der Vorübergehenden soll durch schöne Schaufenster geweckt werden.
aktivieren + A, aktivierte, hat aktiviert
   Die Kauflust des Verbauchers muß aktiviert werden.
auftreten, trat auf, ist aufgetreten
   In der Gemeinschaftswerbung treten die interessierten Firmen gemeinsam auf.
zusammengehen, ging zusammen, ist zusammengegangen
   Viele kleinere Firmen gehen jetzt in der Produktion mit größeren zusammen.
konfrontieren, konfrontierte, hat konfrontiert
   Der Verbraucher sieht sich dem Warenangebot konfrontiert.
verwirklichen + A, verwirklichte, hat verwirklicht
   Manche Pläne können nur schwer verwirklicht werden.
gegenüberstehen + D, stand gegenüber, hat gegenübergestanden
   Wir stehen einer schwierigen Lage gegenüber.
*zählen + A, zählte, hat gezählt
   In der Wirtschaft zählt nur der Erfolg.
*ratsam sein – nur: es ist ratsam, war, ist ratsam gewesen
   Es ist nicht ratsam, Werbung nur in guten Zeiten zu betreiben.
*sich wenden an + A, wandte, hat gewandt
*berühren + A, berührte, hat berührt
   Diese Bewegung berührt den modernen Handel.
*beschleunigen + A, beschleunigte, hat beschleunigt
   Die Verkäufe haben sich im Monat Dezember beschleunigt.
*die Oberhand gewinnen, gewann, hat gewonnen
   Diese Firma hat auf unserem Markt die Oberhand gewonnen.
*hervorheben + A, hob hervor, hat hervorgehoben
   Die Tätigkeit dieses Wirtschaftszweiges muß besonders hervorgehoben werden.
*zur Verfügung stellen + D, stellte, hat gestellt
   Die große Auswahl wird den Verbrauchern zur Verfügung gestellt.
*gebrauchen + A, gebrauchte, hat gebraucht
   Von diesem Material wird viel gebraucht.
*ausfüllen + A, füllte aus, hat ausgefüllt
   Diese Zeit muß ausgefüllt werden.
*vergrößern + A, vergrößerte, hat vergrößert
   Diese Erzeugung ist sehr vergrößert worden.

*erwecken + A, erweckte, hat erweckt
Dieser Wunsch wird erweckt durch die POP-Werbung.
*hervorrufen + A, rief hervor, hat hervorgerufen
Diese Einteilung ruft viele Veränderungen hervor.
*befremden + D, befremdete, hat befremdet
Der riesige Werbeaufwand hat die Fachleute befremdet.

die POP-Werbung, –
der Rückgang, -es, die Rückgänge
die Nachfrage, –
der Wirtschaftszweig, -s, -e
das Markten, -s
die Hauptaufgabe, –, -n
die Bemühung, –, -en
das Nachlassen, -s
die Konjunktur, –, -en
die Absatzförderung, –, -en
die Verringerung, –, -en
die Ausgabe, –, -n
das Werbemedium, -s, die Werbemedien
der Hörfunk, -s
die Zeitschrift, –, -en
die Annahme, –, -n
die Tatsache, –, -n
der Werbeetat, -s, -s
der Aufwand, -s, –
der Marktanteil, -s, -e
die Aussicht, –, -en
die Anstrengung, –, -en
die Sicherung, –, -en
die Ausweitung, –, -en
der Statistiker, -s, –
die Erhöhung, –, -en
der Werbekuchen, -s, –
das Ganze, -n
die Rate, –, -n
das Wachstum, -s
das Medium, -s, die Medien
die Steigerung, –, -en
die Verschiebung, –, -en
das Regal, -s, -e
der Ladenbau, -s, die Landenbauten
die Dekoration, –, -en
der Markenartikel, -s, –
das Schild, -(e)s, -er

die Außenfront, –, -en
der Impuls, -es, -e
die Bereitschaft, –
die Gemeinschaft, –, -en
die Bedarfsgruppe, –, -n
die Mentalität, –, -en
*die Berechtigung, –, -en
*die Kategorie, –, -ien
*das Verhalten, -s
*die Meinung, –, -en
*der Beweggrund, -(e)s, die Beweggründe
*der Verkehrsförderungsfachmann, -s,
   -fachleute
*der Werbefachmann, -s, -fachleute
*der Einkäufer, -s, –
*der Verkäufer, -s, –
*die Bewegung, –, -en
*die Masse, –, -en
*die Vorverpackung, –, -en
*die Vorwahl, –, –
*die Lagerumwälzung, –, -en
*der Versandhandel, -s
*die Modernisierung, –, -en
*die Skala, –, -en
*die Verfügbarkeit, –, -en
*die Nähe, –
*der Kredit, -s, -e
*die Schnelligkeit, –, -en
*das Parken, -s
*die Zurücknahme, –, -n
*der Rat, -s, die Ratschläge
*die Zerstreuung, –, -en
*die Ästhetik, –
*der Schaukasten, -s, –
*das Firmenschild, -s, -er
*der Drehständer, -s, –
*die Ausstattung, –, -en
*die Pappe, –, -n

*der Kunststoff, -s, -e
*die Wirkung, –, -en
*die Durchsichtigkeit, –, –
*die Beleuchtung, –, -en
*die Anforderung, –, -en
*das Gebiet, -s, -e
*die Architektur, –, -en
*die Gesamtheit, –, -en
*die Milliarde, –, -n
*die Riesenhaftigkeit, –
*die Ausgabe, –, -n
*die Musterpackung, –, -en
*das Geschenk, -s, -e
*das Preisausschreiben, -s, –
*die Prämie, –, -n
*die Messe, –, -n
*die Verteilung, –, -en
*der Werbe(träger), -s, -e
*die Bildzeitschrift, –, -en
*der Plakatanschlag, -s, -anschläge
*der Haushalt, -s, -e
*das Reinigungsmittel, -s, –

*die Seife, –, -n
*die Zigarette, –, -n
*die Kosmetik, –
*die Spirituosen, – *(nur Plural)*
*der Kaffee, -s, –
*der Tee, -s, –
*der Kakao, -s
*das Elektrohaushaltsgerät, -s, -e
*die Suppe, –, -n
*die Margarine, –, -n
*die Unterbekleidung, –, -en
*die Bluse, –, -n
*der Radioapparat, -s, -e
*das Rundfunkgerät, -s, -e
*der Plattenspieler, -s, –
*das Fernsehgerät, -s, -e
*der Schaumwein, –, -e
*die Konfektion, –, -en
*der Reifen, -s, –
*die Büchsenmilch, –
*die Zellulose, –, -n

| | | | |
|---|---|---|---|
| schwierig | klassisch | ursprünglich | *gemäß |
| wachsend | zugunsten | konkurrierend | *Verwaltungs- |
| vielerorts | werbungtreibend | *erwachsen | *an der Spitze |
| widersinnig | jeweils | *gegenüber | *pharmazeutisch |
| ausgerechnet | passiv | *regelmäßig | *Zucker- |
| demnach | antizyklisch | wiederkehrend | *alkoholisch |
| dennoch | beruhigend | *weit | |
| zyklisch | zahlenmäßig | *Innen- | |

## 6 C

die Wolle, –
die Preislage, –, -n
das Stoffmuster, -s, –
die Farbkarte, –, -n

die Sohle, –, -n
das Gummi, -s
der Karton, -s, -s

| | | | |
|---|---|---|---|
| mittlerer | voraussichtlich | lieferbar | lebendig |

## 7 A

aussehen wie, sah aus, hat ausgesehen
Dieser Anzug sieht nicht genau wie der andere aus.

Rechnung tragen + D, trug Rechnung, hat Rechnung getragen
Er hat den Schwierigkeiten des Geschäftsganges Rechnung getragen.
herausbilden + A, bildete heraus, hat herausgebildet
Diese Form des Gemischtwarengeschäfts hat sich im vorigen Jahrhundert herausgebildet.
(sich) spezialisieren auf + A, spezialisierte sich, hat sich spezialisiert
Dieser Einzelhändler hat sich auf den Bedarf der Büroangestellten spezialisiert.
unterhalten + A, unterhält, hat unterhalten
In den Kaufhäusern werden viele Abteilungen unterhalten.
überwachen + A, überwachte, hat überwacht
Dieser Parkplatz ist nachts nicht überwacht.

| | |
|---|---|
| das Dorf, -es, die Dörfer | das Ausmaß, -ses, -ße |
| die Betriebsform, –, -en | das Massenfilialgeschäft, -(e)s, -e |
| das Gewerbe, -s, – | die Zweigstelle, –, -n |
| der Vorort, -(e)s, -e | die Filiale, –, -n |
| die Geschäftsstraße, –, -n | die Bettwäsche, – |
| der Geschäftsraum, -es, -räume | das Fertighaus, -es, -häuser |
| das Gemischtwarengeschäft, -s, -e | der Bestellschein, -s, -e |
| das Geschirr, -s, -e | das Paket, -s, -e |
| das Küchengerät, -s, -e | der Selbstbedienungsladen, -s, -läden |
| die Ortschaft, –, -en | der Stadtrand, -s, -ränder |
| die Warengattung, –, -en | der Spielplatz, -es, -plätze |
| die Gemeinde, –, -n | das Schwimmbecken, -s, – |
| das Fachgeschäft, -(e)s, -e | der Tennisplatz, -es, -plätze |
| die Regenbekleidung, –, -en | die Panne, –, -n |
| die Stahlwaren, – (Pl.) | die Verspätung, –, -en |
| die Eisenwaren, – (Pl.) | der Etat, -s, -s |
| das Warenhaus, -es, -häuser | das Budget, -s, -s |

| | | | |
|---|---|---|---|
| dazugehörig | verschiedenartig | angrenzend | bequem |
| individuell | allmählich | aneinander | breit gefächert |
| reichhaltig | riesenhaft | anziehend | |

## 7 B

(sich) lohnen, lohnte, hat gelohnt
Dieser Einkauf lohnt sich nur in größeren Mengen.
sparen + A, sparte, hat gespart
Beim Einkaufen kann man viel Geld sparen.
bevorzugen + A, bevorzugte, hat bevorzugt
Das Selbstbedienungsgeschäft wird von einem bestimmten Käuferpublikum bevorzugt.
aufstellen + A, stellte auf, hat aufgestellt
Die Waren sind nach Bedarfsgruppen aufgestellt.

(sich) bewegen + A, bewegte, hat bewegt
Die Käufer bewegen sich mit Begeisterung zwischen den aufgestellten Waren.
aufstapeln + A, stapelte auf, hat aufgestapelt
Er bewegt sich mit Begeisterung zwischen den aufgestapelten Waren.
hinreißen, riß hin, hat hingerissen
Sie lassen sich hinreißen, die gewünschten Waren sich einfach anzueignen.
(sich) aneignen + A, eignete an, hat angeeignet
Man muß die Waren zuerst bezahlen, bevor man sie sich aneignet.
ausmachen, machte aus, hat ausgemacht
Die Ladendiebstähle machen 1%/o des Umsatzes aus.
stehlen + A, stahl, hat gestohlen
Manche Hausfrauen stehlen in den Geschäften.
vertreten, vertrat, hat vertreten
Unter den Ladendieben sind viele Berufe vertreten.
in Berührung kommen mit + D, kam, ist gekommen
Er ist mit niemandem in Berührung gekommen.
(nicht) abreißen, riß (nicht) ab, ist (nicht) abgerissen
Die Kontrolle der Waren darf nie abreißen.
ausleihen + A, lieh aus, hat ausgeliehen
Diese Flasche wird nur gegen Pfand ausgeliehen.
sich durchsetzen, setzte sich durch, hat sich durchgesetzt
Viele Geschäfte können sich nur sehr schwer durchsetzen.
*bekunden + A, bekundete, hat bekundet
Sie haben dafür viel Interesse bekundet.
*verzeichnen + A, verzeichnete, hat verzeichnet
Wir verzeichnen dieses Jahr einen Rückgang der Geschäfte zu Weihnachten.
*sich vereinigen, vereinigte sich, hat sich vereinigt
Viele kleine Läden vereinigen sich zu einer bedeutenden Ladenkette.
*eröffnen + A, eröffnete, hat eröffnet
Der Internationale Autosalon ist am Sonntag eröffnet worden.
*(leicht) Platz finden, fand, hat gefunden
Vor der Ausstellung können 5000 Autos leicht Platz finden.
*anzeigen + A, zeigte an, hat angezeigt
Die Stände sind klar angezeigt.
*etikettieren + A, etikettierte, hat etikettiert
Der Geschäftsinhaber hat nach Geschäftsschluß noch viel etikettieren müssen.
*verdanken + D, verdankte, hat verdankt
Diese Entwicklung ist dem frühen Geschäftsschluß zu verdanken.
*Nutzen ziehen aus + D, zog, hat gezogen
Sie ziehen viel Nutzen aus ihren Erfahrungen.

| | |
|---|---|
| das Versandhaus, -es, -häuser | das Fabrikat, -s, -e |
| der Umfang, -s | die Offerte, –, -n |
| das Zehntel, -s, – | das Frischfleisch, -es |
| der Haushaltsartikel, -s, – | die Ruhe, – |

die Begeisterung, –, -en
die Gefahr, –, -en
die Dieberei, –, -en
der Diebstahl, -s, die Diebstähle
die Hausfrau, –, -en
der Beruf, -s, -e
der Dieb, -(e)s, -e
der Gelehrte, -n, -n
der Geistliche, -n, -n
der Polizist, -en, -en
der Rechtsanwalt, -es, -anwälte
der Geschäftsmann, -nes, die Geschäfts-
  leute
der Politiker, -s, –
das Problem, -s, -e
die Branche, –, -n
das Pfand, -es, die Pfänder
die Packung, –, -en
die Rückgabe, –
die Einwegflasche, –, -n
das Erlebnis, -ses, -se
der Hintergrund, -es, -gründe
der Kostprobenstand, -es, -stände
*die Streuung, –, -en
*das Maß, -es, -e
*die Neuorganisation, –, -en

*der kleine Supermarkt, -es, märkte
*die Niederlassung, –, -en
*das Volkswarenhaus, -es, -häuser
*das Viertel, -s, –
*die Gruppierung, –, -en
*der Stand, -es, die Stände
*die Reihe, –, -n
*die Kasse, –, -n
*das Warten, -s
*die Stauung, –, -en
*die Größenordnung, –, -en
*der Gewinn, -s, -e
*die Entwicklung, –, -en
*die Verkehrsstockung, –, -en
*die Schwierigkeit, –, -en
*das Stammhaus, -es, die Stammhäuser
*der Hauptsitz, -es, -e
*der Trumpf, -es, die Trümpfe
*der Reichtum, -s, die Reichtümer
*das Rundfunkgerät, -(e)s, -e
*die Strickware, –, -n
*der Rasenmäher, -s, –
*der Ski, -s, -er
*die Rolle, –, -n
*der Berater, -s, –

die ersteren
hauptsächlich
die letzteren
zusehends
garantiert
woher
überwiegend
wettbewerbsfähig

einschließlich
kohlensäurehaltig
neuerdings
gedämpft
*unabhängig
*gegenüber
*verhältnismäßig
*ebensoviel

*ernsthaft
*konzentriert
*ohne Fachrichtung
*herkömmlich
*freiwillig
*zweck-
  entsprechend
*brutto

*außerordentlich
*besonders
*verpflichtend
*umfangreich
*ungenügend

## 7 C

heraussuchen + A, suchte heraus, hat herausgesucht
  Er sucht sich die benötigten Möbel heraus.
ausfüllen + A, füllte aus, hat ausgefüllt
  Füllen Sie den Bestellschein aus!
aufführen + A, führte auf, hat aufgeführt
  Er führt die bestellten Waren auf.
gefallen + D, gefiel, hat gefallen
  Dieser Sessel gefällt mir nicht.

umtauschen + A, tauschte um, hat umgetauscht
Diesen Kleiderschrank möchte ich umtauschen.

der Erhalt, -s            die Rückerstattung, –, -en
die Nachnahme, –, -n
hiermit

## 8 A

erwerben + A, erwarb, hat erworben
Du hast dieses Haus erworben.
veräußern + A, veräußerte, hat veräußert
Diese Möbel sind veräußert worden.
nachkommen + D, kam nach, ist nachgekommen
Der Kaufmann muß dem Bedarf seiner Kundschaft nachkommen.
aufmerksam machen auf + A, machte, hat gemacht
Die Werbung soll die Käufer auf bestimmte Waren aufmerksam machen.
aufsuchen + A, suchte auf, hat aufgesucht
Wir müssen heute noch zwei Kunden aufsuchen.
abwarten, wartete ab, hat abgewartet
Ihr werdet den Kapitalrücklauf abwarten müssen.
finanzieren + A, finanzierte, hat finanziert
Der Großhändler finanziert meistens seine Lieferer.
Kredit einräumen + D, räumte ein, hat eingeräumt
Diesem Kunden müssen wir immer viel Kredit einräumen.
vermitteln + A, vermittelte, hat vermittelt
Wir vermitteln Ihnen diesen Lieferer.
aufbringen + A, brachte auf, hat aufgebracht
Für den nächsten Monat werde ich viel Geld aufbringen müssen.
lagern, lagerte, hat gelagert
Der Zwischenhandel lagert die Erzeugnisse.

die Berührung, –, -en       das Absatzrisiko, -s, die Absatzrisiken
die Sicht, –                 die Unterscheidung, –, -en
der Erdteil, -s, -e          der Lagerhandel, –
der Rücklauf, -s, die Rückläufe    der Aufkauf, -s, die Aufkäufe
die Vorauskasse, –         das Produkt, -s, -e
die Lagerhaltung, –, -en     der Zwischenhandel, -s
die Betriebsmittel, – (Pl.)     der Absatzgroßhandel, –

letztlich      teilweise       andererseits      tropisch
mittelbar     einerseits      gegeben        ebenfalls
beträchtlich

## 8 B

liegen in + D, lag, hat gelegen
Die besondere Funktion dieses Systems liegt in der schnellen Einkaufsmöglichkeit.

211

reizen + A, reizte, hat gereizt
   Günstige Preise reizen die Käufer immer.
sich hinwenden zu + D, wandte sich, hat sich gewandt
   Die Produktion wendet sich dem Verbraucher zu.
vollstopfen + A, stopfte voll, hat vollgestopft
   Die Lager sind seit Monaten vollgestopft.
*(sich) wandeln, wandelte, hat gewandelt
   Der Großhandel hat sich in den letzten zehn Jahren sehr gewandelt.
*angehören + D, gehörte an, hat angehört
   Dieser Angestellte gehört der Versandabteilung an.
*dazugehören + D, gehörte dazu, hat dazugehört
   Diese Angestellten gehören zu der kaufmännischen Abteilung.
*anklagen + A, klagte an, hat angeklagt
   Dieser Kaufmann wird morgen angeklagt.
*erzielen + A, erzielte, hat erzielt
   Dieses Jahr ist ein großer Umsatz erzielt worden.
*übertreffen + A, übertraf, hat übertroffen
   Die Erzeugung übertrifft manchmal den Verbrauch.
*sich aufrechterhalten, erhielt sich aufrecht, hat sich aufrechterhalten
   Viele Kleinbetriebe können sich im harten Wettbewerb nicht mehr aufrechterhalten.
*ertragen + A, ertrug, hat ertragen
   Ein Handelsbetrieb muß viele Abgaben ertragen.

die Möglichkeit, –, -en
die Funktion, –, -en
das System, -s, -e
der Lieferantenkredit, -s, -e
der Vorwurf, -s, die Vorwürfe
die Ausnahme, –, -n
der Ausnahmefall, -s, -fälle
die Wandlung, –, -en
die Hinwendung, –
die Berücksichtigung, –, -en
das Produktionsprogramm, -s, -e
die Provision, –, -en

*die Herstellung, –, -en
*der Fortschritt, -s, -e
*die Anklage, –, -n
*die Organisation, –, -en
*die Kenntnis, –, -se
*die Ertragsfähigkeit, –
*die Leistungsfähigkeit, –
*der Durchschnitt, -s, -e
*die Persönlichkeit, –, -en
*das Gesprächsthema, -s, -en
*die Abgabe, –, -n
*die Steuer, –, -n

praktisch
neuartig
stichhaltig
betrieblich
homogen

kostensparend
wahllos
weiter(e)
festbezahlt
*mit inbegriffen

*im Gegensatz zu
*eigentlich
*kaufmännisch
*einträglich
*trotz

*gültig
*bei weitem
*hervorragend

## 8 C

wählen + A, wählte, hat gewählt
   Welche Form der Bestellung wollen wir wählen?

zusagen + D, sagte zu, hat zugesagt
Diese Art des Einkaufs sagt mir am meisten zu.
einführen + A, führte ein, hat eingeführt
Wir werden diesen Lippenstift in dieser Saison einführen.
abrufen + A, rief ab, hat abgerufen
Wir werden alle 14 Tage die gleiche Menge abrufen.

der Gegenfall, -s, -fälle
die Spezifikation, –, -en
das Kopiergerät, -s, -e
die Trockenkopie, –, -n
die Parfümerie, –, -n
der Lippenstift, -(e)s, -e

die Fichte, –, -n
die Stärke, –, -n
die Abmessung, –, -en
der Abruf, –, -e
der Lieferzeitraum, -s, -räume

vorteilhaft
andernfalls


## 9 A

zunehmen, nahm zu, hat zugenommen
Die Gesamtmenge der industriellen Güter nimmt ständig zu.
zusammenhängen mit + D, hing zusammen, hat zusammengehangen
Industrie und Technik hängen zusammen.
erreichen + A, erreicht, hat erreicht
Wir wollen dieses Ziel noch in diesem Monat erreichen.
absehen
Diese Entwicklung *ist nicht abzusehen.*
(sich) zusammenschließen, schloß zusammen, hat zusammengeschlossen
Die Arbeitnehmer schlossen sich in Gewerkschaften zusammen.
gründen + A, gründete, hat gegründet
Diese Firma ist im vorigen Jahrhundert gegründet worden.
vertreten + A, vertrat, hat vertreten
Die Arbeitnehmer werden in ihren Interessen von den Gewerkschaften vertreten.
ins Leben rufen + A, rief, hat gerufen
Viele neue soziale Einrichtungen müssen in einem Industriestaat ins Leben gerufen werden.
erfassen + A, erfaßte, hat erfaßt
Alle Autos sind bei der zuständigen Behörde erfaßt.
abgrenzen + A von + D, grenzte ab, hat abgegrenzt
In einem großen Betrieb muß man die kaufmännische Abteilung von der technischen abgrenzen.
umformen + A, formte um, hat umgeformt
Viele Güter müssen einige Male bis zum Verbrauch umgeformt werden.
herausarbeiten, arbeitete heraus, hat herausgearbeitet
Für beide Unternehmerformen kann man spezifische Kennzeichen herausarbeiten.
aufbauen + D, baute auf, hat aufgebaut
Dieser Betrieb ist nur auf der Arbeit des Gewerbetreibenden aufgebaut.

vornehmen + A, nahm vor, hat vorgenommen
  Sie können mit Hilfe ihrer Maschinen eine Serienfertigung vornehmen.
funktionieren, funktionierte, hat funktioniert
  Die Fabrik muß immer gut funktionieren.
ineinandergreifen, griff ineinander, hat ineinandergegriffen
  Die einzelnen Wirtschaftszweige greifen in ihrer Tätigkeit ineinander.
sich ein Ziel setzen, setzte sich, hat sich gesetzt
  Unser Betrieb hat sich dieses Ziel gesetzt.
koordinieren + A, koordinierte, hat koordiniert
  Alle Abteilungen müssen ihre Tätigkeit koordinieren.
basieren auf + A, basierte, hat basiert
  Das Handwerk, bisher auf Handarbeit basierend, muß sich auch moderner Maschinen
  bedienen.

die Bedarfsdeckung, –
das Jahrzehnt, -s, -e
die Erscheinung, –, -en
die Erfindung, –, -en
die Dampfmaschine, –, -n
die Dynamomaschine, –, -n
der Aufstieg, -s, –
der Höhepunkt, -s, -e
der Stickstoff, -s
der Dampf, -es, die Dämpfe
die Elektrizität, –
das Erdöl, -s, -e
die Atomenergie, –, -n
die Anwendung, –, -en
die Auswirkung, –, -en
die Manufaktur, –, -en
die Einführung, –
die Gewerbefreiheit, –
die Aufhebung, –
die Zunft, –, die Zünfte
der Zwang, -(e)s
der Arbeitgeber, -s, –
der Arbeitnehmer, -s, –
der Zusammenschluß, -schlusses, -schlüsse
die Genossenschaft, –, -en

die Wahrung, –
das Recht, -s
die Forderung, –, -en
die Gewerkschaft, –, -en
der Arbeitgeberverband, -s, -verbände
der Verband, -s, die Verbände
die Förderung, –
die Innung, –, -en
der Bezirk, -s, -e
die Behörde, –, -n
die Handwerkskammer, –, -n
die Einrichtung, –, -en
der Bundesverband, -s, -verbände
die Spitzenorganisation, –, -en
die Arbeitsteilung, –, -en
die Serienfertigung, –, -en
die Handarbeit, –
das Merkmal, -s, -e
die Direktion, –, -en
das Rechnungswesen, -s
die Beschaffung, –
die Fertigung, –, -en
der Vertrieb, -s
die Verwaltung, –, -en

steil
künstlich
synthetisch
friedlich
verwandt

gemeinsam
öffentlich-rechtlich
fachlich
spezifisch
umfassend

weitgehend
demgegenüber
abgesehen von
  + D
vorwiegend

übrig
reibungslos

heruntersetzen + A, setzte herunter, hat heruntergesetzt
Das Förderziel wurde durch die Hohe Behörde heruntergesetzt.
bedenken + A, bedachte, hat bedacht
Wenn man die Bedeutung der Kohle für die Wirtschaft bedenkt, ...
ermessen + A, ermaß, hat ermessen
... dann kann man den Schaden ermessen.
bewahren + A, bewahrte, hat bewahrt
Die Steinkohle wird ihre Rolle bewahren.
behalten + A, behielt, hat behalten
Die Steinkohle wird ihre Rolle in der Stahlindustrie behalten.
drosseln + A, drosselte, hat gedrosselt
Die Steinkohlenförderung muß gedrosselt werden.
ausmachen + A, machte aus, hat ausgemacht
Diese Gasfunde machen ein Vielfaches der binnendeutschen Produktion aus.
einbüßen + A, büßte ein, hat eingebüßt
Die Landwirtschaft hat ihre Bedeutung nicht eingebüßt.
gerben + A, gerbte, hat gegerbt
Die Häute der Tiere werden zu Leder gegerbt.
zusammendrehen + A, drehte zusammen, hat zusammengedreht
Die Fäden werden zusammengedreht.
*erschüttern + A, erschütterte, hat erschüttert
Die Kohlenkrise erschüttert den Steinkohlenbergbau.
*vorschlagen + A, schlug vor, hat vorgeschlagen
Für die Organisation des Bergbaus wurde ein neues System vorgeschlagen.
*abzielen auf + A, zielte auf + A ab, hat auf + A abgezielt
Die Eisenindustrie zielt auf eine Verwendung des amerikanischen Kokses nicht ab.
*falten + A, faltete, hat gefaltet
Die Kartons werden von Maschinen richtig gefaltet.
*verleihen + D, verlieh, hat verliehen
Der Kohlenstoffgehalt verleiht dem Roheisen besondere Eigenschaften.
*melden + D + A, meldete, hat gemeldet
Die Fachzeitschriften melden den Metallgießern die große Erfindung.
*ausschließen + A, schloß aus, hat ausgeschlossen
Sämtliche Mängel des Roheisens sind jetzt ausgeschlossen.
*zögern, zögerte, hat gezögert
Die Industrie zögert nicht, diese Erfindung anzuwenden.
*ziehen, zog, hat gezogen
Gußeisen kann mit dem neuen Verfahren gezogen werden.
*brechen, brach, hat gebrochen
Gußeisen bricht sehr oft.
*fordern + A, forderte, hat gefordert
Von diesem Stahl werden viele Eigenschaften gefordert.

\*(sich) bestätigen, bestätigte, hat bestätigt
   Die Wichtigkeit dieser Industrie bestätigt sich immer wieder.
\*scheinen, schien, hat geschienen
   Das neue Gußeisen scheint viel besser zu sein.
\*ausstatten + A, stattete aus, hat ausgestattet
   Dieses Werk ist mit modernen Maschinen ausgestattet.
\*kennzeichnen + A, kennzeichnete, hat gekennzeichnet
   Diese Erfindung kennzeichnet eine neue Entwicklung.
\*befördern + A, beförderte, hat befördert
   Die Erdölleitung befördert das Öl stromaufwärts.
\*stromaufwärts fahren, fuhr, ist gefahren
   Das Erdöl fährt stromaufwärts.
\*versorgen + A, versorgte, hat versorgt
   Dieses Werk versorgt mit seinen Erzeugnissen alle Betriebe dieser Gegend.
\*fließen, floß, ist geflossen
   Das Erdöl fließt in Rohrleitungen vom Bohrturm bis zum Seehafen.
\*umfahren + A, umfuhr, hat umfahren
   Er hat das Kap umfahren.
\*überschreiten + A, überschritt, hat überschritten
   Wir haben die Grenze überschritten.

die Quelle, –, -n
das Erz, -es, -e
die Basis, –, die Basen
die Grundstoffindustrie, –, -n
die Maschinenindustrie, –, -n
die Fahrzeugindustrie, –, -n
die Werkzeugindustrie, –, -n
der Schiffbau, -s
der Apparatebau, -s
das Mineral, -s, die Mineralien
die Steinkohle, –, -n
der Kohlenstoff, -s
der Gehalt, -s, -e
die Fettkohle, –, -n
der Koks, -es, -e
der Hochofen, -s, die Hochöfen
die Gießerei, –, die Gießereien
die Beziehung, –, -en
das Zeitalter, -s, –
das Gold, -es
die Drosselung, –, -en
die Montanunion, –
die Hohe Behörde, –
die Verwendung, –, -en

das Heizöl, -s, -e
die Hausbrandkohle, –, -n
die Folge, –, -n
die Stillegung, –, -en
die Zeche, –, -n
das Revier, -s, -e
die Bedeutung, –
das Eisen, -s
die Verhüttung, –, -en
das Schmelzen, -s
das Roheisen, -s
das Gußeisen, -s
der Sauerstoff, -s
die Zufuhr, –, -en
der Stahl, -s, die Stähle
der Sektor, -s, -en
das Gemisch, -es, -e
der Kohlenwasserstoff, -s, -e
die Raffinerie, –, -n
die Destillation, –, -en
das Benzin, -s
das Petroleum, -s
das Maschinenöl, -s, -e
das Erdgas, -es

die Lagerstätte, –, -n
der Kraftzweck, -s
der Heizzweck, -s
die Entfernung, –, -en
die Rohrleitung, –, -en
die Versorgung, –
das Stadtgas, -es, -e
die Nordsee, –
der Fund, -s, -e
das Vielfache, -n
Mitteleuropa
der Spender, -s, –
die Spaltung, –, -en
der Kern, -s, -e
das Element, -s, -e
das Uran, -s
die Uranpechblende, –
die Weiterentwicklung, –, -en
die Anreicherung, –, -en
das Nutzholz, -es, -hölzer
das Brennholz, -es
die Chemie, –
die Technik, –
der Zellstoff, -s
das Papier, -s, -e
die Faser, –, -n
der Alkohol, -s, -e
das Rind, -s, -er
das Pferd, -es, -e
das Schaf, -es, -e
das Gerben, -s
die Lederware, –, -n
der Faserstoff, -s, -e
die Baumwolle, –
der Hanf, -s
der Flachs, -es
die Seide, –, -n
die Jute, –
das Gespinst, -es, -e
das Spinnen, -s
der Faden, -s, die Fäden
die Spinnerei, –, die Spinnereien
die Weberei, –, die Webereien
das Gewebe, -s, –
der Weizen, -s

der Roggen, -s
der Hafer, -s
die Gerste, –
der Reis, -es
der Mais, -es
die Hirse, –
der Hopfen, -s
*die Krise, –, -n
*der Kohlenbergbau, -s
*die Eisenindustrie, –, -n
*die Idee, –, -n
*der (Lasten-)Ausgleich, -s
*die Verschlechterung, –
*das Gleichgewicht, -s, -e
*die Machtergreifung, –, -en
*das Erzfrachtschiff, -s, -e
*die Senkung, –, -en
*die Fracht, –, -en
*das Ersetzen, -s
*das Metall, -s, -e
*der Stoß, Stoßes, die Stöße
*der Ehrgeiz, -es
*der Metallgießer, -s, –
*der Widerstand, -s, die Widerstände
*die Eignung, –, -en
*das Formen, -s, –
*die Bearbeitung, –, -en
*der Verschleiß, -es
*der Rostschaden, -s, -schäden
*der Gegensatz, -es, die Gegensätze
*der Einfluß, Einflusses, die Einflüsse
*der Gießer, -s, –
*der Nachteil, -s, -e
*der Riß, -sses, -sse
*die Eigenschaft, –, -en
*der Erfinder, -s, –
*das Erfordernis, -ses, -se
*die Hochstraße, –, -en
*die Brücke, –, -n
*das Parkhaus, -es, -häuser
*das Raumschiff, -es, -e
*die Gasleitung, –, -en
*der Abschuß, -sses, die Abschüsse
*die Aktualität, –, -en
*die Erdölchemie, –

*das Werk, -s, -e
*das Kracken, -s
*der Maßstab, -s, die Maßstäbe
*die Veränderung, –, -en
*der Zyklus, Zyklus', die Zyklen
*die Herstellung, –
*der Schaden, -s, die Schäden
*die Kohlechemie, –
*das Hauptstück, -s, -e
*das Äthylen, -s
*das Propylen, -s
*das Butadien, -s
*das Tal, -s, die Täler
*der Rhythmus, Rhythmus', die Rhythmen

*der Vorgang, -s, die Vorgänge
*die Abhängigkeit, –, -en
*die Küste, –, -n
*der Kanal, -s, die Kanäle
*der Tanker, -s, –
*Saudi-Arabien, -s
*die Ladung, –, -en
*der Golf, -s, -e
*das Kap der Guten Hoffnung
*das Heizwerk, -s, -e
*die Bohrung, –, -en
*die Leitung, –, -en
*Algerien, -s
*die Entdeckung, –, -en

| | | | |
|---|---|---|---|
| fossil | stufenweise | *zuständig | *südeuropäisch |
| zu Tage | vornehmlich | *technologisch | *überall |
| mengenmäßig | öffentlich | *unzerbrechlich | *vergleichbar |
| golden | unbegrenzt | *heftig | *unbeständig |
| endgültig | sensationell | *mechanisch | *Mittelmeer- |
| unersetzlich | jetzig | *wissenschaftlich | *persisch |
| eisenschaffend | binnen | *aufmerksam | *End- |
| eisenverarbeitend | sowjetisch | *ziehbar | *Erdöl- |
| schmiedbar | mancherorts | *Raum- | *Energie- |
| unterbrochen | flächenförmig | *international | |

## 9 C

beschädigen + A, beschädigte, hat beschädigt
    Dieser Stoff ist auf der ganzen Länge beschädigt.
Mängelrüge erheben, erhob, hat erhoben
    Wegen dieser festgestellten Mängel erhebe ich Mängelrüge.
vorschreiben + A, schrieb vor, hat vorgeschrieben
    Das Gesetz schreibt eine bestimmte Frist vor, um Mängelrüge erheben zu können.
zurücktreten von + D, trat zurück, ist zurückgetreten
    Wegen Ihrer verspäteten Lieferung müssen wir vom Vertrag zurücktreten.
geltend machen + A, machte, hat gemacht
    Ich mache mein Recht auf Schadenersatz geltend.
einhalten + A, hielt ein, hat eingehalten
    Diese Frist wurde auch nicht eingehalten.
im Verzug sein, war, ist gewesen
    Sie sind mit dieser Lieferung im Verzug.
zurückrufen + A, rief zurück, hat zurückgerufen
    Diese Sendung haben wir gestern zurückgerufen.
versteigern + A, versteigerte, hat versteigert
    Heute werden die nicht übernommenen Waren versteigert.

mitsteigern, steigerte mit, hat mitgesteigert
Ich werde beim öffentlichen Verkauf auch mitsteigern.
mahnen + A, mahnte, hat gemahnt
Wir haben Sie nun schon zweimal gemahnt, ohne daß Sie unsere Rechnung beglichen hätten.
unternehmen + A, unternahm, hat unternommen
(gerichtliche Schritte unternehmen)
Wir müssen wegen dieses säumigen Kunden gerichtliche Schritte unternehmen.
beanstanden + A, beanstandete, hat beanstandet
Ich muß diese Lieferung beanstanden.
verweigern + A, verweigerte, hat verweigert
Die Übernahme der bestellten Waren wurde vom Käufer verweigert.
eintreffen, traf ein, ist eingetroffen
Diese Sendung ist noch immer nicht eingetroffen.

die Störung, –, -en
der Verlauf, -s
die Pflicht, –, -en
der Mangel, -s, die Mängel
die Rüge, –, -n
die Mängelrüge, –, -n
die Beanstandung, –, -en
die Bemängelung, –, -en
die Reklamation, –, -en
der Verzug, -s
der Lieferverzug, -s
die Zustellung, –, -en
die Annahme, –
der Annahmeverzug, -s
der Zahlungsverzug, -s
die Neulieferung, –, -en
der Preisnachlaß, -lasses, -lässe
der Schadenersatz, -es
die Mahnung, –, -en

der Termin, -s, -e
die Nachfrist, –, -en
der Mehrpreis, -es, -e
die Vertragsverletzung, –, -en
die Sendung, –, -en
die Übernahme, –
die Versteigerung, –, -en
der Mindererlös, -es, -e
der Schuldner, -s, –
der Schnitt, -s, -e
der Anspruch, -s, die Ansprüche
der Schadenersatzanspruch, -s, -ansprüche
der Zahlungseingang, -s, -eingänge
das Tuch, -s, -e
die Überprüfung, –, -en
der Webfehler, -s, -e
der Posten, -s, –
der Spediteur, -s, -e

auftragsgemäß
von seiten
gesetzlich
vertraglich

zuverlässig
säumig
gerichtlich
angemessen

schadenersatz-
    pflichtig
fällig
umgehend

durchgehend
anstelle

## 10 A

versorgen + A, versorgte, hat versorgt
Die Aufgabe des Handels ist, den Verbrauchermarkt zu versorgen.
einführen + A, führte ein, hat eingeführt
Die Waren, die im Inland nicht erzeugt werden, müssen aus dem Ausland eingeführt werden.

schätzen + A, schätzte, hat geschätzt
Auslandskunden schätzen unsere Qualitätserzeugnisse.
ausführen + A, führte aus, hat ausgeführt
Um Waren einführen zu können, muß man zuerst andere Güter ausführen.
hindurchleiten + A, leitete hindurch, hat hindurchgeleitet
Durch manche Länder werden sehr viele Wirtschaftsgüter hindurchgeleitet.
begreifen + A, begriff, hat begriffen
Wir können die Probleme des Außenhandels nur schwer begreifen.
übersteigen + A, überstieg, hat überstiegen
Es ist nicht günstig für ein Land, wenn die Einfuhr die Ausfuhr übersteigt.
strömen, strömte, ist geströmt
Große Mengen von Geldkapital strömen über die Grenzen.
ausgeben + A, gab aus, hat ausgegeben
In manchen Ländern geben die Touristen sehr viel Geld aus.
anlegen + A, legte an, hat angelegt
Der Kapitalüberschuß eines Landes wird sehr häufig im Ausland angelegt.
aufweisen + A, wies auf, hat aufgewiesen
Die Zahlungsbilanz weist ein Passivsaldo auf.
bestrebt sein, war, ist gewesen
Eine jede Regierung ist bestrebt, eine ausgeglichene Handelsbilanz zu haben.
sich auswirken auf + A, wirkte sich aus, hat sich ausgewirkt
Ein Aktivsaldo der Handelsbilanz wirkt sich immer auf die Inlandsnachfrage aus.
existieren, existierte, hat existiert
Rohstoffarme Länder können ohne Ausfuhr schwer existieren.
binden + A an + A, band + A an + A, hat + A an + A gebunden
Die Bundesrepublik hat diese Einfuhr an eine Importlizenz gebunden.
ausstellen + A, stellte aus, hat ausgestellt
Die Einfuhrgenehmigung wird auf Antrag des Importeurs ausgestellt.
importieren + A, importierte, hat importiert
Industriestaaten ohne Landwirtschaft importieren sehr viel Lebensmittel
anmelden + A, meldete an, hat angemeldet
Die eingeführten Waren müssen angemeldet werden.
vornehmen + A, nahm vor, hat vorgenommen
Die Anmeldung wird vom Spediteur vorgenommen.
beauftragen + A, beauftragte, hat beauftragt
Der Einfuhrhändler kann eine andere Firma mit der Verzollung beauftragen.
abfertigen + A, fertigte ab, hat abgefertigt
An Sonntagen werden nur dringende Sendungen abgefertigt.
sich decken mit + D, deckte, hat gedeckt
Der deutsche Zollsatz deckt sich weitgehend mit demjenigen der GATT-Länder.
belegen + A, belegte, hat belegt
Nicht alle Waren werden mit Zollabgaben belegt.
anfallen, fiel an, ist angefallen
Bei teuren Waren fällt sehr viel Zoll an.

hinzurechnen + A, rechnete hinzu, hat hinzugerechnet
   Zum Zollbetrag müssen wir noch die Mehrwertsteuer hinzurechnen.
festlegen + A, lag fest, ist festgelegen
   Sie wollen nicht große Beträge in Zollgebühren festlegen.
belassen, beließ, hat belassen
   Nicht benötigte Einfuhrgüter werden im Zollager belassen.
hemmen + A, hemmte, hat gehemmt
   Hohe Zollsätze hemmen die Einfuhr.
treffen (ein Abkommen) traf, hat getroffen
   Für den Außenhandel werden viele Abkommen getroffen.
erstatteten + A, erstattete, hat erstattet
   Die Mehrwertsteuer wird bei der Ausfuhr erstattet.
ausführen, führte aus, hat ausgeführt
   Wie schon ausgeführt.
beruhen auf + A, beruhte auf, hat auf + A beruht
   Eine Zollunion von Ländern beruht auf Zollfreiheit.
formulieren + A, formulierte, hat formuliert
   Er hat diesen Vertrag nicht richtig formuliert.
ausgehen von + D, ging aus, ist ausgegangen
   Ihr geht von dieser Perspektive aus.
überfahren + A, überfuhr, hat überfahren
   Ein großes Auto hat die alte Frau überfahren.
wegbringen + A, brachte weg, hat weggebracht
   Die kranke Frau wurde weggebracht.
aussagen über + A, sagte über + A aus, hat über + A ausgesagt
   Die Modalverben sagen etwas über das Verb aus.

der Außenhandel, -s
der Binnenmarkt, -es, -märkte
der Binnenhandel, -s
das Inland, -s
der Großteil, -s
der Einfuhrhandel, -s
die Gestehungskosten, – (Pl.)
der Import, -s, -e
die Einfuhr, –, -en
der Einfuhrhändler, -s, –
der Importeur, -s, -e
der Ausfuhrhandel, -s
die Ausfuhr, –, -en
der Export, -s, -e
der Exporteur, -s, -e
der Ausfuhrhändler, -s, –
der Durchgang, s, -gänge
der Durchgangshandel, -s

der Transithandel, -s
der Hafen, -s, die Häfen
der Durchgangshafen, -s, -häfen
der Begriff, -s, -e
die Handelsbilanz, –, -en
die Gegenüberstellung, –, -en
der Wert, -es, -e
das Geldkapital, -s, -ien
die Lizenz, –, -en
die Zahlungsbilanz, –, -en
der Vergleich, -s, -e
der (das) Saldo, -s, -en
der Überschuß, Überschusses, die Überschüsse
die Währung, –, -en
der Bürger, -s, –
der Kreis, -es, -e
die Forderung, –, -en

der Kapitalzins, -es, -en
das Patent, -es, -e
die Dienstleistungsbilanz, –, -en
die Geldwirtschaft, –, -en
die Einnahme, –, -en
die Ausgabe, –, -n
der Kapitalverkehr, -s
der Einnahmesaldo, -s, -en
die Bilanz, –, -en
der Ausgabensaldo, -s, -en
die Regierung, –, -en
der Aktivsaldo, -s, -en
der Passivsaldo, -s, -en
das Bestreben, -s
der Gegenwert, -s, -e
das Zahlungsmittel, -s, –
die Devisen, – (Pl.)
der Auslandsmarkt, -s, -märkte
die Volkswirtschaft, –, -en
die Genehmigung, –, -en
das Einfuhrland, -s, -länder
die Außenhandelsbank, –, -en
der Antrag, -s, die Anträge
die Einfuhrgenehmigung, –, -en
die Importbilanz, –, -en
der Bestimmungsbahnhof, -s, -höfe
der Bestimmungsflughafen, –, -häfen
der Seehafen, -s, -häfen
das Zollamt, -s, -ämter
die Verzollung, –, -en
die Anmeldung, –, -en
die Unterlage, –, -en
die Transportfirma, –, -en
die Abfertigung, –, -en
der Zollbeamte, -n, -n
die Warenposition, –, -en
der Zolltarif, -s, -e
der Zollsatz, -es, -sätze
das GATT (allgemeines Abkommen über
  den Zolltarif und den Handel)

die Zollsenkung, –, -en
die Vereinbarung, –, -en
der Grundsatz, -es, -sätze
das Abkommen, -s, –
der Wertzoll, -s, -zölle
der Einfuhrort, -es, -e
die Einführung, –, -en
der Gewichtszoll, -s, -zölle
die Bemessungsgrundlage, –, -n
der Abfertigungsbeamte, -n, -n
die Zollposition, –, -en
die Zollgebühr, –, -en
der Warenwert, -s, -e
die Einschränkung, –, -en
die Mittel, – (flüssig) (Pl.)
der Zollverschluß, -verschlusses,
  -verschlüsse
das Zollager, -s, –
die Lagergebühr, –, -en
die Weltwirtschaft, –
der Handelsvertrag, -s, -verträge
die Zollabgabe, –, -n
das Zollabkommen, -s, –
die EWG (Europäische Wirtschaftsgemeinschaft)
die Wirtschaftsgemeinschaft, –, -en
der Gemeinsame Markt
die Zollfreiheit, –
der Freihandel, -s
die Zone, –, -n
die Freihandelszone, –, -n
der Transiteur, -s, -e
die Perspektive, –, -n
der Radfahrer, -s, –
der Krankenwagen, -s, -wägen
die Bedeutung, –, -en
der Standpunkt, -es, -e
die Aussageweise, –, -n
das Gesetz, -es, -e
die Exporteurfaktura, –, -en

| | | | |
|---|---|---|---|
| ausländisch | inländisch | vorerst | gegenseitig |
| preisgünstig | um so mehr | wonach | gleichlaufend |
| rechnerisch | eigenartig | ausgedehnt | zollfrei |
| aktiv | übervölkert | untereinander | objektiv |
| unsichtbar | entscheidend | wertmäßig | subjektiv |

hinauftreiben + A, trieb hinauf, hat hinaufgetrieben
Die hohen Exportüberschüsse haben die Deviseneinnahmen hinaufgetrieben.
absinken, sank ab, ist abgesunken
Die Beschäftigung der Industrie darf nicht weiter absinken.
abbauen + A, baute ab, hat abgebaut
Die Rohstofflager werden sehr langsam abgebaut.
schwächen + A, schwächte, hat geschwächt
Die Zahlungsbilanz wird durch zuviel Einfuhr sehr geschwächt.
aufwiegen + A, wog auf, hat aufgewogen
Rohstoffeinfuhren wiegen die daraus folgenden Maschinenexporte auf.
Fuß fassen, faßte Fuß, hat Fuß gefaßt
Die Importeure wollen auf diesem Markt Fuß fassen.
ankommen, kam an, ist angekommen
Diese Waren kommen beim Verbraucher nicht an.
*unterzeichnen + A, unterzeichnete, hat unterzeichnet
Das GATT-Abkommen wurde nach dem Zweiten Weltkrieg unterzeichnet.
*(ab)zielen, zielte, hat gezielt
Diese Abkommen zielen auf Zollfreiheit ab.
*(darauf) hinauskommen,
Es kommt darauf hinaus.
*einführen, führte ein, hat eingeführt
Der Freihandel wird eingeführt.
*sich ergeben aus + D, ergab, hat ergeben
Aus der internationalen Arbeitsteilung ergibt sich ein freier Warenverkehr.
*sich aussetzen + D, setzte sich aus, hat sich ausgesetzt
Die Industrie ist heute dem internationalen Wettbewerb ausgesetzt.
*bekanntgeben + A, gab bekannt, hat bekanntgegeben
Die Regierung hat neue Zollsenkungen bekanntgegeben.
*bestimmen für + A, bestimmte, hat bestimmt
Diese Anleihe ist für das Ausland bestimmt.
*einverstanden sein mit + D, war einverstanden, ist einverstanden gewesen.
Der Staat ist mit dieser Auslandsanleihe einverstanden.
*vermehren + A, vermehrte, hat vermehrt
Die Anzahl der Darlehen wird vermehrt.
*saldieren + A, saldierte, hat saldiert
In einer ausgeglichenen Zahlungsbilanz saldieren sich die Ausgaben mit den Einnahmen.
*sich äußern durch + A, äußerte sich, hat sich geäußert
Dieser Handel äußert sich durch ein Defizit.
*stecken in + D, steckte, hat gesteckt
Die Voraussetzung zu diesem Erfolg steckt in den Anstrengungen.
*antreffen + A, traf an, hat angetroffen
Der Kaufmann muß Interesse für sein Warenangebot antreffen.

*sich (einer Sache) (G) erfreuen, erfreute sich, hat sich erfreut
  Er erfreute sich einer guten Gesundheit.
*herrühren von + D, rührte her, hat hergerührt
  Dies rührt von der ständigen Werbung her.
*widmen + D, widmete, hat gewidmet
  Eine Sendung wird jeden Monat dem französischen Markt gewidmet.
*veranschlagen + A, veranschlagte, hat veranschlagt
  Die Investitionen werden auf 5 Millionen veranschlagt.
*einnehmen + A, nahm ein, hat eingenommen
  Dieses kleine Land nimmt den ersten Platz in der Feinmechanik ein.
äußern + A, äußerte, hat geäußert
  Er hat dazu seine Meinung geäußert.

die Abschwächung, –, -en
der Rückgang, -s, -gänge
der Ausgleich, -s
die Inlandsnachfrage, –
die Stütze, –, -n
die Beschäftigung, –
die Wiederzunahme, –, -n
der Maschinenbau, -s
das Fabrikat, -es, -e
die Produktionsgüterindustrie, –, -n
der Exportboom, -s
der Investitionsgütersektor, -s, -en
der Schlüssel, -s, –
der Handelspartner, -s, –
die Erschließung, –
der Interessent, -en, -en
der Aufbau, -s, -bauten
die Einladung, –, -en
die Pauschale, –, -n
der (das) Quadratmeter, -s, –
das Produktionsverfahren, -s, –
das Qualitätsmerkmal, -s, -e
die Produktionskapazität, –, -en
der cif-Preis
die Deklarierung, –, -en
die Musterschau, –
der Fachkreis, -es, -e
die Farbgebung, –, -en
die Formgebung, –, -en
*die Gewohnheit, –, -en
*der Weltkrieg, -s, -e
*die Beschränkung, –, -en

*die Zielsetzung, –, -en
*die Gegenseitigkeit, –, -en
*die Senkung, –, -en
*der Warenverkehr, -s
*die Beseitigung, –, -en
*die Praktik, –, -en
*der Freihandel, -s
*der Rahmen, -s, –
*das Bankensystem, -s, -e
*die Bürgschaft, –, -en
*das Anlagegut, -es, -güter
*die Anlage, –, -n
*die Anleihe, –, -n
*die Niederlassung, –, -en
*das Darlehen, -s, –
*die Warenverkehrsbilanz, –, -en
  (= Handelsbilanz)
*der Auslandsverkauf, -s, -käufe
*das Sozialprodukt, -s, -e
*die Hälfte, –, -n
*das Fünftel, -s, –
*die Struktur, –, -en
*das Mißverständnis, -ses, -se
*der Anteil, -s, -e
*das Verbrauchsgut, -es, -güter
*die Arbeit, –, -en
*die öffentlichen Arbeiten
*das Präzisionsmaterial
*das bearbeitete Holz, -es, die Hölzer
*der Beweis, -es, -e
*der Westen, -s
*das Streben, -s

*die Erweiterung, –, -en
*das Vertragsnetz, -es, -e
*der Rekord, -s, -e
*der Fremdenverkehr, -s
*das Defizit, -s, -e
*die Überweisung, –, -en
*die Vergütung, –, -en
*das Milieu, -s
*die Beliebtheit, –

*die Propaganda, –
*der Korrespondent, -en, -en
*die Sendung, –, -en
*die Elektrotechnik, –
*das Bergwerk, -s, -e
*der Platz, -es, die Plätze
*die Schweiz
*Großbritannien

| | | | |
|---|---|---|---|
| derzeitig | *im Höchstfall | *im Defizit | *Fremdenverkehrs- |
| scheinbar | *geeignet | *beiläufig | *(= touristisch) |
| ausgesprochen | *kürzlich | *(= annähernd) | *negativ |
| organisatorisch | *mittelfristig | *absolut | *erfolgreich |
| *gegenseitig | *diskontierbar | *grundlegend | |
| *diskriminierend | *im ganzen | *industrialisiert | |

## 10 C

eröffnen + A, eröffnete, hat eröffnet
    Er hat ein Akkreditiv eröffnet.
bestimmen + A, bestimmte, hat bestimmt
    Der Importeur bestimmt die Dokumente im Akkreditiv.
einreichen + A, reichte ein, hat eingereicht
    Wir müssen für dieses Geschäft viele Dokumente einreichen.
(sich) verpflichten zu + D, verpflichtete, hat verpflichtet
    Der Exporteur verpflichtet sich zur Lieferung innerhalb von drei Monaten.
entgegennehmen + A, nahm entgegen, hat entgegengenommen
    Nach Vorlage der Dokumente kann man die Zahlung entgegennehmen.
zurücktreten von + D, trat zurück, ist zurückgetreten
    Von diesem Kauf werde ich zurücktreten.
verständigen + A, verständigte, hat verständigt
    Die Bank verständigt den Importeur vom Eintreffen der Dokumente.
einlösen + A, löste ein, hat eingelöst
    Gegen Zahlung des angeführten Betrages können die Dokumente eingelöst werden.
einkalkulieren + A, kalkulierte ein, hat einkalkuliert
    In diesem Preis sind sämtliche Nebenkosten einkalkuliert.
beglaubigen + A, beglaubigte, hat beglaubigt
    Die Exportfaktura muß beim zuständigen Konsulat beglaubigt werden.

die Schwerfälligkeit, –, -en
die Abwicklung, –, -en
die Sicherung, –, -en
die Seite, –, -n
die Gepflogenheit, –, -en
das Dokumentenakkreditiv, -s, -e

das Akkreditiv, -s, -e
der Zahlungsauftrag, -s, -aufträge
die Nebenkosten, – (Pl.)
die Laufzeit, –, -en
das Dokument, -s, -e
die Vorlage, –, -n

der Treuhänder, -s, –
die Gewißheit, –, -en
die Abfertigung, –, -en
der Besitz, -es, -e
die Umkehrung, –, -en
die Auftragsbank, –, -en
das Eintreffen, –
die Vorauszahlung, –, -en
der Teilbetrag, -s, -beträge
die Fertigstellung, –, -en
die Gewährung, –, -en
die Konsulatsfaktura, –, -en
das Ursprungzeugnis, -ses, -se
der Seefrachtbrief, -s, -e

das Konnossement, -s, -e
die Versicherungspolice, –, -n
die Bescheinigung, –, -en
die Gesundheitsbehörde, –, -n
das Ursprungsland, -es, -länder
der fob-Preis
der Bord, -es, -e
die Klausel, –, -n
das Verladen, -s
der Ablader, -s, –
der Typ, -s, -en
die Eröffnung, –, -en
der Dampfer, -s, –
der Luftfrachtbrief, -s, -e

grundsätzlich
sonstig
unwiderruflich
widerruflich
teilbar
unteilbar

übertragbar
unübertragbar
bestätigt
unbestätigt
offen
seemäßig

fob
verantwortlich
cif
cf
ab Werk
frei Waggon

frei Längsseite
Schiff
frachtfrei
ab Schiff
ab Kai
portugiesisch

## 11 A

unterhalten + A, unterhielt, hat unterhalten
  Dieser Exporteur unterhält viele Niederlassungen in Übersee.
überflügeln + A, überflügelte, hat überflügelt
  Im modernen Flugverkehr werden alle anderen Verkehrsmöglichkeiten überflügelt.
eilen, eilte, ist geeilt
  Der Transport dieser Güter eilt.
ermöglichen + A, ermöglichte, hat ermöglicht
  Die automatischen Telefonzentralen ermöglichen Ferngespräche in weite Länder von
  jedem privaten Apparat aus.
einschreiben + A, schrieb ein, hat eingeschrieben
  Einschreiben!
aufgeben + A, gab auf, hat aufgegeben
  Er gibt diesen Brief als Eilbrief auf.
wegdenken aus + D, . . .
  nur: ist nicht wegzudenken aus einem modernen Großbetrieb.
(sich) umstellen auf + A, stellte um, hat umgestellt
  Nach diesem Krieg hat sich das Gaststättengewerbe auf den Massentourismus umgestellt.
anzweifeln + A, zweifelte an, hat angezweifelt
  Ich zweifle die Richtigkeit dieser Behauptung an.
verneinen + A, verneinte, hat verneint
  Er will nicht den ganzen Satz verneinen.

ansiedeln + A, siedelte an, hat angesiedelt
   In dieser Gegend werden einige neue Industrien angesiedelt.
imstande sein zu + D, war imstande, ist imstande gewesen
   Dieser Angestellte ist zu keiner zuverlässigen Arbeitsweise imstande.
antreten + A, trat an, hat angetreten
   Wann werden Sie Ihre große Überseereise antreten?
vorzeigen + A, zeigte vor, hat vorgezeigt
   Die Pässe müssen der Polizei vorgezeigt werden.
(sich) merken + A, merkte, hat gemerkt
   Er kann sich seine Telefonnummer nicht merken.

der Verkehrsbetrieb, -s, -e

das Verkehrsmittel, -s, –

der Kraftwagenverkehr, -s

der Flugverkehr, -s

die Schiene, –, -n

das Stückgut, -s, -güter

die Wagenladung, –, -en

das Frachtgut, -s, -güter

der Frachtbrief, -s, -briefe

Der Lastkraftwagen, -s, –

der PKW, -s, -s

der Personenkraftwagen, -s, –

der Fluß, Flusses, die Flüsse

der Binnensee, -s, -n

das Meer, -s, -e

die Seeschiffahrt, –

der Austausch, -es, -e

der Phönizier, -s, –

der Grieche, -n, -n

der Däne, -n, -n

der Italiener, -s, –

der Portugiese, -n, -n

der Spanier, -s, –

der Holländer, -s, –

der Franzose, -n, -n

der Engländer, -s, –

das Volk, -(e)s, die Völker

der Städtebund, -es, -bünde

die Hanse (= Hansa)

der Sand, -es, -e

der Ladeschein, -s, -e

die Luftfracht, –, -en

das Fernmeldewesen, -s

das Telegramm, -s, -e

der Eilbrief, -s, -e

die Fernsprechzentrale, –, -n

der Fernsprechapparat, -s, -e

das Gaststätten- und Beherbergungsgewerbe, -s

der Massentourismus, -mus, men

der Verdienende, -n, -n

der Verdiener, -s, –

das Durchschnittseinkommen, -s, –

das Kursbuch, -(e)s, -bücher

die Reisespesen, – (Pl.)

der Tarif, -s, -e

die Charter, –, –

der Einschreibebrief, -s, -e

die Absicht, –, -en

die Aussage, –, -n

die Erlaubnis, –, -sse

die Vermutung, –, -en

die Überzeugung, –, -en

die Richtigkeit, –

der Sprecher, -s, –

der Verkehrsschutzmann, -es, -leute

der Verkehrsunfall, -s, -fälle

die Wagenpapiere, – (Pl.)

der Wille, -ns

der Plan, -s, die Pläne

der Entschluß, Entschlusses, die
   Entschlüsse

die Behauptung, –, -en

der Zwang, -s, die Zwänge

die Verneinung, –, -en

das Verbot, -s, -e

das Betreten, -s

der Abflugraum, -es, -räume

der Fluggast, -es, -gäste

der Flugschein, -es, -e

der Abflug, -s, die Abflüge
die Abfindung, –, -en
die Grenzpolizei, –, -en

der Paß, Passes, die Pässe
der Lebensstandard, -s,
Übersee

| | | | |
|---|---|---|---|
| ausgedehnt | nördlich | allzusehr | offiziell |
| seit Menschen- | ausschlaggebend | eingeschrieben | vorsichtig |
| gedenken | eilig | vollbelegt | empört |
| seefahrend | unglaublich | rasant | |
| fern | hochwertig | durchschnittlich | |

## 11 B

beschreiten + A, beschritt, hat beschritten
Die Wirtschaft beschreitet neue Wege zur Lösung ihrer Probleme.
übertragen + A, übertrug, hat übertragen
Ein Gerät überträgt das Gespräch über ein Kabel.
wiedergeben + A, wiedergab, hat wiedergegeben
Ein Kopiergerät wiedergibt originalgetreu den Brief.
verkehren, verkehrte, ist verkehrt
Diese Züge verkehren in acht Ländern.
stärken + A, stärkte, hat gestärkt
Die Wettbewerbsfähigkeit der Eisenbahn gegenüber dem Flugverkehr muß gestärkt
werden.
zum Tragen kommen, kam, ist gekommen
Dieses System wird erst nach Jahren zum Tragen kommen.
umladen + A, lud um, hat umgeladen
Die Container werden einfach von einem Verkehrsmittel auf das andere umgeladen.
durchlaufen + A, durchlief, hat durchlaufen
Die Container durchlaufen die ganze Strecke ohne Umladen.
beherrschen + A, beherrschte, hat beherrscht
Der Mineralölverkehr beherrscht diesen Binnenhafen.
sich einstellen auf + A, stellte ein, hat eingestellt
Der Hafenumschlag ist auf Mineralöl eingestellt.
umschlagen + A, schlug um, hat umgeschlagen
In diesem Hafen werden nur Getreidelieferungen umgeschlagen.
leiten über + A, leitete, hat geleitet
Der größte Teil der deutschen Überseeeinfuhr wird über den Hamburger Hafen
geleitet.
entladen + A, entlud, hat entladen
Sehr viele Stahlerzeugnisse werden über Antwerpen entladen.
aufsteigen + A, stieg auf, ist aufgestiegen
Rotterdam ist zum größten Welthafen aufgestiegen.
Vorbereitung treffen, traf, hat getroffen
Alle Vorbereitungen sind zum Empfang der Riesentanker getroffen.
vorfahren, fuhr vor, ist vorgefahren
Die Flugzeuge fahren wie Taxis vor.

zurücklegen + A, legte zurück, hat zurückgelegt
Es sind nur 50 Meter zurückzulegen.
ablesen an + D, las ab, hat abgelesen
Die Bedeutung des Flugverkehrs ist daran abzulesen.
(sich) bemühen um + A, bemühte, hat bemüht
Die Fluggesellschaften sind um eine Standardisierung der Luftfrachtraten bemüht.
verladen + A, verlud, hat verladen
Die verladende Wirtschaft ist an Vorzugspreisen sehr interessiert.
verschwinden, verschwand, ist verschwunden
Die Spezialraten werden sehr bald verschwinden.
(sich) beteiligen an + D, beteiligte, hat beteiligt
Die Industrie ist nicht unmittelbar am Luftfrachtverkehr beteiligt.
zurückführen auf + A, führte zurück, hat zurückgeführt
Der Fremdenverkehr ist auf die Verkehrsmöglichkeiten zurückzuführen.
ausüben + A, übte aus, hat ausgeübt
Diese Gegend übt eine große Anziehungskraft auf Touristen aus.
erwähnen + A, erwähnte, hat erwähnt
Erwähnen Sie mir diese herrliche Gegend nicht!
erfüllt sein mit + D, war, ist erfüllt gewesen
Diese Gaststätte ist mit dem freiheitlichen Geist der Dichter und Denker erfüllt.
*aufstellen + A, stellte auf, hat aufgestellt
Der erste moderne Postverkehr wurde im vorigen Jahrhundert aufgestellt.
*erleichtern + A, erleichterte, hat erleichtert
Der Briefverkehr zwischen vielen Ländern ist erst seit kurzem erleichtert worden.
*seinen Sitz haben, hatte, hat gehabt
Diese Firma hat ihren Sitz in Köln.
*miteinbegreifen, begriff mit ein, hat mitinbegriffen
Alle Abgaben mitinbegriffen!
*die Verkehrsverbindung herstellen, stellte her, hat hergestellt
Diese Verkehrsverbindung kann nur sehr schwer hergestellt werden.
*(sich) auswirken, wirkte aus, hat ausgewirkt
Diese Autobahn wirkt sich auf den Fremdenverkehr aus.
*verbinden + A, verband, hat verbunden
(= kombinieren, kombinierte, hat kombiniert)
Seit dem letzten Jahr werden Eisenbahn- und Straßentransporte verbunden.
*aufladen + A, lud auf, hat aufgeladen
Lkws werden auf Sonderwaggons aufgeladen.
*wieder aufnehmen + A, nahm wieder auf, hat wieder aufgenommen
Sie nehmen ihre Eigenständigkeit wieder auf.
*(ver)hindern + A, (ver)hinderte, hat (verhindert) gehindert
Die Fernlaster sind nicht gehindert, die Straßen zu benutzen.
*anvertrauen + D + A, vertraute an, hat anvertraut
Der Kunde vertraut dem Spediteur die Warensendung an.
*(sich) modernisieren + A, modernisierte, hat modernisiert
Die Reedereien müssen sich modernisieren.

*(sich) ausbreiten + A, breitete sich aus, hat sich ausgebreitet
Der Fremdenverkehr breitet sich immer mehr aus.
*durchfahren + A, durchfuhr, hat durchfahren
Er hat in einigen Stunden mehrere Länder durchfahren.
*verteilen + A, verteilte, hat verteilt
Die Millionen von Touristen müssen auf sämtliche Küsten verteilt werden.

das Monopol, -s, -e
die Stellung, –, -en
der Wegfall, -s
die Besoldung, –, -en
der Postbeamte, -n, -n
der Briefträger, -s, –
die Xerographie, –
das Abbild, -es, die Abbilder
der Kabel, -s, –
der Normalbrief, -s, -e
der Luftpostbrief, -s, -e
der Alpenrand, -es, -ränder
der Nordseestrand, -es, -strände
der Komfort, -s
die Wettbewerbsfähigkeit, –
die Bundesbahn, –, -en
der Enzian, -s, -e
der Stundenkilometer, -s, –
die Versuchsstrecke, –, -n
der Container, -s, –
der Behälter, -s, –
die Aufnahme, –, -n
das Ladegut, -es, -güter
die Entladung, –, -en
das Containerschiff, -s, -e
der Landtransport, -s, -e
das Fahrgestell, -s, -e
das Umladen, -s
die Ladezeit, –, -en
das Luftkissenfahrzeug, -s, -e
der Komplex, -es, -e
der Umschlag, -s
das Mineralöl, -s, -e
die Verkehrsspitze, –, -n
die Verkehrsquote, –, -n
das Zentrum, -s, die Zentren
der Tank, -s, -s
die Tankanlage, –, -n

der Straßenzug, -s, -züge
der Zugang, -s, -gänge
der Landverkehr, -s
die Wasserstraße, –, -n
die Verbindungsstrecke, –, -n
die Aufwärtsentwicklung, –, -en
die Verkehrsachse, –, -n
die Donauschiffahrt, –
die Bruttoregistertonne (= BRT), –, -n
die Südfrüchte, – (Pl.)
der Tabak, -s, -e
das Fell, -s, -e
das Gewürz, -es, -e
der Kautschuk, -s
das Handelsschiff, -s, -e
die Tonnage, –, -n
das Einlaufen, -s
das Mammut, -s, -e
das Auftreten, -s
der Gigant, -en, -en
die Tiefwassergrenze, –, -n
das Schicksal, -s, -e
die Epoche, –, -n
der Europort, -s
der Erzfrachter, -s, –
der Anschluß, Anschlusses, die Anschlüsse
der Weltmarkt, -es, -märkte
der Flughafen, -s, -häfen
der Flugbahnhof, -s, -höfe
der Start, -s, -s
das Verlassen, -s
die Verbindung, –, -en
die Stadtmitte, –, -n
der Passagierverkehr, -s
der Frachtverkehr, -s
das Aufkommen, -s
der Düsenfrachter, -s, –
das Kühlgut, -s, -güter

die Wertsendung, –, -en
das Abfertigungssystem, -s, -e
die Standardisierung, –, -en
die Frachtrate, –, -n
die Spezialrate, –, -n
der Vorzugstarif, -s, -e
das Wirtschaftsgeschehen, -s
die Überlegung, –, -en
das Vorrecht, -s, -e
die Heimat, –, -en
die Erholung, –
die Anziehungskraft, –, -kräfte
das Rheintal, -s
die Burg, –, -en
die Wiege, –, -n
die Romantik, –
der Grenzwall, -s, -wälle
der Großstädter, -s, –
der Waldbauer, -s, –
der Bayerische Wald
die Krone, –, -n
der Balkon, -s, -e
der Dichter, -s, –
der Denker, -s, –
der Sänger, -s, –
der Maler, -s, –
der Gasthof, -s, -höfe
der Anziehungspunkt, -es, -e
der Gastronom, -s, -en
*der Postdienst, -es
*der Briefverkehr, -s
*Österreich, -s
*Spanien, -s
*der Weltpostverein, -s
*die Geschichte, –, -n
*das Porto, -s, -s (i)
*das Briefporto, -s, -s (i)
*das Mitgliedsland, -(e)s, -länder
*das Gebiet, -es, -e
*die Formalität, –, -en
*die Vereinheitlichung, –, -en
*das Gewicht, -es, -e
*der Verzicht, -s, -e
*der Dampfbetrieb, -s
*die Elektrifizierung, –

*der Triebwagen, -s, –
*die Leistung, –, -en
*die Bequemlichkeit, –, -en
*der Unterhalt, -s
*die Sicherheitsvorrichtung, –, -en
*der Meldedienst, -s
*der Betrieb, -s
*der Bahnübergang, -s, -gänge
*die Autobahnachse, –, -n
*die Dichte, –, -n
*die Koordination, –, -en
*die Straße, –, -n
*der LKW-Anhänger, -s, –
*die Eigenständigkeit, –, -en
*die Ladestelle, –, -n
*die Strecke, –, -n
*der Tieflader, -s, –
*die Handhabung, –, -en
*die Tarifsetzung, –, -en
*die Reederei, –, -en
*das Konsortium, -s, die Konsortien
*der Containerträger, -s, –
*die Werft, –, -en
*die Flußflottille, –, -n
*die Mündung, –, -en
*das Kaliber, -s, –
*der Kai, -s, -s
*das Anlegen, -s
*die vollendete Tatsache, –, -n
*der Lebensstandard, -s, -e
*die Erholung, –
*die Entspannung, –
*die Flucht, –
*der Stadtbewohner, -s, –
*die Aufhebung, –
*die Ebene, –, -n
*die Lockung, –, -en
*der Orient, -s
*die Seeküste, –, -n
*der Ärmelkanal, -s
*der Atlantik, -s
*die Bretagne, –
*die Vendee, –
*die Beherbergung, –, -en
*der Campingplatz, -es, -plätze

| | | | |
|---|---|---|---|
| *die Vermietung, –, -en | | *die Übertreibung, –, -en | |
| *die Villa, –, die Villen | | *der Vorzugsplatz, -es, -plätze | |
| *der Zweitwohnsitz, -es, -e | | *der Wagenpark, -s | |

| | | | |
|---|---|---|---|
| rentabel | völkerverbindend | romantisch | *normal |
| staatlich | westeuropäisch | römisch | *entlang |
| in Kürze | lothringisch | freiheitlich | *exotisch |
| sicherlich | vollmechanisch | traditionsreich | *gemäßigt |
| originalgetreu | weltweit | *Post- | *Ost- |
| blitzschnell | deutlich | *von ... an | *klassiert |
| prozentual | umtauschbar | *Dritt- | *möbliert |
| universell | sonnig | *dazwischen- | |
| absehbar | idyllisch | liegend | |
| quer | oberbayrisch | *sowohl ... als | |
| | | auch | |

## 12 A

tätigen + A, tätigte, hat getätigt
Die Umsatzprovision wird nach den getätigten Geschäften berechnet.
sammeln + A, sammelte, hat gesammelt
Die überflüssigen Gelder werden auf Sparkonten gesammelt.
lenken + A, lenkte, hat gelenkt
Die Kapitalien werden in die Richtung der Investitionen gelenkt.
(sich) betätigen + A, betätigte, hat betätigt
In der Bundesrepublik betätigen sich sehr viele Kreditinstitute.
ausgeben + A, gab aus, hat ausgegeben
Nur die Deutsche Bundesbank darf Banknoten ausgeben.
wachen über + A, wachte, hat gewacht
Die Bundesbank wacht über die Währungsstabilität.
einwirken auf + A, wirkte ein, hat eingewirkt
Die Deutsche Bundesbank wirkt auf die Kreditbewilligung ein.
verbilligen + A, verbilligte, hat verbilligt
Die Ausfuhrkredite sind in diesem Jahr verbilligt worden.
verteuern + A, verteuerte, hat verteuert
Die Kredite werden durch den höheren Diskontsatz verteuert.
verbieten + D + A, verbot, hat verboten
Die Regierung hat den Banken Industriebeteiligungen nicht verboten.
mitbeteiligen an + D, mitbeteiligte, hat mitbeteiligt
Diese Fabrik hat eine Großbank an ihren Firmen mitbeteiligt.
gewähren + A, gewährte, hat gewährt
Dieser Kredit kann nicht gewährt werden.
eine Sicherheit stellen, stellte, hat gestellt
Die Firma kann keine Sicherheiten mehr stellen.
ausreichen + A, reichte aus, hat ausgereicht
Die Banken reichen Kredite aus.

aufteilen + A, teilte auf, hat aufgeteilt
   Die Sparkassen sind nach Ländern aufgeteilt.
nachkommen + D, kam nach, ist nachgekommen
   Dieser Großhändler kommt seinen Verpflichtungen immer pünktlich nach.
erlöschen, erlosch, ist erloschen
   Dieses Vertragsverhältnis ist erloschen.
zurückzahlen + A, zahlte zurück, hat zurückgezahlt
   Dieses Darlehen ist rechtzeitig zurückgezahlt worden.
decken + A, deckte, hat gedeckt
   Sie werden diesen Betrag mit einer Hypothek decken.
vergüten + A, vergütete, hat vergütet
   Für dieses Geld werden höchstens 4⁰/o vergütet.
abheben (Geld) + A, hob ab, hat abgehoben
   Heben Sie diesen Betrag sofort ab?
das Konto belasten mit + D, belastete, hat belastet
   Das Konto wird mit diesem Betrag belastet.
einzahlen + A auf + A, zahlte ein, hat eingezahlt
   Wir zahlen den Rest auf das Konto ein.
dem Konto gutschreiben, –, gutgeschrieben
   Wir haben Ihrem Konto diesen Betrag gutgeschrieben.
verfolgen + A, verfolgte, hat verfolgt
   Wir verfolgen mit diesem Kredit einen bestimmten wirtschaftlichen Zweck.
einrichten + A, richtete ein, hat eingerichtet
   Dieses Konto soll als Kontokorrent eingerichtet werden.
beheben + A, behob, hat behoben
   Du mußt sofort diesen Betrag beheben.
auszahlen + A, zahlte aus, hat ausgezahlt
   Der Rest wird Ihnen zum Monatsende ausgezahlt.
abrechnen + A, rechnete ab, hat abgerechnet
   Die gegenseitigen Forderungen werden abgerechnet.
einen Wechsel ziehen auf + A, zog, hat gezogen
   (= Tratte) Der Lieferer zieht einen Wechsel auf seinen Kunden.
ankaufen + A, kaufte an, hat angekauft
   Die Bank kann dieses Akzept nicht ankaufen.
abziehen + A, zog ab, hat abgezogen
   Der Diskont wird vom Wechselbetrag abgezogen.
umreißen + A, umriß, hat umrissen
   Dieses Wertpapier hat einen festumrissenen Wert.
handeln mit + D, handelte, hat gehandelt
   Seit zwei Jahren handeln wir nicht mehr mit Wertpapieren.
aufdrucken auf + A, druckte auf, hat aufgedruckt
   Der Nennwert ist auf jede Aktie aufgedruckt.
notieren + A, notierte, hat notiert
   Es werden nicht alle Aktien auf den Wertpapierbörsen notiert.

übertragen + A, übertrug, hat übertragen
Der Wertpapierhandel wird den Börsenmaklern übertragen.
vertraut sein mit + D, war, ist gewesen
Die Börsenmakler sind mit den Usancen sehr vertraut.
eine Versicherung abschließen mit + D, schloß ab, hat abgeschlossen
Er schließt mit dieser Versicherungsgesellschaft eine Versicherung ab.
ersetzen + A, ersetzte, hat ersetzt
Die Versicherungen können nur den materiellen Schaden ersetzen.
aufbringen + A, brachte auf, hat aufgebracht.
Arbeitgeber und Arbeitnehmer bringen die Beiträge für die Sozialversicherung auf.
verursachen + A, verursachte, hat verursacht
Fahrzeuge können viele Schäden verursachen.
beabsichtigen + A, beabsichtigte, hat beabsichtigt
Wir beabsichtigen, einen längeren Urlaub zu machen.
voraussetzen + A, setzte voraus, hat vorausgesetzt
Für diese Stelle werden gründliche Fremdsprachenkenntnisse vorausgesetzt.
Stellung nehmen zu + D, nahm, hat genommen
Er will niemals Stellung nehmen.
bestellen + D + A, bestellte, hat bestellt
Bestellen Sie Ihrem Bruder meine besten Wünsche!

das Kreditgeschäft, -s, -e
der Zahlungsverkehr, -s
das Handelsgewerbe, -s, –
die Umsatzprovision, –, -en
das Kreditinstitut, -s, -e
die Nationalbank, –, -en
die Bundesbank, –, -en
die Banknote, –, -en
die Notenbank, –, -en
die Währungsstabilität, –, -en
die Stabilität, –, -en
die Kreditbewilligung, –, -en
die Rediskontierung, –, -en
das Bankwesen, -s
die Schlüsselstellung, –, -en
das Spargeld, -s, -er
die Industriebeteiligung, –, -en
die Beteiligung, –, -en
das Bundesland, -es, -länder
die Aktiengesellschaft, –, -en
der Kreditgeber, -s, –
der Darlehensgeber, -s, –
der Kreditnehmer, -s, –
der Darlehensnehmer, -s, –

der Gläubiger -s, –
die Verbindlichkeit, –, -en
die Verpflichtung, –, -en
die Rückführung, –
die Personengesellschaft, –, -en
der Pfandbrief, -s, -e
die Hypothekenbank, –, -en
die Ausgabe, –, -n
die Sparkasse, –, -n
die Haftung, –, -en
die Girozentrale, –, -n
der Habenzins, -es, -en
der Sollzins, -es, -en
die Differenz, –, -en
der Zusatz, -es, -sätze
die Zinsspanne, –, -n
das Bankkonto, -s, -konten
das Karteiblatt, -es, -blätter
die Kontonummer, –, -n
der Kontoinhaber, -s, –
der Zeichnungsberechtigte, -n, -n
der Geschäftsvorfall, -s, -fälle
das Guthaben, -s, –
der Kontokorrent, –, -e

der Eingang, -s, -gänge
das Sparkonto, -s, -konten
das Bargeld, -s, -gelder
der Barscheck, -s, -s
die Lastschrift, –, -en
der Zahlungsempfänger, -s, –
die Gutschrift, –, -en
das Gironetz, -es, -e
die Landeszentralbank
die Abrechnung, –, -en
das Scheckrecht, -s
der Auslandsscheck, -s, -s
der Diskontkredit, -s, -e
der Aussteller, -s, –
der Bezogene, -n, -n
das Domizil, -s, -e
der Wechselinhaber, -s, –
die Rückseite, –, -n
das Indossament, -s, -e
der Diskont, -s, -e
der Wechselprotest, -s, -e
die Urkunde, –, -n
das Wertpapier, -s, -e
die Börse, –, -n
die Effekten, –, (Pl.)
die Finanzierungsmittel, – (Pl.)
der Ertrag, -s, die Erträge
der Nennwert, -s, -e
das Zinspapier, -s, -e
die Obligation, –, -en
der Pfandbrief, -s, -e
die Aktie, –, -n
der Tageswert, -s, -e
der Kurswert, -s, -e
die Maklergebühr, –, -en
die Courtage, –
die Börsenumsatzsteuer, –, -n
der Tageskurs, -es, -e
die Häufung, –, -en
der Börsenmakler, -s, –
die Usance, –, -n
die Warenbörse, –, -n
der Standard, -s, -s
der Treffpunkt, -s, -e
der Kaufabschluß, -abschlusses, -abschlüsse

der Fachhandel, -s
der Versicherungsbetrieb, -s, -e
der Versicherte, -n, -n
der Versicherungsschaden, -s, -schäden
die Versicherungsfirma, –, -en
die Versicherungsgesellschaft, –, -en
der Versicherungsnehmer, -s, –
der Versicherungsvertrag, -s, -verträge
der Beitrag, -s, die Beiträge
der Vermögensverlust, -es, -e
die Sozialversicherung, –, -en
die Krankenversicherung, –, -en
die Rentenversicherung, –, -en
die Unfallversicherung, –, -en
die Arbeitslosenversicherung, –, -en
die Transportversicherung, –, -en
die Generalpolice, –, -n
die Havarie, –, -en
der Ausfuhrkredit, -s, –e
die Risikodeckung, –, -en
der Schadensfall, -s, -fälle
die Bundesbürgschaft, –, -en
die Rückversicherung, –, -en
das Anschwellen, -s
das Kraftfahrzeug, -s, -e
die Haftpflichtversicherung, –, -en
die Lawine, –, -n
der Personenschaden, -s, -schäden
der Sachschaden, -s, -schäden
der Unfallschaden, -s, -schäden
die Kaskoversicherung, –, -en
das Vollkasko, -s
die Insassenversicherung, –, -en
das Alter, -s, –
die Lebensversicherung, –, -en
das Lebensjahr, -s, -e
die Rente, –, -n
das Ableben, -s
der Familienangehörige, -n, -n
der Chef, -s, -s
die Buchhaltung, –, -en
das Gebot, -s, -e
das Bedauern, -s
das Tun, -s
die Unterlassung, –, -en

die Empfehlung, –, -en
die Erwartung, –, -en
der Sachverhalt, -s, -e
das Programm, -s, -e
der Geschäftsführer, -s, –
die Fremdsprache, –, -n
der Sinn, -es, -e
die Fleischmaschine, –, -n
die Umschreibung, –, -en
der Prokurist, -en, -en

der Direktor, -s, -en
die Neigung, –, -en
die Abneigung, –, -en
die Vorliebe, –, -n
das Diplom, -s, -e
der Bewerber, -s, –
die Verantwortung, –, -en
der Reiseführer, -s, –
das Gebäude, -s, –
der Geschädigte, -n, -n

| | | | |
|---|---|---|---|
| flüssig | streng | unter pari | lawinenartig |
| großflächig | gekreuzt | bestens | selbständig |
| ungenutzt | kurzfristig | limitiert | einmalig |
| beachtlich | gleichbleibend | amtlich | allgemeingültig |
| hypothekarisch | schwankend | vertretbar | alternativ |
| bürgerlich | wirklich | fungibel | angeblich |
| befindlich | al pari | börsenmäßig | verstorben |
| formlos | über pari | unumgänglich | |

## 12 B

bereinigen + A, bereinigte, hat bereinigt
Die Geldentwertung wurde durch die Währungsreform bereinigt.
behalten + A, behielt, hat behalten
Im Krieg behielt das Geld nicht seinen Wert.
garantieren + A, garantierte, hat garantiert
Rentenpapiere garantieren ein gleichbleibendes Einkommen.
kommen zu + D, kam zu, ist gekommen
Durch die Geldentwertung ist es zu einer Wirtschaftskrise gekommen.
veranstalten + A, veranstaltete, hat veranstaltet
Düsseldorf veranstaltet viele Fachmessen.
stattfinden, fand statt, hat stattgefunden
Die größten deutschen Messen finden in Hannover, Leipzig und Frankfurt statt.
präsentieren + A, präsentierte, hat präsentiert
Die neuesten Verpackungsmaschinen werden den Besuchern präsentiert.
*zurückführen + A, führte zurück, hat zurückgeführt
Die Bundesbank führt den Diskontsatz auf 4% zurück.
*praktizieren + A, praktizierte, hat praktiziert
Heutzutage werden höhere Zinssätze praktiziert.
*bemerken + A, bemerkte, hat bemerkt
Es muß bemerkt werden, daß das Geld teurer geworden ist.
*(sich) staffeln, staffelte, hat gestaffelt
Die Zinssätze sind gestaffelt.
*vervierfachen + A, vervierfachte, hat vervierfacht
Die Einlagen wurden im letzten Jahr vervierfacht.

*verwandeln + A, verwandelte, hat verwandelt
  Die Spargelder werden in Anlagen verwandelt.
*abfließen, floß ab, ist abgeflossen
  Die Spargelder fließen zu den Anlagewerten ab.
*aufzeichnen + A, zeichnete auf, hat aufgezeichnet
  Der Computer zeichnet alle Geschäftsvorfälle auf.

die Weltbank, –, -en
der Wiederaufbau, -s
die Entwicklungshilfe, –, -n
die Infrastruktur, –, -en
der Währungsfonds, –, –
die Geldentwertung, –, -en
die Inflation, –, -en
die Weltwirtschaftskrise, –, -n
die Währungsreform, –, -en
der Finanzfachmann, -es, -leute
die Erkenntnis, –, -se
die Kommunalobligation, –, -en
das Rentenpapier, -s, -e
das Einkommen, -s, –
das Krankenhaus, -es, -häuser
das Kraftwerk, -s, -e
die Fachmesse, –, -n
der Packstoff, -es, -e
die Verpackungsmittel, -s, –
das Abfüllen, -s
das Verschließen, -s
die Einzelpackung, –, -en
die Lagerung, –, -en
der Besucherstrom, –, -ströme
das Vorhaben, -s, –

*der Anstoß, -es, die Anstöße
*die Entscheidung, –, -en
*der Diskontsatz, -es, -sätze
*das Volumen, -s, –
*die Einlage, –, -n
*der Sparbuchinhaber, -s, –
*das Drittel, -s, –
*das Sparvolumen, -s, –
*die Abhebung, –, -en
*die Anlage, –, -n
*der Beitrag, -s, die Beiträge
*das Bauwesen, -s
*der Straßenbau, -s, -bauten
*die Schulausstattung, –, -en
*die Krankenhausausstattung, –, -en
*der Städteausbau, -s
*das Versicherungswesen, -s
*das Herz, -ens, -en
*die Meßtechnik, –
*die Druckerei, –, -en
*die Drupa, –
*die Konfektion, –, -en
*der Computer, -s, –
*die Arbeitskraft, –, -kräfte
*die Bildung, –

lebenswichtig          *gegenwärtig
finanziell             *in der Nähe
gleichmäßig            *sozial

*fruchtbar             *Fach-
*national              *unter
*produktiv             *Oberschul-

## 12 C

eine Brücke schlagen, schlug, hat geschlagen
  Wir müssen zwischen uns und den anderen eine Brücke schlagen.
einfallen + D, fiel ein, ist eingefallen
  Zu diesem Thema fällt mir gar nichts ein!
ordnen + A, ordnete, hat geordnet
  Wir müssen unsere Gedanken ordnen.
(schriftlich) niederlegen + A, legte nieder, hat niedergelegt
  Wir haben alles schriftlich niedergelegt.

der Aufsatz, -es, die Aufsätze
das Thema, -s, -en
die Einleitung, –, -en
die Behandlung, –, -en
das Schema, -s, -en

die Ausarbeitung, – ,-en
die Folgerung, –, -en
die Stellungnahme, –, -n
der Lebenskreis, -es, -e

geistig
reiflich

## 13 A

anschaffen + A, schaffte an, hat angeschafft
Die Geschäfte schaffen Waren an, um sie weiterzuveräußern.
weiterveräußern + A, veräußerte weiter, hat weiterveräußert
Dieses Lager wird sehr bald weiterveräußert werden.
haften (für + A) haftete, hat gehaftet
Der Firmeninhaber haftet für alle Verbindlichkeiten.
zerlegen + A, zerlegte, hat zerlegt
Das Grundkapital einer Aktiengesellschaft ist in gleiche Teile zerlegt.
bestellen + A, bestellte, hat bestellt
Die Aktionäre und die Arbeitnehmer bestellen die Mitglieder des Aufsichtsrats.
verbriefen + A, verbriefte, hat verbrieft
Das Recht auf eine Stimme ist in der Aktie verbrieft.
entsenden + A, entsandte, hat entsandt
Die Arbeitnehmer entsenden ein Drittel der Aufsichtsratsmitglieder.
bezwecken + A, bezweckte, hat bezweckt
Die Genossenschaften bezwecken die Förderung des Erwerbs ihrer Mitglieder.
abstimmen, stimmte ab, hat abgestimmt
Die Aktionäre stimmen in der Hauptversammlung ab.
sich kümmern um + A, kümmerte sich, hat sich gekümmert
Der Spediteur kümmert sich auch um die Verzollung.
rücken an + A, rückte an, hat an ... gerückt
Die wichtigeren Glieder rücken an das Ende.
konkurrieren mit + D, konkurrierte, hat konkurriert
Die einzelnen Glieder konkurrieren um den besten Platz.
beanspruchen + A, beanspruchte, hat beansprucht
Er beansprucht diese Stelle.

die Handelsgesellschaft, –, -en
das Handelsgesetzbuch, -es, -bücher
das Hilfsverb, -s, -en
der Buchhandel, -s
der Kunsthandel, -s
das Verlagsgeschäft, -s, -e
der Gesellschafter, -s, –
der Einzelkaufmann, -s, -kaufleute

das Handelsregister, -s, –
die Liquidierung, –, -en
der Konkurs, -es, -e
die Offene Handelsgesellschaft, –, -en
die OHG, –, -s
der Komplementär, -s, -e
der Kommanditist, -en, -en
der Mitgesellschafter, -s, –

die Kommanditgesellschaft, –, -en
die KG, –, -s
die AG, –, -s
das Grundkapital, -s
das Aktienkapital, -s
die Stimme, –, -n
die Gesellschafterversammlung, –, -en
die Hauptversammlung, –, -en
die HV, –, -s
der Aufsichtsrat, -s, -räte
der AR
das Aufsichtsratsmitglied, -s, -er
der Vorstand, -s, die Vorstände
das Vorstandsmitglied, -s, -er
die Gesellschaft mit beschränkter Haftung
die GmbH, –, -s
das Stammkapital, -s
die Kapitalgesellschaft, –, -en
die Zwischenstellung, –, -en
die Genossenschaft, –, -en
der Erwerb, -s
der Genosse, -n, -n
die Generalversammlung, –, -en
der Kapitalanteil, -s, -e
der Auftrag, -s, die Aufträge

der Handelsvertreter, -s, –
der Handelsmakler, -s, –
die Vermittlung, –, -en
der Kommissionär, -s, -e
das Konsignationslager, -s, –
der Auftraggeber, -s, –
die Marktwirtschaft, –
der leitende Angestellte, -n, -n
der Kassier, -s, -e
der Lagerist, -en, -en
der Buchhalter, -s, –
das Dienstverhältnis, -ses, -se
der Dienstvertrag, -s, -verträge
die Kündigung, –, -en
die Kündigungsfrist, –, -en
das Quartal, -s, -e
das Betriebsverfassungsgesetz, -es, -e
das Mitbestimmungsrecht, -s, -e
der Mitteilungswert, -s, -e
der Sprechzusammenhang, -s, -hänge
die Beschreibung, –, -en
der Urheber, -s, –
die Ursache, –, -n
die Sicherungsvorrichtung, –, -en

unbeschränkt
beschränkt

gemeinschaftlich
fremd

indeterminiert

determiniert

## 13 B

empfangen + A, empfing, hat empfangen
  Jeder Besucher sollte freundlich empfangen werden.
besetzen + A, besetzte, hat besetzt
  Schon jetzt können viele Arbeitsplätze nicht besetzt werden.
anwerben + A, warb an, hat angeworben
  In einer wachsenden Wirtschaft müssen immer mehr Arbeitskräfte angeworben werden.
zurückkehren, kehrte zurück, ist zurückgekehrt
  Die meisten Gastarbeiter kehren in ihre Heimat zurück.
es kommt darauf an, kam, ist gekommen
  Es kommt darauf an, daß die Mitarbeiter die Verlustquellen erkennen.
schärfen (den Blick), schärfte, hat geschärft
  Die Mitarbeiter schärfen den Blick für Verlustquellen.
realisieren + A, realisierte, hat realisiert
  Die Prämie ist 15% des realisierten Nutzens.

sich bezahlt machen, machte sich bezahlt, hat sich bezahlt gemacht
Das betriebliche Vorschlagswesen hat sich bezahlt gemacht.
verbessern + A, verbesserte, hat verbessert
Das Betriebsklima muß verbessert werden.
*hinsteuern, steuerte hin, hat hingesteuert
Die Gastarbeiter steuern auf die Beschäftigung im Wohnungsbau und in der Landwirtschaft hin.
*sich beziehen auf + A, bezog sich auf, hat sich auf + A bezogen
Der wichtigste Abschnitt bezieht sich auf die Zusammensetzung des Betriebsrates.
*bestimmen + A, bestimmte, hat bestimmt
Diese Verordnung bestimmt die Zusammensetzung des Betriebsrates.
*übergeben + D + A, übergab, hat übergeben
Der Unternehmer übergibt dem Arbeitsinspektor das Protokoll.
*enthalten + A, enthielt, hat enthalten
Dieser Bericht muß auch den Umsatz enthalten.
*gehalten sein, war, ist gewesen
Er ist gehalten, eine Aufstellung zu machen.
*unterbreiten, unterbreitete, hat unterbreitet
Er muß diese Aufstellung unterbreiten.
*hervorgehen aus + D, ging hervor, ist hervorgegangen
Aus dieser Aufstellung muß die Lohnentwicklung hervorgehen.

| | |
|---|---|
| das Betriebsklima, -s | *der Fremde, -n, -n |
| das Vorschlagswesen, -s | *der Teil, -s, -e |
| die Anmeldung, –, -en | *der Pole, -n, -n |
| die Visitenkarte, –, -n | *die Förderungsindustrie, –, -n |
| die Freundlichkeit, –, -en | *die Weiterverarbeitung, –, -en |
| der Empfang, -s, die Empfänge | *die Vollmacht, –, -en |
| die Bedienung, –, -en | *der Betriebsrat, -s, -räte |
| die Telefonzentrale, –, -n | *die Verordnung, –, -en |
| die Reibungsfläche, –, -n | *das Protokoll, -s, -e |
| der Kollege, -n, -n | *die Wahl, –, -en |
| die Hilfsbereitschaft, – | *das Mitglied, -es, -er |
| der Gastarbeiter, -s, – | *die Ausfertigung, –, -en |
| der Arbeitsplatz, -es, -plätze | *der Inspektor, -s, -en |
| der Jahresvertrag, -s, -verträge | *der Arbeitsinspektor, -s, -en |
| die Saisonkraft, –, -kräfte | *das Rechnungsjahr, -s, -e |
| der Arbeitsvertrag, -s, -verträge | *die Auskunft, –, die Auskünfte |
| der Verbesserungsvorschlag, -s, | *die Aufstellung, –, -en |
| -vorschläge | *der Lohn, -s, die Löhne |
| die Einzelprämie, –, -n | *der Gesetzgeber, -s, – |
| die Rationalisierung, –, -en | *die Verschwiegenheit, – |
| die Verlustquelle, –, -n | *die Schweigepflicht, – |
| die Unfallgefahr, –, -en | *der Charakter, -s, -e |
| der Nutzen, -s | *der Anwendungsbereich, -s, -e |
| *die Volkszählung, –, -en | |

| | | | |
|---|---|---|---|
| mit Recht | *häuslich | *Gesamt- | *vorausgegangen |
| mangelnd | *weitgehend | *verflossen | *Gewerkschafts- |
| möglicherweise | *diesbezüglich | *Stunden- | *betreffend |
| tariflich | *doppelt | *Monats- | *vertraulich |
| | | | *gleichgestellt |

## 13 C

beherrschen + A, beherrschte, hat beherrscht
Er beherrscht die deutsche Sprache wie ein Deutscher.
sich bewerben um + A, bewarb, hat beworben
Er hat sich um diese Stelle beworben.
versprechen + A, versprach, hat versprochen
Diese Position verspricht einiges.

| | |
|---|---|
| das Stellenangebot, -s, -e | die Zeugnisabschrift, –, -en |
| die Bewerbung, –, -en | der Eintrittstermin, -s, -e |
| der Lebenslauf, -s, -läufe | die Agentur, –, -en |
| das Zweigwerk, -s, -e | das Postfach, -s, -fächer |
| die Führungskraft, –, -kräfte | das Geburtsdatum, -s, -daten |
| die Nationalität, –, -en | die Staatsbürgerschaft, –, -en |
| das Arbeitsgebiet, -s, -e | der Schulbesuch, -s |
| die Finanzen, – (Pl.) | die Volksschule, –, -n |
| der Diplomkaufmann, -s, -kaufleute | die Oberschule, –, -n |
| die Ausbildung, –, -en | die Reifeprüfung, –, -en |
| der Umgang, -s | die Hochschule, –, -n |
| die Zulieferindustrie, –, -n | das Hochschulstudium, -s, -studien |
| die Position, –, -en | die Abschlußprüfung, –, -en |
| die Übernahme, – | die Staatsprüfung, –, -en |
| die Zuschrift, –, -en | der Stellenwechsel, -s, – |

| | | | |
|---|---|---|---|
| ca. = circa | gleichwertig | qualifiziert | tabellarisch |
| führend | nach Möglichkeit | unter Beifügung | vorliegend |
| hierbei | geläufig | handgeschrieben | |

## 14 A

übertragen + A, übertrug, hat übertragen
Bestimmte Befugnisse wurden den Organen der Gemeinschaft übertragen.
errichten + A, errichtete, hat errichtet
Die Mitgliedstaaten haben gemeinsame Institutionen errichtet.
einen Beschluß fassen, faßte, hat gefaßt
Die Mitgliedstaaten haben den folgenden Beschluß gefaßt:
harmonisieren + A, harmonisierte, hat harmonisiert
Es wurde der Beschluß gefaßt, die Sozialpolitik zu harmonisieren.
bereitstellen + A, stellte bereit, hat bereitgestellt
Es werden größere Energiemengen bereitgestellt.

ausbauen + A, baute aus, hat ausgebaut
Die Atomenergie wird immer mehr ausgebaut.
in die Tat umsetzen, setzte um, hat umgesetzt
Viele Zielsetzungen wurden noch nicht in die Tat umgesetzt.
in Kraft treten, trat, ist getreten
Die römischen Verträge sind am 1. Januar 1958 in Kraft getreten.
herstellen + A, stellte her, hat hergestellt
Die Freizügigkeit ist auf vielen Gebieten noch nicht hergestellt.
einsetzen + A, setzte ein, hat eingesetzt
Die Organe der Gemeinschaft wurden als Exekutive eingesetzt.
wahrnehmen + A, nahm wahr, hat wahrgenommen
Die Kommission nimmt die Durchführung der Verträge wahr.
beraten + A, berät, hat beraten
Das Europäische Parlament berät die Organe der Gemeinschaft.
annehmen + A, nahm an, hat angenommen
Er hat diese Nachricht als Tatsache angenommen.
zweifeln an + D, zweifelte, hat gezweifelt
Wir zweifeln am Erfolg eurer Bemühungen.
bezweifeln + A, bezweifelte, hat bezweifelt
Wir bezweifeln den Erfolg eurer Bemühungen.
anstellen + A, stellte an, hat angestellt
Er hat gestern mehrere Arbeiter angestellt.
anmelden + A bei + D, meldete an, hat angemeldet
Du hast dich beim Chef nicht angemeldet.

der Ansatz, -es, die Ansätze
die Einigung, –, -en
die Zusammenarbeit, –
der Abbau, -s
die Liberalisierung, –, -en
die Befreiung, –
die Errichtung, –, -en
Benelux, –
Luxemburg, -s
das Organ, -s, -e
die Befugnis, –, -se
die Ausübung, –
die Hoheitsrechte, – *(Pl.)*
das Memorandum, -s, die Memoranden
das Frühjahr, -s
die Konferenz, –, -en
die Institution, –, -en
die Sozialpolitik, –
der Verkehrsweg, -s, -e
der Beschluß, Beschlusses, die Beschlüsse

die Unterzeichnung, –
die (Europäische) Atomgemeinschaft, –
Euratom, -s
der Zugang, -es, die Zugänge
der Kernbrennstoff, -s, -e
der Wirtschaftsraum, -s, -räume
die Zollunion, –, -en
die Abschaffung, –
die Freizügigkeit, –, -en
der Dienstleistungsverkehr, -s
die Harmonisierung, –, -en
die Sozialleistung, –, -en
die Ausgleichung, –, -en
die Rechtsvorschrift, –, -en
das Endziel, -s, -e
die Politik, –
die Verwirklichung, –, -en
die Durchführung, –, -en
die Kommission, –, -en
die Exekutive, –, -n

| der Rat, -s, die Räte | das Superbenzin, -s, -e |
| das Parlament, -s, -e | die Gelassenheit, – |
| die Auslegung, –, -en | die Realität, –, -en |
| der Gerichtshof, -s, -höfe | die Irrealität, –, -en |
| die Betriebsgründung, –, -en | der Umstand, -s, die Umstände |

| verheerend | politisch | ausschließlich | alleinstehend |
| greifbar | direkt | übergeordnet | zurückhaltend |
| schließlich | echt | irreal | gegensätzlich |

## 14 B

sich entschließen, entschloß, hat entschlossen
Wir haben uns entschlossen, die Grundlagen für ein einiges Europa zu schaffen.
trennen + A, trennte, hat getrennt
Die Länder Europas sind durch viele Arten von Schranken noch getrennt.
beseitigen + A, beseitigte, hat beseitigt
Die EWG hat einige Schranken schon beseitigt.
sich vornehmen + A, nahm sich vor, hat sich vorgenommen
Die sechs Staaten nehmen sich vor, dieses Ziel anzustreben.
anstreben + A, strebte an, hat angestrebt
Wir wollen dieses Ziel anstreben.
gewährleisten + D + A, gewährleistete, hat gewährleistet
Der Vertrag wird den Mitgliedstaaten einen redlichen Wettbewerb gewährleisten.
einigen + A, einigte, hat geeinigt
Europa kann nur unter großen Schwierigkeiten geeinigt werden.
bekräftigen + A, bekräftigte, hat bekräftigt
Wir bekräftigen unseren Willen durch die Unterzeichnung dieses Vertrags.
wahren + A, wahrte, hat gewahrt
Wir werden die Freiheit wahren.
festigen + A, festigte, hat gefestigt
Sie werden den Frieden festigen.
auffordern + A, forderte auf, hat aufgefordert
Wir fordern die Völker Europas zur Einigung auf.
sich bekennen zu + D, bekannte, hat bekannt
Sie bekennen sich zu dem gleichen Ziel.
(sich) anschließen + D, schloß sich an, hat sich angeschlossen
Schließen Sie sich doch unseren Bestrebungen an!
besteuern + A, besteuerte, hat besteuert
Der Staat besteuert den Verbraucher über den Einzelhandel.
entschädigen + A, entschädigte, hat entschädigt
Die Gemeinden werden für den Steuerausfall entschädigt.
versteuern + A, versteuerte, hat versteuert
Es wird nur der Mehrwert versteuert.
*bestehen aus (in) + D, bestand, hat bestanden
Worin besteht die Tätigkeit der Gemeinschaft?

*verzerren + A, verzerrte, hat verzerrt
Der Wettbewerb wird durch eine allgemeine Umsatzsteuer verzerrt.
*koordinieren + A, koordinierte, hat koordiniert
Die Wirtschaftspolitik der sechs Länder muß koordiniert werden.
*auffangen + A, fing auf, hat aufgefangen
Die Verluste sollen aufgefangen werden.
*verbessern + A, verbesserte, hat verbessert
Die Möglichkeiten können verbessert werden.
*vergrößern + A, vergrößerte, hat vergrößert
Der Warenverkehr mit den überseeischen Ländern ist vergrößert worden.
*ausgleichen + A, glich aus, hat ausgeglichen
Die steuerlichen Lasten können besser ausgeglichen werden.
*gegenüberstehen + D, stand gegenüber, hat gegenübergestanden
Die Unternehmer stehen einer einzigen Steuer gegenüber.
*vereinheitlichen + A, vereinheitlichte, hat vereinheitlicht
Der Mehrwertsteuersatz ist noch nicht in allen Ländern vereinheitlicht.
*erheben + A, erhob, hat erhoben
Steuern werden in allen Staaten erhoben.
*belasten + D, belastete, hat belastet
Die Dienstleistungen werden besonders stark mit der Mehrwertsteuer belastet.
*durchführen + A, führte durch, hat durchgeführt
Die Rückerstattung wird durchgeführt.

| | |
|---|---|
| das Handeln, -s | der Film, -s, -e |
| die Schranke, –, -n | das Magnetophon, -s, -e |
| die Besserung, –, -en | der Pelz, -es, -e |
| das Vorgehen, -s | die Pelzkleidung, –, -en |
| das Hindernis, -ses, -se | der Effekt, -s, -e |
| die Wirtschaftsausweitung, – | *die Aufgabe, –, -n |
| der Abstand, -s, die Abstände | *die soziale Besserstellung, –, -en |
| der Rückstand, -s | *die Beschränkung, –, -en |
| die Handelspolitik, – | *der Eintritt, -s |
| der Wirtschaftsverkehr, -s | *das Drittland, -es, die Drittländer |
| die Verbundenheit, – | *die Einrichtung, –, -en |
| die Satzung, –, -en | *das Verkehrswesen, -s |
| die Vereinigten Nationen, – *(Pl.)* | *das Verfahren, -s, – |
| der Wohlstand, -s | *die Gleichgewichtsstörung, –, -en |
| die Bestrebung, –, -en | *die Gesetzgebung, –, -en |
| die Ausdehnung, –, -en | *das Funktionieren, -s |
| die Besteuerung, –, -en | *der Fonds, –, – |
| der Ausfall, -s, die Ausfälle | *die Geldmittel, – *(Pl.)* |
| die Steuerreform, –, -en | *die Assoziierung, –, -en |
| die Vereinfachung, –, -en | *der Steuerbetrag, -s, -beträge |
| das Steuersystem, -s, -e | *die Verbrauchssteuer, –, -n |
| der Einheitssatz, -es, -sätze | *die Stufe, –, -n |

*der Zuwachs, -es  
*der Übergang, -s, -gänge

*die Periode, –, -n  
*die Erhebung, –, -en

| | | | |
|---|---|---|---|
| eng | redlich | überseeisch | hoch |
| stetig | harmonisch | pauschal | *im Hinblick auf |
| beständig | fortschreitend | protektionistisch | *betreffend |
| ausgewogen | zwischenstaatlich | | |

## 14 C

die Serie, –, -n  
der Rauminhalt, -s, -e  
der Kühlschrank, -s, -schränke

die Waschmaschine, –, -n  
der Elektroherd, -s, -e  
die Geschirrspülmaschine, –, -n

## 15 A

assoziieren mit + D, assoziierte, hat assoziiert  
Mehrere überseeische Länder sind mit der Gemeinschaft assoziiert.  
aufnehmen + A, nahm auf, hat aufgenommen  
Der Entwicklungsfonds hat die Finanzierung von sozialen Vorhaben aufgenommen.  
genießen + A, genoß, hat genossen  
Die Mitgliedstaaten genießen eine Präferenz im Handel.  
offenlassen + A, ließ offen, hat offengelassen  
Schwierige Fragen wurden offengelassen.  
unterliegen + D, unterlag, ist unterlegen  
Viele Produkte unterliegen der Marktorganisation.  
aneinanderreihen + A, reihte aneinander, hat aneinandergereiht  
Wir wollen diese Waren aneinanderreihen.  
abheben von (einander) – D, hob ab, hat abgehoben  
Er hebt diese Firma besonders von den anderen ab.  
berichtigen + A, berichtigte, hat berichtigt  
Diese Zahl mußte berichtigt werden.  
richtigstellen + A, stellte richtig, hat richtiggestellt  
Die Preiskalkulation konnte noch rechtzeitig richtiggestellt werden.  
abschwächen + A, schwächte ab, hat abgeschwächt  
Dieser Ausdruck muß abgeschwächt werden.  
folgern aus + D, folgerte, hat gefolgert  
Dieser Sachverhalt wird aus dem vorigen gefolgert.

die Marktorganisation, –, -en  
das Kontingent, –, -e  
der Entwicklungsfonds, –, –  
die Regelung, –, -en  
die Agrarpolitik, –  
das Preisniveau, -s, -s  
die Abschöpfung, –, -en

die Präferenz, –, -en  
die Verhandlung, –, -en  
Griechenland, -s  
der Iran, -s  
die Weintraube, –, -n  
die Aprikose, –, -n  
das Handelsabkommen, -s, –

Israel, -s
die Begünstigung, -en
die Türkei, –
die Fusion, –, -en
die Haushaltsfrage, –, -n
der Bereich, -s, -e
die Ausrichtung, –, -en
der Höchstbetrag, -s, -beträge
der Widerspruch, -s, -sprüche

die Berechtigung, –, -en
die Rate, –, -n
die Urlaubszeit, –, -en
das Zustandekommen, -s
(die) Weihnachten, –
(das) Neujahr, -s
die Steuervorschrift, –, -en
der Jahresabschluß, -schlusses, -schlüsse

agrarisch          langwierig
untereinander      gewerblich

schrittweise          auf Raten
empfindlich

## 15 B

*gleichkommen + D, kam gleich, ist gleichgekommen
   Das Sozialprodukt der EWG kommt demjenigen der Sowjetunion gleich.
*beschäftigen + A, beschäftigte, hat beschäftigt
   Manche Industrien beschäftigen viele Personen.
*begünstigen + A, begünstigte, hat begünstigt
   Die Konzentration der Industrie begünstigt die Wettbewerbsfähigkeit.
*einen Punkt Vorsprung haben, hatte, hat gehabt
   Die Bundesrepublik hat in der Eisenindustrie einen Punkt Vorsprung gegenüber
   Frankreich.
*trachten + A, trachtete, hat getrachtet
   Die Mitgliedstaaten trachten, eine starke Ausweitung zu verwirklichen.
*(sich) fortsetzen + A, setzte fort, hat fortgesetzt
   Die juristische Person dieser Organisation setzt sich in einer anderen fort.
*wirksam werden, wurde wirksam, ist wirksam geworden
   Die Schaffung dieser Organisation ist am 1. 1. 71 wirksam geworden.
*verwechseln + A mit D, verwechselte, hat verwechselt
   Man darf den Europäischen Gerichtshof in Brüssel nicht mit dem Internationalen Gerichtshof in den Haag verwechseln.
*sich schaffen + A, schuf sich, hat sich geschaffen
   Die EWG hat sich einen eigenen Gerichtshof geschaffen.
*erfordern + A, erforderte, hat erfordert
   Diese Streitfälle erfordern ein hohes juristisches Können.
*sich stützen auf + A, stützte sich auf, hat sich auf . . . gestützt
   Die EWG stützt sich auf drei Verträge.
*in Gang setzen + A, setzte, hat gesetzt
   Ein bestimmter Ankaufspreis setzt den steuerlichen Eingriff in Gang.
*stabilisieren + A, stabilisierte, hat stabilisiert
   Es ist schwierig, die Agrarmärkte zu stabilisieren.
*voraussetzen + A, setzte voraus, hat vorausgesetzt
   Der Gemeinsame Markt setzt eine einheitliche Marktregelung voraus.
*miteinbegreifen, –, ist mit(e)inbegriffen
   Im gemeinsamen Getreidemarkt sind einheitliche Preise mitinbegriffen.

*beginnen + A, begann, hat begonnen
   Das neue Wirtschaftsjahr beginnt am 1. August.
*unterhalten + A, unterhielt, hat unterhalten
   Der Agrarfonds wird von den Beiträgen der Mitgliedstaaten unterhalten.
*ansteigen von – auf, stieg an, ist angestiegen
   Die Ausgaben sind von 10 Millionen auf 1 Milliarde angestiegen.
*nach oben begrenzen, begrenzte, hat begrenzt
   Der Haushalt wird nach oben begrenzt.

die Marktregelung, –, -en
die Apfelsine, –, -n
die Sorte, –, -n
die Orange, –, -n
die Notierung, –, -en
das Interventionssystem, -s, -e
der Grundpreis, -es, -e
der Ankaufpreis, -es, -e
die Rechnungseinheit, –, -en
das Eigengewicht, -s, -e
*der Ministerrat, -s
*die Senkung, –, -en
*die einheitliche Regelung, –, -en
*die Annahme, –, -n
*die Sowjetunion, –
*die Konzentration, –, -en
*das Aussehen, -s
*das Maschinenwesen, -s
*die Werkzeugmaschine, –, -n
*die Feinmechanik, –
*das Abkommen, -s, –
*Kanada, -s
*der Wortlaut, -s
*das Entwicklungsland, -s, -länder
*die juristische Person, –, -en
*Dänemark, -s
*Irland, -s
*Island, -s
*Großbritannien (= Vereinigtes König-
   reich – selten!)

*den Haag
*der Rechtsstreit, -s, -streitigkeiten
*die Verfassung, –, -en
*die Anerkennung, –, -en
*die Einrichtung, –, -en
*der Blumenkohl, -s, -e
*der Apfel, -s, die Äpfel
*die Birne, –, -n
*die Mandarine, –, -n
*die Zitrone, –, -n
*das arithmetische Mittel
*das Überschußgebiet, -s, -e
*das Wirtschaftsjahr, -s, -e
*der Eingriff, -s, -e
*der freie Getreidehandel, -s
*das Zuschußgebiet, -s, -e
*der Grundpreis, -es, -e
*der Weichweizen, -s
*der Hartweizen, -s
*der Mindestpreis, -es, -e
*die Beteiligung, –, -en
*die Herkunft, –
*die Abteilung, –, -en
*die Subvention, –, -en
*die Umstrukturierung, –, -en
*die Flurbereinigung, –, -en
*die Bewässerung, –, -en
*die Entwässerung, –, -en
*die Milchwirtschaft, –, -en
*die Ölbaumzucht, –

hinreichend
repräsentativ
*immer mehr
*zukünftig

*ausgenommen
*vielseitig
*juristisch
*wichtig

*arithmetisch
*angemessen
*einheitlich
*verbindlich

*Boden-
*auf Grund
*Forst-
*Weinbau-
*Wein

wettmachen durch + A, machte wett, hat wettgemacht
Die Versorgungslücken werden durch Einfuhren wettgemacht.

sinken, sank, ist gesunken
Die Preise sind nach der Saison sehr gesunken.

beleben + A, belebte, hat belebt
Sinkende Preise beleben nicht immer die Nachfrage.

klettern, kletterte, ist geklettert
Bei fehlendem Angebot klettern die Preise schnell.

die Konsequenzen ziehen, zog, hat gezogen
Die Regierung hat daraus die Konsequenzen gezogen.

regeln + A, regelte, hat geregelt
Die Agrarmärkte müssen geregelt werden.

abstoßen, stieß ab, hat abgestoßen
Die Regierungsstellen stoßen ihre Vorräte ab.

zugrunde liegen + D, lag zugrunde, hat zugrunde gelegen
Den Chemiefasern liegt als Rohstoff vorwiegend Holz und Baumwolle zugrunde.

entsalzen + A, entsalzte, hat entsalzt
Das Meerwasser muß für den Verbrauch entsalzt werden.

sich befassen mit + D, befaßte sich, hat sich befaßt
Das Bauwesen befaßt sich mehr mit dem Bau von Eigenheimen.

ablösen + A, löste ab, hat abgelöst
Die Maschinen werden die Handarbeit ablösen.

(sich) wiederholen + A, wiederholte, hat wiederholt
Die Baukonjunktur von 1959 wird sich kaum wiederholen.

sich erstrecken + A, erstreckte sich, hat sich erstreckt
Die Verhandlungen erstrecken sich auf eine lange Zeitdauer.

zusammentreffen mit + D, traf zusammen, ist zusammengetroffen
Diese Einfuhr aus England trifft auf den Tag mit der Einfuhr aus Italien zusammen.

vorausgehen + D, ging voraus, ist vorausgegangen
Bei dieser Bestellung muß die Zahlung der Lieferung vorausgehen.

sich zur Ruhe setzen, setzte sich zur Ruhe, hat sich zur Ruhe gesetzt
Der junge Kaufmann hatte schon soviel verdient, daß er sich zur Ruhe setzen wollte.

hochschnellen, schnellte hoch, ist hochgeschnellt
Die Preise sind plötzlich hochgeschnellt.

ausreichen, reichte aus, hat ausgereicht
Die Vorräte werden abgestoßen, wenn das Angebot nicht ausreicht.

| | |
|---|---|
| die Lebensmittelversorgung, –, -en | die Nachfrage, – |
| die Marktregel, –, -n | der Vorrat, -s, die Vorräte |
| die Versorgungslücke, –, -n | der Richtpreis, -es, -e |
| die Konsequenz, –, -en | der Acker, -s, die Äcker |
| der Agrarmarkt, -s, -märkte | das Leinen, -s, – |
| die Einfuhrstelle, –, -en | der Quadratkilometer, -s, – |
| die Vorratsstelle, –, -n | das Bauernland, -es |

die Lösung, –, -en
die Chemiefaser, –, -n
der Zellstoff, -s
die Kunstseide, –
das Nylon, -s
das Perlon, -s
das Trinkwasser, -s
das Brackwasser, -s
die Entsalzungsanlage, –, -n
das Wüstengebiet, -s, -e
Südafrika, -s
Venezuela, -s
Kuba, -s
die Tageskapazität, –, -en
das Trockengebiet, –, -e
die Bevorzugung, –, -en
der Schnaps, -es, die Schnäpse

der Fruchtsaft, -es, -säfte
das Mineralwasser, -s, –
das Bauelement, -es, -e
die Baumaschine, –, -n
die Fließbandfertigung, –, -en
der Bauplatz, -es, die Bauplätze
das Eigenheim, -s, -e
die Wirklichkeit, –, -en
das Fertigteil, -s, -e
die Produktionssteigerung, –, -en
die Schlüsselstellung, –, -en
die Orientierung, –, -en
die Vergangenheit, –, -en
der Nachtwächter, -s, –
der Kassenraum, -s, -räume
die Pistole, –, -n
die Zeitdauer, –

| | | | |
|---|---|---|---|
| unelastisch | trinkbar | steigend | bereits |
| natürlich | landschaftlich | großformatig | monatelang |
| damals | blühend | überhitzt | jahrelang |
| erschwinglich | unvergleichlich | zeitlich | |
| chemisch | gewichtig | unerwartet | |

## 16 B

anbrechen, brach an, ist angebrochen
   Das Frühjahr bricht an.
anlocken + A, lockte an, hat angelockt
   Die Schockfarben locken zusätzliche Käufer an.
senken + A, senkte, hat gesenkt
   Infolge der großen Produktion mußten die Preise gesenkt werden.
einlagern + A, lagerte ein, hat eingelagert
   Die Regierung lagert große Buttermengen ein.
ausschalten + A, schaltete aus, hat ausgeschaltet
   Wir dürfen den Preis in der Marktregelung nicht ausschalten.
erobern + A, eroberte, hat erobert
   Die Rauchwaren haben im Winter sämtliche Oberbekleidungsstücke erobert.
den Durst stillen, stillte, hat gestillt
   Auch mit Mineralwasser kann man den Durst stillen.
einfangen + A, fing ein, hat eingefangen
   Die Maschinen fangen die Kostensteigerung ein.
einsparen + A, sparte ein, hat eingespart
   Durch rationelle Bauweise werden viele Kosten eingespart.
anhalten, hielt an, hat angehalten
   Die Baukonjunktur hat nicht lange angehalten.

*vereinfachen + A, vereinfachte, hat vereinfacht
Die Konserven vereinfachen die Arbeit der Hausfrau.
*begegnen + D, begegnete, hat begegnet
Auf der Straße begegnet man oft guten Freunden.
*darauf setzen, setzte, hat gesetzt
Nicht alle setzen auf die Unschädlichkeit der bestrahlten Nahrung.
*genehmigen + A, genehmigte, hat genehmigt
Die Regierung genehmigt weitere Buttervorräte.
*decken + A, deckte, hat gedeckt
Die Erzeugung deckt den Bedarf.
*hervorkehren + A, kehrte hervor, hat hervorgekehrt
Die Meinungen der Fachleute kehren eine weitere Konjunktur hervor.
*benötigen + A, benötigte, hat benötigt
Für diesen Vertrieb wird viel Personal benötigt.
*sich stürzen auf + A, stürzte, hat gestürzt
Die Textilindustrie hat sich auf die synthetische Faser gestürzt.
*in Angriff nehmen + A, nahm, hat genommen
Diese Arbeiten wurden in Angriff genommen.
*wiegen, wog, hat gewogen
9000 Meter Faden wiegen 1 Gramm.
*erreichen + A, erreichte, hat erreicht
Dieses Material hat erreicht, einen besonderen Platz zu bewahren.
*pflegen + A, pflegte, hat gepflegt
Dieser Apparat muß gepflegt werden.
*einstellen + A, stellte ein, hat eingestellt
Stellen Sie die Heizung richtig ein!
*in Bewegung setzen, setzte, hat gesetzt
Die Heizung wird mechanisch in Bewegung gesetzt.
*lüften + A, lüftete, hat gelüftet
Dieser Raum ist schon lange nicht mehr gelüftet worden.
*hinzufügen + D, fügte hinzu, hat hinzugefügt
Zu diesem Vertrag haben wir nichts mehr hinzuzufügen.

| | |
|---|---|
| die Überproduktion, –, -en | die Damenwelt, – |
| die Absatzsorge, –, -n | der Rocksaum, -s, -säume |
| die Weidefütterung, –, -en | die Damenoberbekleidungsindustrie, –, -n |
| der Verbraucherverband, -s, -verbände | die Rauchwaren, – (Pl.) |
| die Steuerung, –, -en | der Edelpelz, -es, -e |
| die Staatskasse, –, -n | der Persianer, -s, – |
| der Rock, -s, die Röcke | der Nerz, -es, -e |
| der Mini-Rock, -s, -Röcke | der Ozelot, -s, -e |
| das Knie, -s, – | der Zobel, -s, – |
| die Ersparnis, –, -se | der Hermelin, -s, -e |
| die Schockfarbe, –, -n | der Chinchilla, – |

der freie Beruf, -s, -e
der Facharbeiter, -s, –
der Ungelernte, -n, -n (Arbeiter)
der Sekt, -s, -e
der Weinbrand, -s, -brände
der Wacholder, -s, –
der Likör, -s, -e
der Sprudel, -s, –
die Limonade, –, -n
das Cola-Getränk, -s, -e
der Gemüsesaft, -s, -säfte
der Bundesbürger, -s, –
das Auftragsvolumen, -s, –
der Hochbau, -s, -bauten
der Anstieg, -s, -e
das Grundstück, -s, -e
die Verknappung, –, -en
der Kapitalmarkt, -es, -märkte
das Abkühlen, -s
der Einsatz, -es, -sätze
die Baumethode, –, -n
die Baukosten, –, (Pl.)
die Bautätigkeit, –
die Erstellung, –, -en
die Eigentumswohnung, –, -en
die Garage, –, -n
die Klinik, –, -en
die Universität, –, -en
der Schulbau, -s, -bauten
der Gewerbebau, -s, -bauten
das Einkaufszentrum, -s, -zentren
der Wohnort, -s, -e
*die Konservierung, –, -en
*der Wasserentzug, -s
*die Tiefkühlung, –
*die Bestrahlung, –
*das Trocknen, -s
*die Lagerhaltung, –
*die Magermilch, –
*die Kartoffel, –, -n
*die Bremse, –, -n
*der Grundstoff, -s, -e
*die Himbeere, –, -n
*die Warenabnahme, –, -n
*Jugoslawien, -s

*die Marke, –, -n
*die Instanz, –, -en
*die Unschädlichkeit, –
*die Rentabilität, –, -en
*das Kernobst, -es
*die Wurstwaren, – (Pl.)
*das Einlagern, -s
*das Schatzamt, -es, -ämter
*die Halbkugel, –, -n
*der Grad, -s, -e
*der Hektograd, -s, -e
*die Mischung, –, -en
*der Hektoliter, -s, –
*der (das) Liter, -s, –
*die Kelter, –, –
*die Abfüllung, –, -en
*die Spülung, –, -en
*die Portion, –, -en
*die Feinheit, –, -en
*das Denier, -s, –
*das Gramm, -s, -e
*der Strumpf, -es, die Strümpfe
*der Koeffizient, -en, -en
*die Viskose, –
*die Zellwolle, –
*das Opfer, -s, –
*die Wirkwaren, – (Pl.)
*der Absatzmarkt, -es, -märkte
*der Damenstrumpf, -es, -strümpfe
*die Socken, – (Pl.)
*die Oberbekleidung, –, -en
*die Unterbekleidung, –, -en
*die Fertigbauweise, –, -n
*die Wohnungsnot, –
*die Schalldichte, –
*das Tonstudio, -s, -s
*der (das) Zentimeter, -s, –
*der Ziegelstein, -s, -e
*der Schlager, -s, –
*die sanitären Anlagen, – (Pl.)
*der Mieter, -s, –
*die Luftzufuhr, –, -en
*die Lüftung, –, -en
*die Trockenanlage, –, -n
*die Küche, –, -n

\*die Wäsche, –  
\*die Grünfläche, –, -n  

\*der Baugrund, -s

| | | | |
|---|---|---|---|
| vorzeitig | nichtalkoholisch | \*psychologisch | \*Polyester |
| künftig | insgesamt | \*im Hinblick auf | \*Polyacryl |
| unverkauft | förderlich | \*zur Ausfuhr | \*gegenüber |
| Überschuß- | rationell | geeignet | \*betreffend |
| fachmännisch | weiterhin | \*beziehungsweise | \*erheblich |
| modisch | \*bestimmt | (bzw.) | \*hauptsächlich |
| konkret | \*behandelt | \*einzel- | \*vorgefertigt |
| eher | \*häufig | \*Polyamid- | \*Schall- |
| | | | \*Familien- |

## 17 A

eine Rolle spielen, spielte, hat gespielt  
Viele Beweggründe spielen beim Autokauf eine Rolle.  
zuweisen + D + A, wies zu, hat zugewiesen  
Der Hausfrau wird die Rolle eines Technikers zugewiesen.  
ausfolgen + A, folgte aus, hat ausgefolgt  
In Betriebskantinen werden jeden Tag viele Portionen ausgefolgt.  
steuern + A, steuerte, hat gesteuert  
Viele Geräte können automatisch gesteuert werden.  
schonen + A, schonte, hat geschont  
Die derzeitigen Rohstoffbestände müssen geschont werden.  
zuführen + D, führte zu, hat zugeführt  
Diese Probleme werden einer baldigen Lösung zugeführt.  
blockieren + A, blockierte, hat blockiert  
Die Straße wurde durch mehrere Bäume blockiert.  
beeinflussen + A, beeinflußte, hat beeinflußt  
Dieser Sachverhalt beeinflußt unsere Entscheidung nicht.  
bedecken + A, bedeckte, hat bedeckt  
Dicker Schnee bedeckt monatelang die Straßen.

der Industriestaat, -s, -en  
der Ausdruck, -s, -drücke  
das Prestige, -s  
der Autofahrer, -s, –  
die Zufriedenheit, –  
der Neuerwerb, -s  
das Geltungsbedürfnis, -ses  
die Abnahme, –  
die Limousine, –, -n  
das Coupé, -s, - s  
das Kabrio(lett), -s, -s  
die Einkommensklasse, –, -n  
die Überfüllung, –

der Wohnort, -s  
die Verpestung, –  
der Stadtverkehr, -s  
die Elektrizität, –  
das Badezimmer, -s, –  
der Nachtstrom, -s  
der Kochherd, -s, -e  
die Küchenmaschine, –, -n  
der Haartrockner, -s, –  
die Kantine, -n  
das Standardessen, -s, –  
der Arbeitsaufwand, -s  
die Arbeitsgeschwindigkeit, –, -n

die Jahrhundertwende, –, -n
das Luftfahrtprogramm, -s, -e
das Raumfahrtprogramm, -s, -e
der Rohstoffbestand, -s, -bestände
der Planet, -en, -en
das Motiv, -s, -e
die Information, –, -en
der Schneefall, -s, -fälle

die Werterhöhung, –, -en
die Rekordeinnahme, –, -n
der Pullover, -s, –
das Verständnis, -ses
das Abraten, -s
der Flugplatz, -es, -plätze
die Überstunde, –, -n

| materiell | viertürig | jedermann | lebensnotwendig |
| gewissermaßen | betrieben | sprunghaft | logisch |
| lässig | einzigartig | bleibend | fließend |
| zweitürig | vollautomatisch | revolutionär | merklich |
| | | | großartig |

## 17 B

sich verbünden, verbündete, hat verbündet
  Die Autofabriken verbünden sich heutzutage.
sich stellen, stellte sich, hat sich gestellt
  Neue Probleme stellen sich beim Autokauf.
in Zahlung geben + A, gab, hat gegeben
  Der Altwagen wird in Zahlung gegeben.
verabreichen + A, verabreichte, hat verabreicht
  Die heiße Wurst wird mit Senf verabreicht.
eingeben + A, gab ein, hat eingegeben.
  Der Übersetzer gibt die Anfrage ein.
überarbeiten + A, überarbeitete, hat überarbeitet
  Wir überarbeiten diese Übersetzung, bevor sie vorgelegt wird.
sich wagen, wagte, hat gewagt
  Die Techniker wagen sich an dieses Problem.
*bestehen in + D, bestand in, hat in . . . bestanden
  Der Vorgang besteht in der Teilung eines Atomkerns.
*anstoßen an + A, stieß an, hat angestoßen
  Die Partikel stoßen an andere Teilchen.
*freimachen + A, machte frei, hat freigemacht
  Dadurch wird viel Energie freigemacht.
*spalten + A, spaltete, hat gespalten
  Die Atome spalten sich und erzeugen neue Neutrone.
*erschüttern + A, erschütterte, hat erschüttert
  Die Atomspaltung hat die Menschheit erschüttert.
*erlangen + A, erlangte, hat erlangt
  Unter Wärmeeinwirkung erlangen sie eine schnelle Bewegung.
*verschmelzen, verschmolz, ist verschmolzen
  Die Atomkerne verschmelzen, um einen neuen Kern zu bilden.
*antreiben + A, trieb an, hat angetrieben
  Der Erzfrachter wird durch einen Hochdruckreaktor angetrieben.

*leisten + A, leistete, hat geleistet
Dieser Frachter leistet hunderttausend Kilometer ohne Wiederaufladen.
*erarbeiten + A, erarbeitete, hat erarbeitet
Dieses Forschungszentrum erarbeitet neue Verfahren.
*Zutritt haben, hatte, hat gehabt
Mit diesem Verfahren haben wir Zutritt zur Kernelektrizität.
*verdreifachen + A, verdreifachte, hat verdreifacht
Die Herstellung wurde verdreifacht.
*entreißen + A + D, entriß, hat entrissen
Italien hat der Bundesrepublik den ersten Platz entrissen.
*zuschreiben + D, schrieb zu, hat zugeschrieben
Die Diskrepanz der Preise wird der Mehrwertsteuer zugeschrieben.
*vorhanden sein, war, ist gewesen
Es ist ein Lohnunterschied vorhanden.
*behindern + A, behinderte, hat behindert
Alte Maschinen behindern die moderne Entwicklung einer Industrie.
*einstellen auf + A, stellte ein, hat eingestellt
... die Produktion auf ein Modell einstellen.
*vervielfachen + A, vervielfachte, hat vervielfacht
Die Erkenntnisse vervielfachen sich.
*fußen auf + D, fußte, hat gefußt
Die Geschäftsführung fußt auf vielen Erkenntnissen.
*ankündigen + A, kündigte an, hat angekündigt
Ein neuer Computer ist angekündigt worden.
*sich unterhalten mit + D, unterhielt, hat unterhalten
Dieser Computer unterhält sich mit 200 Teilnehmern.
*abnehmen, nahm ab, hat abgenommen
Der Widerstand nimmt mit steigender Temperatur ab.
*auf den Markt bringen + A, brachte, hat gebracht
Dieses Werk hat neue Typen auf den Markt gebracht.
*herleiten von + D, leitete her, hat hergeleitet
Die neue Karosserie ist von der alten hergeleitet.
*verlängern + A, verlängerte, hat verlängert
Die Autohersteller haben ihre Modelle verlängert.
*Vorteil ziehen aus, zog Vorteil aus, hat Vorteil aus .. gezogen
Die Autofabriken ziehen Vorteil aus dieser Situation.
*entfallen auf + A, entfiel auf, ist entfallen auf
Ein Teil dieses Betrags entfällt auf den Autosektor.
*sättigen + A, sättigte, hat gesättigt
Der Wagenpark wird sehr bald gesättigt sein.
*einrichten + A, richtete ein, ist eingerichtet worden
In Südamerika sind einige Werke eingerichtet worden.

die Errungenschaft, –, -en          der Autohersteller, -s, –
das Wunder, -s, –                    der Mittelklassewagen, -s, –

die Beförderung, –
die Stammfirma, –, -en
die Verkaufsorganisation, –, -en
der Erfahrungsaustausch, -s, -e
die Finanzplanung, –, -en
der Altwagen, -s, –
der Gebrauchtwagen, -s, –
die Neuanschaffung, –, -en
der Schätzpreis, -es, -e
die Verpflegung, –, -en
die Belegschaft, –, -en
die Gastronomie, –
das Würstchen, -s, –
die Mikrowelle, –, -n
der Strahler, -s, –
die Ausgabe, –, -n
der Senf, -s
das Wörterbuch, -s, -bücher
der Übersetzer, -s, –
die Fachterminologie, –, -n
die Geschwindigkeit, –, -en
die Übersetzung, –, -en
die Veröffentlichung, –, -en
die Datenverarbeitung, –, -en
die Fehlmenge, –, -en
das Elektronengehirn, -s, -e
der Alltag, -s
der Weltraum, -s
*der Vorgang, -s, -gänge
*die (Kern)spaltung, –, -en
*die Teilung, –, -en
*das Atom, -s, -e
*das Plutonium, -s
*das Teilchen, -s, –
*das Neutron, -s, -en
*die Zerlegung, –, -en
*die Energie, –, -n
*die Kettenreaktion, –, -en
*der Schrecken, -s
*die Hoffnung, –, -en
*die (Kern)verschmelzung, –, -en
*der Wasserstoff, -s
*die Wärme, –
*die heftige Bewegung, –, -en
*der Zusammenstoß, -es, -stöße

*die Freimachung, –, -en
*der Ursprung, -s, die Ursprünge
*der Stern, -s, -e
*der Erztransporter, -s, -e
*die Mithilfe, –, -n
*der Hochdruckreaktor, -s, -en
*die Pferdestärke, –, -n
*die Selbständigkeit, –
*die Wiederladung, –, -en
*die Reise, –, -n
*das Kernforschungszentrum, -s, -zentren
*die Grundlagenforschung, –, -en
*der Urtyp, -s, -en
*der Motor, -s, -en
*der Uranbrenner, -s, –
*das Brennstoffelement, -s, -e
*die Strahlung, –, -en
*die Strahlenwirkung, –, -en
*das Kernkraftwerk, -s, -e
*das Wärmekraftwerk, -s, -e
*der Mythus, -s', die Mythen
*der Hersteller, -s, –
*die Diskrepanz, –, -en
*die Wiederverkäuferspanne, –, -n
*der Nachlaß, Nachlasses, Nachlässe
*die Soziallasten, – (Pl.)
*die Ungleichheit, –, -en
*das Geheimnis, -ses, -se
*das Rezept, -s, -e
*die Wirtschaftsführung, –, -en
*die Geschäftsführung, –, -en
*die Planung, –, -en
*der Mietpreis, -es, -e
*der Marktpreis, -es, -e
*der Gesprächsteilnehmer, -s, –
*der Halbleiter, -s, –
*der Kristall, -s, -e
*das Germanium, -s
*die Verunreinigung, –, -en
*die Erhitzung, –, -en
*der Transistor, -s, -en
*die Karosserie, –, -n
*die Spitzengeschwindigkeit, –, -en
*der Anlasser, -s, –
*der Gang, -s, die Gänge

*das Armaturenbrett, -s, -bretter
*die Schaltafel, –, -n
*die Verschiedenartigkeit, –, -en
*die Zulassung, –, -en

*Westeuropa, -s
*die Montage, –, -n
*Brasilien, -s
*Mexiko, -s

| | | | |
|---|---|---|---|
| fühlbar | Wort für Wort | *biologisch | *verstaatlicht |
| sichtbar | stilistisch | *für Männer | *gleichzeitig |
| beruflich | *spaltbar | *veraltet | *nichtmetallisch |
| unvermeidlich | *kritisch | *aufeinander- | *neu |
| ergänzungsfähig | *ungeheuer | folgend | *synchronisiert |
| im Freien | *intensiv | *vielfältig | *berufstätig |
| unwahrscheinlich | *angereichert | verwendbar | *jährlich |
| der Reihe nach | *U-Boot- | *abhängig von | |
| | | + D | |

## 17 C

belegen + A, belegte, hat belegt
    Belegen Sie Ihre Meinung mit Beispielen!

## 18 A

eintreten in + A, trat in . . . ein, ist in . . . eingetreten
    Die Menschheit ist in einen Wettlauf eingetreten.
produzieren + A, produzierte, hat produziert
    Es müssen in Zukunft viel mehr Güter produziert werden.
zu Leibe rücken + D, rückte, ist gerückt
    Die Wissenschaftler rücken den großen Problemen der Menschheit zu Leibe.
züchten + A, züchtete, hat gezüchtet
    Die chemische Industrie verwendet zur Lebensmittelherstellung das aus Algen ge-
    züchtete Eiweiß.
verzehnfachen + A, verzehnfachte, hat verzehnfacht
    Die Kunstdüngerherstellung soll verzehnfacht werden.
übergehen zu + D, ging über, ist übergegangen
    Der Maschinenbau ist zur Verwendung von Kunststoffen übergegangen.
eröffnen + D + A, eröffnete, hat eröffnet
    Neue Verwendungsmöglichkeiten sind den Kunststoffen eröffnet worden.
errichten + A, errichtete, hat errichtet
    Die deutsche Industrie errichtet neue Fabrikationsstätten im Ausland.
erstellen + A, erstellte, hat erstellt
    Im Hafengebiet von Antwerpen sind bereits große Raffinerieanlagen erstellt.
Schlange stehen, stand Schlange, hat Schlange gestanden
    Bei mangelnder Lebensmittelversorgung muß die Bevölkerung Schlange stehen.
befürchten + A, befürchtete, hat befürchtet
    Wir befürchten einen Konjunkturrückgang.
bewältigen + A, bewältigte, hat bewältigt
    Wir müssen diese Arbeit bis zum Monatsende bewältigen.

erläutern + A, erläuterte, hat erläutert
Erläutern Sie mir das Ausmaß dieser Wirtschaftskrise!
fördern + A, förderte, hat gefördert
Diese Industrie wird durch die wirtschaftliche Entwicklung besonders gefördert.
unmöglich machen + A, machte unmöglich, hat unmöglich gemacht
Die hohen Zölle haben die Einfuhr in dieses Land unmöglich gemacht.
versorgen + A, versorgte, hat versorgt
Er ist durch seine Rente für sein Alter versorgt.
entgegenkommen + D, kam entgegen, ist entgegen gekommen
Der Lieferer konnte seinen Kunden in den Zahlungsbedingungen sehr weit entgegenkommen.

| | |
|---|---|
| der Wettlauf, -s, die Wettläufe | der Farbstoff, -s, -e |
| der Griff, -s, -e | das Hilfsmittel, -s, – |
| die Alge, –, -n | das Zwischenprodukt, -s, -e |
| die Synthese, –, -n | das Arzneimittel, -s, – |
| der Ersatz, -es | das Düngemittel, -s, – |
| der Hunger, -s | die Folie, –, -n |
| das Kali, -s | die Fabrikationsstätte, –, -n |
| der Kunstdünger, -s, – | der Standort, -s, -e |
| das Schwergewicht, -s, -e | die Kostenlage, –, -n |
| die Verlagerung, –, -en | die Wettbewerbslage, –, -n |
| das Projekt, -s, -e | das Bestehen, -s |
| das Aufnahmepotential, -s, -e | Antwerpen, -s |
| Indien, -s | die Verkehrslage, –, -n |
| die Schwerindustrie, –, -n | die Altersversorgung, –, -en |
| die Leichtmetallindustrie, –, -n | die Situation, –, -en |
| die Konstruktion, –, -en | der Rennfahrer, -s, – |
| die Elastizität, –, -en | das Skilaufen, -s |
| die Wetterbeständigkeit, –, -en | die Begleitumstände, – (Pl.) |
| der Werkstoff, -s, -e | der Knopf, -es, die Knöpfe |

| | | | |
|---|---|---|---|
| unbemerkt | künftig | beherrschend | bemerkenswert |
| dramatisch | furchtbar | wertintensiv | petrolchemisch |
| unaufhörlich | stürmisch | gigantisch | unmöglich |
| | | | ungeduldig |

## 18 B

stecken hinter + D, steckte, hat gesteckt
Hinter dieser Produktionssteigerung stecken riesige Investitionen.
ausrüsten + A, rüstete aus, hat ausgerüstet
Der Hafen ist für die chemische Industrie aufs modernste ausgerüstet.
*zusammenarbeiten mit + D, arbeitete zusammen, hat zusammengearbeitet
Viele Forscher haben mit diesem Chemie-Werk zusammengearbeitet.
*sich verbinden mit + D, verband sich mit, hat sich mit ... verbunden
Mit dieser Marke verbindet sich der Begriff von hoher Qualität.

*auftreten, trat auf, ist aufgetreten
   Diese Kunststoffe treten in der ersten Reihe auf.
*entgegenstellen + D, stellte entgegen, hat entgegengestellt
   Dem wichtigsten Kunststoff wird ein wachsender Wettbewerb entgegengestellt.
*sich abheben, hob ab, hat abgehoben
   Unter diesen Erzeugnissen heben sich die folgenden Artikel ab:

die Expansion, –, -en
die Garantie, –, -n
die Küstennähe, –
das Hinterland, -s
die Anfuhr, –, -en
die Abfuhr, –, -en
die Fachkenntnisse, – (Pl.)
der Umgang, -s
die Chemikalien, – (Pl.)
die Behandlung, –, -en
Holland, -s
das Ruhrgebiet, -s
die Schlagader, –, -n
*das Ammoniak, -s
*die Arbeitsgemeinschaft, –, -en
*die Elektrochemie, –
*die Elektrometallurgie, –, -n
*das Stahlwerk, -s, -e
*die Kamera, –, -s
*das Zubehör, -s, -e
*der Forscher, -s, –
*der Indigo, -s
*das Hundert, -s, -e
*das Färben, -s
*das Bedrucken, -s

*die Beständigkeit, –
*die Etikette, –, -n
*der Begriff, -s, -e
*die Soda, –
*die Schwefelsäure, –
*das Tonband, -s, die Tonbänder
*das Chlorid, -s, -e
*das Polyäthylen, -s
*das Polypropylen, -s
*das Polystyren, -s
*das Aminoplast, -s, -e
*das Polymethacrylat, -s
*die Kühlindustrie, –, -n
*die Brillenherstellung, –, -en
*das Spiel, -s, -e
*das Spielzeug, -s, -e
*das Säckchen, -s, –
*das Fläschchen, -s, –
*der Flaschenverschluß, -verschlusses
   -verschlüsse
*die Platte, –, -n
*der Schlauch, -s, die Schläuche
*die Verkleidung, –, -en
*der Fußboden, -s, -böden

*offenbar
*überaus
*ansässig
*aufs modernste
*zentral

*geographisch
*verarbeitend
*zahnärztlich
*tierärztlich
*Pflanzenschutz-

*Schädlings-
   bekämpfungs-
*photographisch
   (= fotografisch)
*Photo- (= Foto)

*engstens
*wegen
*organisch
*mineral-
*thermoplastisch
*Schuh-

**19 A**

angehen + A, ging an, ist angegangen
   Die großen Probleme der Menschheit gehen jeden an.
sich richten gegen + A, richtete, hat gerichtet
   Die Hilfe richtet sich gegen Hunger und Chaos.

offenbaren + D + A, offenbarte, hat offenbart
Die Entwicklung hat den Industriestaaten ihre Probleme offenbart.

veranlassen + A zu + D, veranlaßte, hat veranlaßt
Das Elend hat die reichen Länder zu einer großen Hilfeleistung veranlaßt.

entspringen + D, entsprang, ist entsprungen
Die Hilfeleistung darf keiner Nebenabsicht entspringen.

hereinbrechen über + A, brach herein, ist hereingebrochen
Die Hungersnot bricht über die Menschenmassen herein.

gewahr werden, wurde gewahr, ist gewahr worden
Man ist gewahr geworden, daß die Entwicklungshilfe ein gigantischer Mißerfolg ist.

voraussagen + A, sagte voraus, hat vorausgesagt
Die Fachleute haben diese Entwicklung vorausgesagt.

vorbeigehen an + D, ging vorbei, ist vorbeigegangen
An diesem trostlosen Zustand der Menschheit kann man nicht vorbeigehen.

veranschaulichen + A, veranschaulichte, hat veranschaulicht
Diese Ziffern veranschaulichen die wirkliche Finanzkraft der Industriestaaten.

unterstützen + A, unterstützte, hat unterstützt
Die armen Völker müssen unterstützt werden.

sich zum Guten wenden, wandte, hat gewendet
Die Lage hat sich zum Guten gewendet.

an sich ziehen + A, zog, hat gezogen
Der Rhein zieht die Verkehrswege an sich.

bestreiten (den Lebensunterhalt), bestritt, hat bestritten
Ohne die Industrialisierung könnte das deutsche Volk seinen Lebensunterhalt nicht bestreiten.

koppeln + A, koppelte, hat gekoppelt
Die Steinkohlenförderung ist mit der Maschinenindustrie gekoppelt.

ausrichten auf + A, richtete aus, hat ausgerichtet
Die deutsche Industrie ist auf Export ausgerichtet.

ausbauen + A, baute aus, hat ausgebaut
Viele Werke sind ausgebaut worden.

befahren + A, befuhr, hat befahren
Der Nord-Ostsee-Kanal wird von großen Seeschiffen befahren.

sich gruppieren um + A, gruppierte, hat gruppiert
Die wichtigsten Industrien gruppieren sich um den Rhein.

erfahren + A, erfuhr, hat erfahren
Dieses Land hat eine tiefgreifende Industrialisierung erfahren.

der Marshallplan, -s
das Elend, -s
die Hoffnungslosigkeit, –
das Chaos, –
die Entkolonialisierung, –, -en
die Verzahnung, –, -en
die Hilfeleistung, –, -en

die Nebenabsicht, –, -en
die Schulpflicht, –
der Analphabetismus, –
die Hungersnot, –, nöte
der Bevölkerungsdruck, -s
die Starthilfe, –, -n
die Kluft, –, die Klüfte

der Besitzende, -n, -n
der Mißerfolg, -s, -e
die Steuererhöhung, –, -en
die Aufblähung, –, -en
der Verwaltungsapparat, -s, -e
die Rüstung, –, -en
der Verfall, -s
die Leistungskapazität, –, -en
die Beratung, –, -en
die Stabilisierung, –, -en
die Zollbegünstigung, –, -en
das Höchstmaß, -es, -e
die Verlangsamung, –, -en
das Ablegen, -s
die Sitten, – (Pl.)

die Gebräuche, – (Pl.)
Japan, -s
die Generation, –, -en
die Mitte, –, -n
der Rhein, -s
die Verstädterung, –, -en
die Industrialisierung, –, -en
das Vorkommen, -s
die Fördermenge, –, -n
das Verkehrsnetz, -es, -e
das Straßennetz, -es, -e
die Ostsee, –
Nordrhein-Westfalen, -s
die Uhrenindustrie, –, -n

| | | | |
|---|---|---|---|
| positiv | primitiv | maßlos | menschenwürdig |
| trostlos | kümmerlich | unerbittlich | hochstehend |
| heimgesucht | tief | unzugänglich | rheinaufwärts |
| tragisch | unüberbrückbar | schicksalhaft | wechselseitig |
| fürchterlich | katastrophal | konsequent | tiefgreifend |
| moralisch | rückläufig | zielbewußt | |